Géopolitique
du XVIe siècle

Du même auteur

Chercheurs de trésors et jeteuses de sorts
La quête du surnaturel à Naples au XVIe siècle
Aubier, 1986

Les Sorcières, fiancées de Satan
Gallimard, « Découvertes », 1989

Visions indiennes, visions baroques
Les métissages de l'inconscient
(direction)
PUF, 1992

Naples et ses saints à l'âge baroque
(1540-1750)
PUF, 1994

Charles Quint
L'Empire éphémère
Payot, 2000 et « Petite bibliothèque Payot », 2004

La Circulation des élites européennes
Entre histoire des idées et histoire sociale
(co-direction avec Henri Besc et Fabrice d'Almeida)
S. Arslan, 2002

Jean-Michel Sallmann

NOUVELLE HISTOIRE
DES RELATIONS INTERNATIONALES

1

Géopolitique
du XVIe siècle
1490-1618

Éditions du Seuil

ISBN 2-02-037497-8

www.seuil.com

Introduction

C'est une tradition historiographique bien établie et à laquelle il est difficile de déroger : l'histoire des relations internationales commence à la fin du XVᵉ siècle. Avant 1492 (Christophe Colomb) – ou 1494 (les guerres d'Italie), c'est selon –, il y a bien des princes qui nouent des alliances, qui se font la guerre et qui concluent des traités de paix, mais toutes ces activités ne relèvent pas encore des relations internationales. Après cette date, il y a toujours des princes qui nouent des alliances, qui se font la guerre et qui concluent des traités de paix, mais leurs activités relèvent désormais du domaine bien balisé de l'histoire des relations internationales. Tout historien doté d'un minimum d'esprit critique éprouvera de la peine à comprendre les raisons mystérieuses qui ont présidé à la naissance soudaine de cette discipline et il s'interrogera sur le bien-fondé de cette date fatidique. On lui objectera qu'il faut bien qu'il y ait des États nationaux pour que l'on puisse parler de relations internationales, et que c'est justement dans l'Europe de la Renaissance que se constituent les premiers États nationaux. Je n'ai jamais été convaincu par cet argument qui ne sert qu'à justifier une vision européocentrée de l'histoire du monde. C'est pourquoi, j'ai adopté la coupure des dernières années du XVᵉ siècle comme une simple convention éditoriale, en gardant bien à l'esprit que, si elle avait un sens pour l'Europe occidentale et pour la Méso-Amérique, elle n'en avait aucun pour le reste du monde,

en particulier pour l'Asie ou l'Afrique. Je l'ai souvent
ignorée, lorsqu'il fallait, pour une meilleure compréhension de la situation internationale, remonter largement dans
le temps, parfois sur plusieurs siècles. En revanche, la
première moitié du XVIIe siècle me paraît bien constituer un
tournant dans les équilibres mondiaux. Un ensemble
d'événements déterminants incitent à penser que, dans le
cadre d'échanges désormais généralisés, sont en train de se
mettre en place les grandes lignes de la vie internationale
qui se sont maintenues jusqu'au XIXe siècle et au deuxième
choc colonial : l'instauration du shogunat d'Edo et la fermeture du Japon ; l'effondrement de la dynastie des Ming
et la conquête de la Chine par les Mandchous ; l'unification du sous-continent indien par la dynastie moghole ; le
partage du monde musulman du Maghreb aux steppes de
la Sibérie centrale entre les deux obédiences, sunnite
– représentée par l'Empire ottoman – et chiite – incarnée
par l'Empire iranien ; la disparition définitive des cultures
américaines et la naissance d'une Amérique latine métissée ; l'exacerbation des rivalités nationales en Europe et
la mise au point de règles de conduite dont s'inspire encore
le droit international actuel.

C'est pourquoi, j'ai choisi d'analyser l'évolution des
grands équilibres mondiaux au XVIe siècle, afin de mieux la
comprendre ou, du moins, de lui donner un sens plausible.
Ce choix en implique d'autres. Il fallait tout d'abord éviter
de privilégier l'Europe, de lui donner une place qui excède
le rôle qu'elle a réellement rempli. L'histoire du monde ne
se résume pas à l'histoire de l'Europe et il convient de
réserver la place qui leur revient aux autres grandes civilisations et de ne pas les étudier uniquement à travers le
prisme de l'histoire européenne. Ce rééquilibrage a eu for-
cément des conséquences immédiates sur l'économie du
livre. Des pans entiers de l'histoire diplomatique ont ainsi
disparu parce qu'ils n'ont pas été jugés déterminants dans
la compréhension des rapports géostratégiques. Pourquoi

décrire par le menu les guerres d'Italie plutôt que la conquête du sultanat du Gujarat ou les affrontements entre Ottomans et Safavides pour le contrôle de l'Azerbaïdjan ? D'autre part, il est souvent difficile de distinguer les relations extérieures d'un État de sa vie politique intérieure et même de comprendre les raisons qui l'incitent à intervenir au-delà de ses frontières sans jamais faire aucune référence aux vicissitudes de sa politique interne. On peut supposer l'histoire des grands États européens suffisamment connue, mais en est-on bien sûr ? Qui connaît les rouages complexes du Saint Empire romain, les enjeux stratégiques de la mer Baltique ou des marches orientales de l'Europe ? Qui peut se targuer d'avoir une idée précise des institutions politiques en vigueur dans la plupart des États européens ou tout simplement d'en connaître les dynasties régnantes ? L'exercice devient encore plus périlleux pour des civilisations ou des États lointains qui peuvent apparaître bien exotiques à un Européen. Une présentation minimale s'impose d'autant qu'il convient d'apprécier correctement l'interaction entre la solidité relative de ces États et leur capacité à intervenir au-delà de leurs frontières reconnues ou, à l'inverse, en raison de leur faiblesse interne, leur propension à devenir une proie pour leurs voisins. L'exemple du Japon constitue presque un cas d'école. Dans la première moitié du XVIe siècle, l'Empire nippon n'est plus qu'une fiction juridique. Chacun des grands seigneurs de la guerre se comporte comme un prince autonome et souverain, et les relations qu'ils entretiennent les uns avec les autres relèvent autant des relations internationales que de la politique intérieure. C'est seulement avec le rétablissement de l'autorité centrale qu'il redevient possible de distinguer entre les deux.

J'ai opté pour un plan thématique, en réservant un chapitre aux quatre grandes lignes directrices qui me semblent caractériser la géopolitique de ce siècle : le poids considérable représenté par les grands empires musulmans qui atteignent alors leur apogée ; l'expansion outre-mer des États d'Europe occidentale, en Amérique principalement, mais aussi dans l'océan Indien et dans le Pacifique ; la pulvérisation politique de l'Europe et les rivalités qu'elle engendre entre les États ; la résistance des sociétés asiatiques aux tentatives de pénétration de l'Occident.

Chapitre 1

Le monde à la fin du XVe siècle

Faire un tableau du monde à la fin du XVe siècle revient, dans un premier temps, à établir la part du monde connu et celle de celui qui ne l'est pas encore. Imaginons un lettré chinois, indien, arabe ou européen. Imaginons qu'il possède un savoir encyclopédique. Imaginons enfin qu'il soit parfaitement au courant des affaires de son temps et qu'il ait en sa possession les informations les plus fraîches. Il est capable de décrire le « vieux » monde, celui qui, depuis la plus haute Antiquité, échange des produits, des savoirs et des hommes. Ce monde connu est presque entièrement limité au continent eurasiatique auquel il convient d'ajouter le nord de l'Afrique qui jouxte la Méditerranée, et la corne orientale de ce continent que les Anciens appelaient Nubie et Abyssinie. Durant le Moyen Âge – celui des Occidentaux –, entre le Xe et le XIIIe siècle, se sont agrégées à ce vieux monde les régions de l'Afrique sahélienne comprises entre le Sahara et les confins de la grande forêt équatoriale, plus communément appelée le Soudan, ainsi que les régions proches de la côte orientale de l'Afrique, qui entrèrent aussi à cette époque dans le système des échanges de l'océan Indien.

S'il est bien informé, il peut savoir qu'un petit peuple de marins situé à l'extrême pointe occidentale de l'Europe a entrepris de contourner le continent africain et que trois bateaux portugais, commandés par Vasco de Gama, ont accosté, à bout de souffle après un périple de plusieurs

mois, à Calicut dans l'Inde du Sud en 1498. Quelques
années auparavant, des navires battant pavillon de la reine
de Castille avaient repéré quelques îles dans l'océan Atlantique et les côtes d'une grande terre qui semblait pour
l'instant bien inhospitalière, même si le commandant de
cette expédition, Christophe Colomb, avait cru reconnaître
en elle l'extrémité du continent asiatique. Mais ces
périples extraordinaires relevaient encore de l'exploit spor-
tif. Personne n'était en mesure d'en comprendre la portée
stratégique qui ne se dessina que par la suite. En tout cas,
ils ne remettaient pas en cause fondamentalement la vision
que les habitants de l'Ancien Monde avaient du monde.
Pour eux, l'Amérique n'existait pas, pas plus que l'Afrique
au sud du tropique du Cancer, l'Océanie pas davantage.

Vers 1500, la population mondiale devait avoisiner les
300 ou 400 millions d'habitants dont 100 à 120 millions
pour la Chine, 80 à 100 millions pour l'Inde et 60 à 80 millions pour l'Europe. Tels étaient les gros noyaux de population dense de l'Ancien Monde. Curieusement, ils n'entretenaient pas de rapports directs. Si quelques voyageurs
occidentaux, marchands ou missionnaires, avaient par-
couru l'Inde ou la Chine, jamais un Européen n'avait eu
l'occasion de voir un Indien ou un Chinois et c'est en cela
que l'expédition de Vasco de Gama était novatrice. Elle
contribua à tisser des rapports directs entre des civilisations et des États qui ne se connaissaient jusque-là que de
manière indirecte.

1. L'Extrême-Orient chinois

Ne serait-ce que par son poids démographique, la Chine
domine l'Extrême-Orient. Que pèse le Japon avec ses
10 millions d'habitants face à une Chine qui s'étend sur
3 millions de kilomètres carrés et qui compte une bonne

centaine de millions d'habitants ? Et la Corée ou l'Indochine ? La Chine était l'État le plus peuplé, le plus puissant et le mieux organisé du monde en cette fin de XVᵉ siècle. Cette région se remettait des vagues d'invasion mongoles qui l'avaient submergée et détruite pendant quatre-vingts ans au XIVᵉ siècle, et le XVᵉ siècle fut un siècle de récupération. Les sociétés orientales connaissaient alors une période de forte croissance économique et des mutations sociales qui influèrent sur leur organisation politique. La croissance soutenue de la population fut facilement absorbée par l'extension des zones cultivées et par la diversification des productions agricoles. À la culture du riz, de plus en plus concentrée dans les fonds de vallées grâce au système de la rizière irriguée, était associée la culture de plantes industrielles comme le chanvre ou le mûrier – pour la sériciculture –, l'arbre à laque et le thé, dont la consommation connaissait un vif essor. Quant à la production industrielle, la Chine se distinguait dans trois domaines particuliers : le travail de la porcelaine très anciennement maîtrisé, la métallurgie du fer et de l'acier – la Chine en fut jusqu'au XVIIIᵉ siècle le plus gros producteur mondial –, la production des étoffes de soie dont les plus précieuses étaient fabriquées dans des ateliers d'État et exportées.

Mais l'essor économique libérait les forces productives. Jusque-là, la production agricole et industrielle ainsi que les marchés étaient strictement contrôlés par l'État. La monétarisation progressive des échanges fit voler en éclats l'idéal d'une société égalitaire de petits paysans libres. Certains s'enrichirent, d'autres s'appauvrirent. Les paysans endettés n'eurent d'autre recours que de se mettre au service des grands propriétaires fonciers, de s'enfuir dans des régions périphériques peu contrôlées par l'État pour y développer un banditisme ou une piraterie endémiques, ou de s'en aller gonfler la main-d'œuvre des villes. À l'inverse, une classe de marchands et de paysans aisés parvint à capter les surplus à son profit. Les artisans des villes qui, auparavant, devaient livrer à l'État leur production ou travailler gratuitement sur des chantiers publics rachetèrent leur liberté en négociant avec le gouvernement impérial. Les transactions qui, autrefois, ne pouvaient se dérouler que dans des marchés contrôlés par des commissaires impériaux étaient désormais libres, exception faite de certaines marchandises à monopole comme le sel, les métaux, l'alcool ou les articles de luxe destinés à l'exportation. Bien qu'ils aient été encore rares et peu pratiques, les signes monétaires se multiplièrent sous forme de sapèques – des pièces de bronze percées d'un trou –, de lingots d'or ou d'argent d'une once (36 grammes).

Pourtant, même si le développement des échanges contribuait à accroître les distinctions sociales, la société chinoise se caractérisait encore à la fin du XVᵉ siècle par une forte cohésion. Une cohésion sociale d'abord, assurée par la permanence de la famille, considérée par l'État comme le noyau élémentaire de la société. Chaque famille était définie en fonction de son appartenance à l'une des trois catégories qui constituaient la société : les paysans, les artisans et les soldats. Le statut de chaque famille était consigné dans les Livres jaunes rédigés lors des recensements qui étaient régulièrement pratiqués. Ces familles étaient regroupées dans des ensembles de cent dix familles, appelés *lijia,* au sein desquels les plus riches assuraient des fonctions d'encadrement et les plus pauvres fournissaient les services. Par ailleurs, l'accès à la fonction publique, et donc au pouvoir, s'opérait sur la base du mérite personnel. Régulièrement, l'État organisait des examens très sélectifs, et les promus entraient dans la classe des lettrés (ou mandarins). Réussir à un examen et devenir bureaucrate constituait une chance d'ascension sociale pour la famille du nouveau promu qui obtenait ainsi des exemptions fiscales et échappait aux corvées. La cohésion était aussi assurée par un système philosophique et religieux syncrétiste, associant le bouddhisme, le confucianisme et le taoïsme, dont les lettrés chinois étaient convaincus qu'il contribuait à maintenir l'harmonie sociale. Ainsi, les Chinois étaient enclins à considérer comme barbare ou étranger – ce qui revenait au même – tout système de croyance qui ne correspondait pas au leur.

La Chine de la fin du XVᵉ siècle était donc soumise à une double tension contradictoire : une volonté de maintenir la cohésion sociale sous la direction d'un État centralisé et une tendance à la dissociation et à l'individualisation sous l'influence de l'essor de l'économie monétaire. Depuis 1368, la Chine était gouvernée par la dynastie impériale des Ming. Cette année-là, Zhu Yuanzhang, un chef de bande d'origine populaire qui avait fédéré les forces d'opposition, chassa les Mongols et s'empara du pouvoir. C'est lui qui créa la Chine telle que purent la découvrir les premiers Européens au début du XVIᵉ siècle. L'empire fut divisé en treize provinces et deux districts administratifs comprenant les deux capitales, Nankin, la capitale de la Chine du Sud, Pékin, la capitale de la Chine du Nord. Chaque province était dotée d'une direction collégiale et administrée par des fonctionnaires contrôlés par des censeurs. C'est à Zhu Yuanzhang que la Chine dut le système des statuts et les recensements décennaux dans le double but d'éviter la corruption des fonctionnaires et la banqueroute de l'État. Sous la férule des Ming, la Chine fut capable de mobiliser des millions d'hommes pour les énormes chantiers de construction dans les deux capitales, pour la remise en état des digues le long des grands fleuves, pour le percement du canal reliant le fleuve Jaune au Yan Tsé Kiang et pour la réfection de la Grande Muraille. Elle entretenait une armée d'un million de soldats pour garder les frontières du Nord contre les envahisseurs mongols et mit au point un système annonaire très élaboré pour entretenir la population de ses grandes villes. Avec 500 000 habitants et une muraille de 115 kilomètres de long, Nankin était la plus grosse agglomération urbaine du monde au début du XVIᵉ siècle. Ainsi, par sa masse, son degré de développement et d'organisation, l'Empire chinois imposait-il sa puissance à l'Extrême-Orient asiatique et à une bonne partie de l'océan Indien.

La sphère d'influence internationale de la Chine était organisée de manière concentrique. Au centre, le royaume du Milieu *(Zhong-guo),* soit l'ensemble des territoires placés sous l'administration directe des fonctionnaires chinois. Au-delà de ce noyau central, s'étendait une zone tampon placée sous administration indirecte. L'empereur de Chine y accordait son investiture aux pouvoirs locaux et s'attribuait un droit d'intervention militaire si ses intérêts y étaient menacés. Plus loin, un troisième cercle était constitué par les États tributaires qui reconnaissaient la suzeraineté de l'empereur en lui versant un tribut et en lui adressant des ambassades régulières. Enfin, à la périphérie, les peuples barbares qui n'avaient pas la chance de participer à la même civilisation, mais qui pouvaient solliciter leur admission dans le monde civilisé en devenant tributaires. Les colonies chinoises avaient essaimé loin dans l'océan Indien, en Indochine et dans l'Insulinde, dans les comptoirs qui s'égrenaient le long des routes commerciales. On les trouvait aux Philippines, à Bornéo, Java, Sumatra, dans la presqu'île birmane – Malacca fut même État tributaire –, jusque sur les côtes de l'Inde. Mais la pression diplomatique et militaire chinoise se faisait sentir surtout aux frontières de l'Empire, en Corée, au Dai Viêt (le Vietnam actuel), dans les territoires du Nord-Ouest sillonnés par les tribus nomades, dans l'archipel des Ryukyu, ou encore au Japon. Par contre, des territoires relativement proches de la Chine n'entraient pas dans sa sphère d'influence. C'était le cas de l'île de Taïwan ou des Philippines. Ce système diplomatique était renforcé par des liens de dépendance commerciale. La Chine se réservait le monopole du commerce avec l'extérieur. Elle autorisait les États tributaires à commercer avec elle, dans un cadre strict, en leur accor-

dant des licences commerciales. Ce commerce des étiquettes était parcimonieusement distribué, et le Japon,
pourtant État tributaire depuis le début du XVe siècle, ne
participait que de manière limitée à ce commerce. Or la
Chine constituait un marché considérable pour les marchands étrangers qui ne pouvaient y accéder qu'à travers
la contrebande et la piraterie, très actives en mer de Chine.
Dans cette distribution des sphères d'influence, le Tibet
détenait une place particulière. Le royaume himalayen
n'était pas un État tributaire, mais les moines de Lhassa
occupaient une position privilégiée à Pékin comme maîtres
spirituels de l'empereur.

C'est un lieu commun de dire que l'histoire de la Chine
est une succession de phases de repli et de phases d'ouverture. Avec l'instauration de la dynastie des Ming, la Chine
se lança dans une politique d'expansion. Les nomades
mongols furent repoussés au-delà du désert de Gobi et,
après avoir assuré ses frontières septentrionales, la Chine
regarda au-delà des mers. Entre 1406 et 1433 – au moment
même où les Portugais s'attaquaient à l'Atlantique –, plusieurs expéditions navales de grande ampleur, commandées par l'eunuque musulman Zhong He, menèrent les
jonques chinoises dans l'océan Indien jusque sur les côtes
de l'Afrique orientale. Puis, tout s'arrêta brusquement, et,
dans la seconde moitié du XVe siècle, la Chine se replia sur
elle-même. La faute en est due aux Mongols qui revinrent
en force dans le nord de l'empire. Lors d'une expédition
de représailles, l'empereur Ying tsung se fit capturer et les
Mongols mirent le siège devant Pékin en 1450. La Chine
choisit alors de sacrifier son ouverture à l'extérieur pour
consolider ses positions continentales. La Grande Muraille
qui était abandonnée et ruinée fut restaurée à grands frais
et à grand renfort de main-d'œuvre. Elle acquit l'aspect
que nous lui connaissons aujourd'hui. Plusieurs centaines

de milliers de soldats, aidés par des supplétifs, furent installées dans des colonies de peuplement le long des frontières. Cette nouvelle politique contribua à faire basculer
le centre de gravité de la Chine vers le nord. En 1421, la
capitale impériale fut transférée à Pékin, ce qui provoqua
une fracture entre le Sud où se maintint la tradition des lettrés confucéens, et le Nord où le pouvoir impérial se renforça avec l'aide des eunuques placés aux postes de responsabilité, dans l'administration et la police secrète. Mais
ce choix stratégique se transforma en une volonté de se
couper du monde extérieur, qui se manifesta de plusieurs
manières. De façon anecdotique mais significative, on procéda en 1480 à Canton à la recherche de tous les docu-
ments concernant les expéditions de Zhong He, qui furent
brûlés pour qu'il n'en subsistât aucune mémoire. La Chine
appliqua également avec restriction le commerce des étiquettes, ce qui contribua au développement de la contrebande des « pirates » japonais, auxquels se mêlèrent les
marchands indochinois, malais puis portugais. Pour comprendre une telle attitude, il faut se rappeler à quel point
l'unité de la Chine était factice. L'empire du Milieu constituait bien un monde en soi, bigarré et traversé de tensions,
uniquement tenu par une bureaucratie nombreuse,
tatillonne et efficace.

À la fin du XVᵉ siècle, le Japon vivait dans l'orbite de la
Chine dont il était un État tributaire. Cet ordre international chinois lui avait été imposé par les Ming, mais il fut
accepté par le *shogun* Ashikaga Yoshimitsu en 1401, qui
prit officiellement le titre de « roi » du Japon exigé par la
Chine pour les chefs des pays satellites. Le Japon adopta
alors le système de datation chinois dans la correspon-
dance diplomatique et fut soumis au régime des étiquettes.
Comme la Chine, il connut un important essor économique
au XVᵉ siècle : hausse démographique, accroissement de la
production agricole, extension des surfaces cultivées,
développement des villes et des marchés, le tout accompa-

gné d'une monétarisation accrue des échanges. La société tout entière subit les contrecoups de cet essor. Le vieux système domanial finit de voler en éclats. À sa place, la petite paysannerie libérée se regroupa en communautés villageoises encadrées par des petits notables, des marchands ou des paysans enrichis, qui accédèrent à la classe des guerriers et furent désireux de jouer un rôle politique. La situation d'anarchie qui prévalait au Japon à la fin du XVe siècle était donc le résultat de l'enrichissement du pays et de l'émergence de nouvelles forces sociales, apparues dans ce formidable processus d'émancipation et de libération des forces productives. Le Japon comptait de 10 à 12 millions d'habitants sur un archipel dont ne faisait pas encore partie l'île d'Hokkaido au nord, peuplée par les Aïnous. Si le Japon était officiellement un empire gouverné par un empereur, depuis le XIIe siècle, la réalité du pouvoir appartenait à un représentant de l'aristocratie militaire, qui prit le titre de « Grand Maréchal conquérant des Barbares » ou « shogun ». Son gouvernement de la « Tente de Campagne » (ou *bakufu*) donna son nom au nouveau régime qui s'installa à Kamakura, dans la région du Kanto à l'est de Honshu, pour contrebalancer le pouvoir impérial. Dès lors, l'empereur, qui résidait à Kyoto, en était réduit à des fonctions de représentation, religieuses et culturelles. Son pouvoir avait décliné parallèlement à l'affaiblissement de la noblesse de cour et à l'étiolement du système domanial dont il était l'expression politique. Or, au XVe siècle, le shogunat sombra lui-même dans une crise qui faillit le faire disparaître, tandis que les grandes familles féodales s'affrontèrent pour le contrôle du pouvoir et qu'elles se scindèrent en plusieurs lignées, elles-mêmes en lutte entre elles. Le déclin de la famille des Ashikaga qui détenait jusque-là le pouvoir fut sanctionné en 1441 par l'assassinat du shogun Ashikaga Yoshinori. Le pays fut dès lors livré aux affrontements entre trois grands lignages, les Akamatsu, les Hosokawa et les Yamana, et cette lutte débou-

cha sur une guerre civile, les guerres d'Onin qui se déroulèrent entre 1467 et 1477. Les bandes armées mirent le
pays en coupe réglée, et la capitale impériale, Kyoto, fut
ravagée. Le chaos généralisé aboutit à une redistribution
des cartes et à un renouvellement des maisons aristocratiques. Les plus anciennes disparurent et furent remplacées
par des nouvelles venues, fondées par des aventuriers
d'origine modeste ou par des lignées cadettes des anciennes
familles. Les communautés villageoises et urbaines,
muselées par le système domanial, en profitèrent pour
s'émanciper. Elles constituèrent des ligues qui se placèrent
sous la protection des monastères bouddhiques ou zen et
assurèrent leur défense armée avec l'appui des notables
paysans qui accédèrent au statut de guerriers, les *jizamurai*
(les samouraïs des Occidentaux). Le Japon de cette fin du
XVe siècle se trouvait donc dans une situation paradoxale.
L'enrichissement et la monétarisation des échanges avaient
laminé les anciennes élites sociales et favorisé l'ascension
de nouveaux groupes dirigeants. Mais, pour l'heure, l'instabilité politique prédominait, en attendant qu'un nouvel
équilibre se mît en place.

La Corée constituait une autre puissance régionale, elle
aussi soumise au régime tributaire de la Chine. Elle avait
souffert des invasions mongoles, mais, en 1392, la nouvelle
dynastie des Yi, s'était durablement installée au pouvoir,
dans une nouvelle capitale, Séoul. Cette monarchie autoritaire liquida l'ancienne noblesse de cour et s'appuya sur
une nouvelle noblesse de propriétaires fonciers et de lettrés
confucéens, recrutés sur concours selon le modèle chinois.
Pour mieux la contrôler, la dynastie avait installé ces « lettrés fieffés » autour de Séoul, mais, à la fin du XVe siècle,
elle était en butte à cette noblesse qui désirait partager le
pouvoir avec le souverain. Comme le Japon, la Corée était
donc ravagée par les luttes de factions, même si le roi
Yonsanogun cherchait à garder l'initiative de l'autorité au
travers de purges sanglantes, comme en 1494 ou en 1506.

Au sud de la Chine, dans l'Asie du Sud-Est, une nouvelle puissance était en train d'émerger. À son origine, le Dai Viêt était aussi un royaume tributaire de la Chine, centré sur le bassin du fleuve Rouge, mais, au début du XVᵉ siècle, il était parvenu à se dégager de la tutelle de son encombrant voisin, même si son organisation politique était calquée sur celle de la Chine. Il était divisé en treize provinces, dirigé par six ministres et administré par une classe de lettrés recrutés sur concours. Le Dai Viêt atteignit son apogée dans la seconde moitié du XVᵉ siècle, sous le règne du quatrième empereur, Lê Thanh Tong (1442-1497). Celui-ci entreprit une politique de conquête aux dépens de ses voisins les plus faibles. Il s'attaqua d'abord au Champa, un petit État situé sur la côte à la frontière chinoise et composé de marins et de commerçants. En 1470, Lê Thanh Tong captura le roi du Champa, Tra Toan, s'empara d'une partie du royaume et refoula le reste du peuple champa vers le sud de la péninsule indochinoise. Puis, il se tourna vers le royaume du Laos, à l'ouest, un État qui s'était formé au XIVᵉ siècle avec des populations chinoises chassées par les invasions mongoles. En 1479-1480, une grande expédition permit à Lê Thanh Tong de mettre la main sur ce royaume. Le dynamisme vietnamien menaçait le dernier royaume indépendant de la région, le Cambodge, qui, dans ces années, était en train de renaître autour de sa nouvelle capitale Phnom Penh, fondée en 1434.

En cette fin de XVᵉ siècle, l'Extrême-Orient asiatique entrait dans une période de turbulences politiques, causées en grande partie par l'essor économique qu'avait connu la région dans le siècle qui venait de s'écouler et par les perturbations sociales qu'occasionnait le développement de l'économie monétaire. Un peu partout, de nouveaux groupes sociaux émergeaient, une gentry de propriétaires fonciers, des marchands brassant des affaires à très longue distance, des notables paysans enrichis qui aspiraient à entrer dans la petite noblesse, de nouvelles familles aristocratiques et une classe mandarinale désireuses d'être associées au pouvoir, partout un monde bouillonnant qui faisait éclater les cadres de la vieille société domaniale. Ces mutations sociales internes eurent des répercussions sur les équilibres régionaux. Bien sûr, la position dominante de la Chine des Ming n'était guère contestée. Dans ses grandes lignes, le système très hiérarchisé de relations qu'elle avait construit autour d'elle et qui était avant tout destiné à la protéger des influences extérieures prévalait encore, mais les premiers craquements commençaient à se faire entendre. Ils furent d'abord internes. Les invasions des nomades du Nord, le redéploiement vers le nord de la défense de l'Empire chinois, l'abandon des grandes expéditions maritimes, les révoltes paysannes, tout contribua au repli de la Chine sur elle-même. Aussi le Dai Viêt en profita-t-il pour secouer le joug du système tributaire et pour se tailler un empire dans la péninsule indochinoise. Le Japon, en proie à l'anarchie, ne pouvait proposer une politique extérieure cohérente, mais les marchands japonais et les féodaux du sud de l'archipel ne pouvaient plus se satisfaire du régime contraignant des étiquettes qui leur fermait l'immense marché de consommation chinois. Le commerce interlope en mer de Chine se développa, un marché assimilé à de la piraterie par les autorités chinoises, mais qui fit vivre les ports d'une Chine du Sud, désormais plus autonome depuis que le centre de gravité de l'empire s'était déplacé vers le nord. Les Occidentaux n'avaient qu'une très vague idée de ces contrées lointaines avec lesquelles ils n'entretenaient pas de relations directes. Cathay et Cipangu ne représentaient rien de plus que des rêves nourris aux souvenirs des voyageurs du XIIIe siècle comme Marco Polo ou Giovanni da Montecorvino, mais ils jouèrent sur l'imaginaire occidental de la Renaissance le rôle d'un miroir aux alouettes, attirant les aventuriers par leurs richesses supposées.

2. L'Inde et l'Insulinde

Le monde indien et insulindien constitue un autre noyau dense de population en cette fin de xvᵉ siècle et une masse continentale compacte et diversifiée. Tout comme ceux de l'Extrême-Orient, sa civilisation et son degré de développement n'avaient rien à envier au monde occidental, mais, à la différence de la Chine, l'Inde apparaissait comme une région plus ouverte aux flux commerciaux qui la mettaient en relation avec l'ensemble des terres bordant l'océan Indien, des côtes orientales de l'Afrique à l'Insulinde et à l'Asie du Sud-Est, et au-delà, par l'intermédiaire du monde arabe, avec la Méditerranée et l'Europe chrétienne. En un mot, l'Inde semblait plus perméable aux influences extérieures et moins verrouillée que l'Extrême-Orient. Pourtant, cette ouverture connaissait aussi ses limites. Pour des raisons culturelles et religieuses, les Indiens ne pratiquaient pas le commerce, qui relevait de certaines communautés autochtones, musulmanes, chrétiennes ou juives. C'est pourquoi Indiens et Européens n'avaient pas encore eu l'occasion de se rencontrer directement. Si les Européens connaissaient l'existence du monde indien, peu nombreux étaient ceux qui avaient pu y arriver. Dans la première moitié du xvᵉ siècle, un marchand vénitien, Niccolò de' Conti, avait visité l'Inde et l'Insulinde et avait poussé jusqu'en Birmanie et en mer de Chine. En 1440, il était revenu en Italie, et le pape, qui avait eu connaissance de son périple, l'avait convaincu d'en publier le récit. La relation de son voyage, *India recognita,* parut à Crémone en 1492. L'Inde n'était donc ni vraiment inconnue ni une terre à conquérir, mais si ses richesses étaient avérées, les Européens ne pouvaient y accéder directement par la voie traditionnelle. Les Arabes au Proche-Orient faisaient écran et les produits indiens si appréciés en Occident y étaient importés par les Italiens qui allaient s'approvisionner dans les Échelles du Levant. Seule, l'ouverture de la voie océanique par le contournement de l'Afrique pouvait mettre l'Occident en relation directe avec l'Inde.

Les richesses de l'Inde ne relevaient ni du rêve ni du fantasme. Grâce à la maîtrise de la technique de la rizière irriguée qui autorisait des rendements élevés, la production rizicole du sous-continent était largement excédentaire. Ce riz alimentait le marché intérieur et les surplus étaient exportés vers l'archipel indonésien qui était déficitaire. L'Inde produisait aussi en abondance du coton, qui servait de matière première à une industrie textile florissante. Les tissus de coton écrus ou imprimés inondaient le bassin de l'océan Indien et étaient exportés jusqu'au Proche-Orient. Le développement de la culture du mûrier et de la sériciculture avait par ailleurs donné naissance à une industrie de la soie qui permettait à l'Inde de limiter ses importations de soie grège et d'étoffes de soie venant de Chine. Mais le monde indien attirait surtout par ses richesses naturelles : les pierres précieuses comme les émeraudes et les saphirs de Ceylan ou les diamants de Bornéo et du Deccan, les cornalines, les agates et les améthystes du Gujarat, les épices comme le poivre et le gingembre de la côte de Malabar, la cannelle de Ceylan, le poivre long de Sumatra, le clou de girofle des Moluques, la noix de muscade de Banda, auxquelles il convient d'ajouter les plantes aromatiques et médicinales comme le bétel et la noix d'arenc, l'opium du Gujarat, le camphre de Bornéo, les tamarins et les myrobolans de Malabar, le benjoin et le musc de Pegu (Birmanie) et du Siam, le bois de santal blanc de Timor. Ces produits de luxe étaient consommés ou thésaurisés sur place, ou exportés vers l'Extrême-Orient, vers le Proche-Orient et de là vers l'Occident. Après avoir traversé la Méditerranée, ils arrivaient en Italie où ils étaient redistribués dans toute l'Europe chrétienne. En retour, l'Inde importait les métaux précieux dont elle manquait. L'or était exploité en Afrique de l'Est, dans le royaume du Monomotapa (le Zimbabwe actuel), tandis que l'argent venait d'Europe et de Perse. D'autres produits précieux étaient également importés : les chevaux que l'Inde, à cause de son climat, ne pouvait élever et qui venaient d'Arabie et de Perse, les esclaves prélevés en Afrique. Quant aux produits de grande consommation comme le riz, le sucre de canne et les tissus de coton, ils servaient de monnaie d'échange dans le commerce interne à l'océan Indien.

Cette relative prospérité du monde indien et insulindien n'empêchait pas la pulvérisation politique qui atteignit son point culminant en cette fin de XVe siècle. Deux strates de civilisation s'y superposaient : une strate ancienne, de culture hindouiste (ou brahmaniste), et une strate plus récente, islamique. Ces deux cultures se côtoyèrent, coexistèrent pendant longtemps et se mêlèrent pour former une civilisation originale. L'islamisation progressa par le nord en direction du sud. Très tôt, l'Inde du Nord, les vallées du Gange et de l'Indus furent soumises aux invasions de populations originaires des oasis de l'Asie centrale et du plateau iranien, de religion musulmane. Depuis le XIIIe siècle, les régions furent colonisées par un vaste sultanat, dont la capitale se situait à Delhi et à la tête duquel se succédèrent des dynasties turques iranisées et des mamelouks. Dès le XIVe siècle, le sultanat de Delhi commença à se désagréger. À l'est, le sultanat du Bengale s'en détacha, tandis que, plus au sud, dans le nord du Deccan, le sultanat bahmanide faisait sécession. Face à ce bloc musulman, des royaumes hindous parvinrent à se maintenir : à l'ouest, les principautés Rajput, enclavées entre le sultanat de Delhi et l'Empire bahmanide ; au sud, dans l'extrême pointe du Deccan, l'empire de Vijayanagar. Les invasions de Tamerlan, au début du XVe siècle, bouleversèrent là comme ailleurs l'équilibre précaire qui s'était instauré. Sous les coups des envahisseurs qui ravagèrent la plaine du Nord, le sultanat de Delhi finit par imploser, laissant la place à un nouvel ensemble politique, le sultanat Lodi, du nom de la dynastie afghane qui s'établit à Delhi en 1451. Dans la seconde moitié du XVe siècle, le sultanat Lodi s'étendit aux dépens de ses voisins, annexa le sultanat de Jaunpur dans le bassin moyen du Gange, puis étendit sa domination vers le sud, dans le Rajasthan, préparant ainsi le terrain à la dynastie moghole qui fit l'unité de l'Inde au XVIe siècle.

Dans le delta du Gange, le Bengale réussit à contenir les assauts des Lodi et s'étendit même vers l'est en Assam et en Birmanie. À l'ouest, entre le delta de l'Indus et le nord du Deccan, plusieurs petits sultanats musulmans, le Sind, le Gujarat, le Malwa et le Khandesh, maintinrent leur indépendance, tout en luttant entre eux. Le Gujarat, à l'industrie textile florissante et dont les ports constituaient une étape importante dans le commerce maritime entre le monde arabe et le monde indien, était incontestablement la puissance dominante de la région. Plus au sud, dans les dernières années du siècle, l'Empire bahmanide éclata en cinq sultanats rivaux, les sultanats d'Ahmadabad, de Bérar, de Bijapur, de Bidar et de Golconde, ce qui contribua à créer une zone d'instabilité politique dont les Portugais purent profiter. Ces États guerroyaient entre eux et avec l'empire hindou de Vijayanagar, qui n'était plus que l'ombre de lui-même. Ce dernier avatar des grands royaumes hindous se réduisait comme une peau de chagrin. Sur la côte occidentale de Malabar, sa domination était contestée par de petits royaumes hindouistes à Calicut, Quilon, Cannanore et Cochin, à la vie politique extrêmement mouvementée. Ces petits potentats – un observateur italien du XVIe siècle put parler à leur propos de « rois d'échiquier » – s'abîmaient dans des querelles de succession. Mais s'ils faisaient preuve de faiblesse politique, ils étaient dynamiques sur le plan économique grâce aux communautés non hindoues, musulmanes surtout, qui exploitaient et redistribuaient les ressources naturelles du pays. L'empire de Vijayanagar parvenait encore à maintenir une relative suzeraineté sur les États de la côte orientale, le Tamil Nadu et le royaume de Ceylan. Ce panorama politique de l'Inde à la fin du XVᵉ siècle ne peut se terminer sans évoquer l'existence d'un État original, situé au sud du Bengale, l'Orissa, peuplé de tribus primitives, mais qui résista aux attaques de ses voisins musulmans et parvint même à s'étendre, sous la férule de la dynastie des Gujapati, aux dépens de ce qui restait de l'Empire bahmanide.

Malgré l'apparente instabilité politique propre aux États musulmans, dans lesquels les règles de succession dynastique ne sont jamais clairement définies, la tendance générale était à l'islamisation de l'Inde. Les derniers États hindous ne résistaient plus à la poussée musulmane que dans les principautés Rajput et dans le sud du Deccan, et leur situation semblait menacée à terme. Le Cachemire, autrefois place forte du bouddhisme, s'était converti à l'islam. Le Bengale était déjà majoritairement musulman, seule sa dynastie restait hindouiste. Elle finit aussi par se convertir à l'islam. L'islam progressait selon deux voies. Le nord, la plaine indo-gangétique, ouvert aux courants migratoires venus des steppes, fut très tôt envahi par des populations turcomanes, mongoles ou afghanes, qui y furent attirées par les terrains de parcours que représentaient ces vastes espaces pour ces tribus nomades. Elles finirent par s'y établir et sans jamais faire disparaître le vieux fonds hindou, elles imposèrent un islam majoritaire. Dans le Deccan, par contre, l'islam était d'origine maritime. Il se développa sur les côtes et ne gagna que tardivement l'intérieur du pays, sans jamais se substituer à l'hindouisme qui resta majoritaire. Dès les premiers siècles de l'Hégire, des marins arabes vinrent s'installer dans les ports où ils occupèrent les fonctions économiques et commerciales que les hindous refusaient d'exercer pour des raisons religieuses. Ils y prirent racine et femme et, le prosélytisme aidant, ils constituèrent les premières communautés. Avec le temps, de religion importée, l'islam indien devint autochtone. Le fer de lance en était encore au XVe siècle les colonies commerçantes originaires du Gujarat. Dans les États hindous de la côte de Malabar, les communautés musulmanes étaient totalement autonomes à l'égard du pouvoir princier. Elles avaient leur propre politique extérieure, une politique d'expansion commerciale teintée de colonialisme. Les Gujarati, autrefois prépondérants, y étaient désormais concurrencés par les musulmans locaux, les Mappilla. Ces derniers avaient leur propre souverain, uni par des liens de vassalité au rajah hindou. C'était le cas de l'*ali rajah* – le roi de la mer – de Cannanore, qui était un Mappilla, et qui soumit à son autorité une partie de l'archipel des Maldives. Dans l'archipel indonésien, le processus d'islamisation en était encore à ses débuts. Les musulmans bénéficiaient déjà d'un solide point d'appui avec le sultanat d'Atjeh à l'extrême pointe septentrionale de Sumatra, mais déjà des colonies musulmanes étaient implantées dans les ports de la côte nord de Sumatra et de Java. Le vieux fonds de culture malaise et de religion hindouiste restait majoritaire, mais il reculait devant la poussée de l'islam. L'archipel était la terre de prédilection des épices si appréciées dans le monde connu de l'époque et une voie de passage pour le commerce entre l'Inde et l'Extrême-Orient. Dans les ports, qui étaient autant d'escales sur les grandes routes maritimes et de comptoirs pour le chargement des épices, les fonctions commerciales étaient assurées par les colonies musulmanes ou chinoises. Mais le repli de la Chine laissa la place libre aux musulmans. Le seul bastion capable de résister à la percée musulmane dans la région était le royaume de Pegu, situé au sud de la Birmanie. Ce royaume bouddhiste faisait preuve de dynamisme, et son roi, Dhammaceti, venait de fonder une nouvelle capitale, Pegu, capitale politique avec sa cité royale, mais aussi commerciale, avec ses quartiers concédés aux marchands étrangers.

Toute la région située entre le golfe arabo-persique et la mer de Chine avait la réputation justifiée d'être très riche, active, prospère et ouverte aux influences extérieures. Dans le même temps, elle était politiquement morcelée. Aucune grande puissance ne pouvait y jouer un rôle régulateur comme le faisait à sa façon l'Empire chinois en Extrême-Orient. Habituée aux échanges, elle ne s'étonna donc pas de l'arrivée des Européens en 1498. Elle fut seulement surprise par la brutalité de leur comportement. C'est pourquoi les Portugais purent s'y implanter, y créer même des États sur les côtes, qui, à tout prendre, ne différaient pas beaucoup des sultanats musulmans voués au commerce. Le nord du sous-continent avait, en revanche, ses traditions propres. Il était plus sensible aux invasions venues des steppes de l'Asie centrale. En cette fin de xve siècle, un émir local, qui prétendait descendre de Gengis Khan et de Tamerlan, s'emparait du pouvoir à Kaboul en Afghanistan. Il s'appelait Babur et il était le fondateur de l'Empire moghol qui fit l'unité de l'Inde à partir du xvie siècle.

3. Les États musulmans du Moyen-Orient et du Maghreb

Des côtes du Pacifique à l'est à ce que les Anciens appelaient la Pannonie à l'ouest, la vaste plaine eurasiatique avait été balayée au xiiie siècle par les invasions mongoles de Gengis Khan et de ses descendants. Après une période de répit, le Turcoman Tamerlan lançait à partir de sa capitale Samarkand ses folles chevauchées sanguinaires à l'assaut de la Sibérie et des plateaux iranien et anatolien. À sa mort en 1405, son éphémère empire s'étendait des oasis de l'Asie centrale à la mer Égée et à la plaine indo-gangétique. À la fin du xve siècle, les conséquences de ces mouvements migratoires réalisés sur une échelle considérable se faisaient encore profondément sentir au Proche et au Moyen-Orient et sur les confins orientaux du continent européen. La principale victime des Mongols au Proche-Orient avait été le califat de Bagdad détruit en 1258, mais, à la fin du XVᵉ siècle, toute la région était encore marquée par le passage des envahisseurs. S'ils avaient dû se replier depuis leur période de plus grande expansion vers 1300, les Mongols étaient encore bien présents dans la steppe, de la mer Noire à la Chine. Ce qui restait de la Horde d'Or de Gengis Khan tentait de se maintenir au nord de la mer Noire, mais, au fil des successions contestées et des révoltes tribales, la Horde d'Or subissait les contrecoups de l'expansion russe. Elle n'en finissait pas de se diviser en unités plus petites mais non moins turbulentes, en trois khanats centrés sur la Crimée (les Tatars), sur la moyenne Volga autour de Kazan et sur la basse Volga autour d'Astrakhan. Les Mongols avaient aussi entraîné avec eux d'autres populations nomades, comme les Bulgares ou les Turcomans, qui avaient, pour les premiers, trouvé refuge au sud du delta du Danube, et qui, pour les seconds, s'étaient engouffrés dans la nasse que représentait l'Anatolie. Ces derniers se sédentarisèrent, surent capter la bienveillance des populations grecques d'Asie Mineure, et fondèrent des émirats. L'un d'eux, celui des Osmanli, finit par s'imposer et entreprit la construction d'un étonnant empire situé à cheval sur l'Europe, l'Asie et l'Afrique, un empire si stable qu'il dura cinq siècles.

Or, à la fin du XVᵉ siècle, l'Empire ottoman n'avait pas encore atteint ses limites. Deux siècles auparavant, il avait commencé son histoire comme un petit émirat turcoman parmi d'autres, sans doute pas le plus puissant non plus. Mais la famille des Osmanli sut jouer habilement de ses atouts pour s'étendre, à partir de sa petite principauté de Bursa, aux dépens de l'Empire byzantin en pleine déliquescence, dans un premier temps, puis aux dépens des États féodaux, grecs ou latins, qui s'étaient installés sur ses ruines. Les Ottomans n'hésitaient pas à s'allier à eux tour à tour, pour mieux les absorber. Leur progression dans la partie européenne de l'Empire byzantin – à laquelle ils donnèrent le nom de Roumélie, le « pays des Romains » – fut plus facile qu'en Anatolie où ils se heurtaient à la présence d'autres États turcomans, comme l'émirat de Karaman, plus puissants que le leur. Le désastre qu'ils subirent à Ankara en 1402 devant les troupes de Tamerlan, à la suite duquel le sultan Bajazet Iᵉʳ et son fils furent capturés puis exécutés, n'entrava que passagèrement leur progression. À la fin du règne de Mourad II et surtout sous celui de Mehmet II, les conquêtes reprirent de plus belle. En mai 1453, Mehmet II s'emparait de Constantinople après un siège de moins d'un mois. La prestigieuse capitale de l'Empire romain d'Orient, désormais complètement coupée de son arrière-pays, tomba comme un fruit mûr.

L'Empire ottoman, centré sur le Bosphore, s'étendait des Portes de Fer sur le Danube jusqu'au cœur de l'Anatolie. Les sultans avaient subjugué la Roumélie byzantine (la Thrace, la Grèce), l'Empire bulgare, les royaumes de Serbie et de Bosnie, les tribus albanaises, vassalisé les principautés roumaines de Moldavie et de Valachie au nord du Danube et n'étaient arrêtés que provisoirement aux frontières de la Hongrie, dernier rempart chrétien chargé de protéger le cœur de l'Europe latine. Au nord de la mer Noire, le khanat tatar de Crimée s'était placé sous leur protection pour échapper à l'appétit des Grands Princes de Russie. Désormais, les Ottomans tournaient leur regard vers l'Anatolie qui leur résistait encore et vers ce Proche-Orient où des puissances musulmanes rivales les narguaient. Mais, à juste titre, le sultan pouvait se considérer comme la principale puissance européenne et comme le digne successeur de l'empereur romain d'Orient. Les Génois avaient été éliminés de mer Noire, les Vénitiens reculaient en mer Égée, la chute du bastion des chevaliers

MER
NOIRE   GÉORGIE

Trébizonde   Tiflis   Derbent

MER
CASPIENNE

Kourg

Erevan   Bakou

ARMÉNIE   AZERBAÏDJAN

Diyarbakir   Tabriz   Ardebil

EMPIRE   *Kurdes*   Recht   Astarabad
                                                    Sari
OTTOMAN   Mossoul   Soltaniye   MAZANDARAN
                            Qazvin   Damghan
          Euphrate Tigre   Téhéran   Rey (Rayy)

                            Hamadhan
                      Kermanchah   Qom

Bagdad   LURISTAN   Kachan

                                      Ispahan

          IRAK   Karun
                        Chuchtar   Yezd

          Bassora   Ahvaz
                              FARS
                                  Chahpur
⊖   Confédération des Qara Qyunlu
    ("Moutons Noirs") au XVᵉ siècle   Chiraz
⊖   Confédération des Aq Qyunlu
    ("Moutons Blancs") au XVᵉ siècle   Bandar Buchehr

Au XVIᵉ siècle   GOLFE
    Empire safavide du chah Ismaïl vers 1512   PERSIQUE
    Dynastie ouzbèke
    Zone contestée entre Ouzbeks et Safavides
    Conquêtes des Ottomans
Au XVIIIᵉ siècle
    État safavide à la veille de la révolte afghane vers 1722

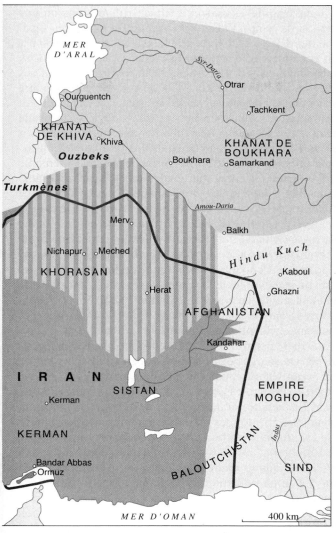

L'IRAN AU XVIᵉ SIÈCLE

de Saint-Jean-de-Jérusalem à Rhodes n'était plus qu'une question de temps. Quant à la famille française des Lusignan qui régnait à Chypre, elle faisait le gros dos en espérant échapper à l'orage qui la menaçait, mais, en 1489, Catherine Cornaro, l'héritière de la famille, vendait ses droits sur l'île à Venise. En 1480, un corps expéditionnaire turc s'emparait d'Otrante, au sud de l'Italie, et en massacrait la population. Tous les appels du pape à la croisade s'étaient révélés vains. Les Turcs semblaient invincibles.

D'où l'Empire ottoman détenait-il cette force ? La puissance ottomane était à la fois militaire, organisationnelle et idéologique. L'armée fut, évidemment, le principal instrument de conquête des Ottomans. Constituée à l'origine de bandes de cavaliers des steppes, elle était devenue, en quelques décennies, l'armée la plus moderne du monde. Elle fut, en tout cas, la première à appliquer le principe de la complémentarité des armes, en utilisant les techniques de pointe de l'époque. La puissance de feu de son artillerie était irrésistible. Les impressionnantes murailles de Constantinople ne purent tenir bien longtemps devant la surpuissante artillerie de siège de Mehmet II. Mais les Ottomans savaient aussi utiliser leur artillerie en rase campagne. Ils la positionnaient sur le front de leur armée pour faucher les charges des cavaliers ennemis. Leur infanterie était organisée selon un ordre profond, en carrés compacts. Son efficacité professionnelle, son abnégation devant l'effort et l'adversité, sa discipline irréprochable la rendaient redoutable. Très tôt, les Ottomans intégrèrent à leur infanterie les prisonniers chrétiens ralliés et convertis à l'islam, qui formèrent la « nouvelle armée » des janissaires. Au xve siècle, quand l'autorité ottomane fut bien enracinée dans l'Europe balkanique, les jeunes garçons chrétiens furent raflés, envoyés dans les écoles coraniques *(medersa)* d'Istanbul où ils étaient convertis et instruits dans la religion musulmane, puis entraînés dans les casernes avant d'aller rejoindre les rangs des janissaires. Rudement aguerris et entièrement dévoués à la cause du sultan et de l'islam, ils constituaient un corps d'armée compact et solidaire. Quant à la cavalerie, elle était utilisée à la mode orientale. C'était une cavalerie légère, très mobile, qui chargeait en tourbe sur les ailes, afin d'envelopper l'ennemi dans un mouvement tournant, pendant que l'infanterie l'enfonçait au centre. Les sultans pouvaient aligner jusqu'à cent mille de ces *sipahis*. On comprend pourquoi les Occidentaux considéraient cette armée comme invincible. À plusieurs reprises, les vieilles armées féodales qu'ils avaient opposées aux Turcs avaient été balayées sans pitié. Pourtant, les progrès accomplis par les Ottomans dans le domaine militaire n'auraient pas été possibles sans des transferts massifs de technologie venus de l'Occident. Des canonniers allemands et hongrois aidèrent les sultans à monter leur train d'artillerie, des marins catalans et génois fournirent les techniques de construction des galères et firent de la flotte ottomane la première flotte de la Méditerranée, quasiment invincible jusqu'à Lépante en 1571.

Sans une organisation performante de l'empire, un tel dispositif militaire n'aurait pas été possible. Le système politique ottoman était à la fois centralisé et décentralisé. Le pouvoir résidait à Istanbul, là où se trouvaient les palais, les organes du gouvernement, les mosquées et leurs écoles coraniques, les casernes de janissaires. Mais plus on s'éloignait du centre, plus les provinces disposaient d'une large autonomie. Le succès de l'Empire ottoman tenait à cette grande souplesse d'organisation et à sa capacité à rallier les élites locales. Ce fut le cas en particulier dans l'Empire byzantin où les Ottomans purent proposer aux élites grecques le rétablissement d'un ordre social perturbé par l'agonie sans fin de leur État. Mais cette politique fut aussi systématiquement suivie dans toutes les provinces conquises. Deux institutions tenaient l'empire : l'esclavage d'État et le *timar*. Tous les serviteurs de l'État étaient considérés comme des esclaves, sélectionnés selon leurs

mérites et dépendant entièrement de la volonté du sultan.
C'était une institution anciennement attestée dans le
monde arabo-musulman. Les esclaves étaient achetés sur
les marchés, surtout ceux de la mer Noire, ils étaient islamisés et éduqués dans les écoles coraniques, puis intégrés dans
l'administration selon leurs mérites. L'Égypte de la même
époque fonctionnait selon ce système qu'elle avait généralisé. Mais l'Empire ottoman n'avait pas besoin d'aller acheter les esclaves. Il lui suffisait de les prélever par ramassage
des enfants chrétiens, ce qui avait l'avantage d'obtenir une
main-d'œuvre de qualité tout en maintenant les populations
chrétiennes dans la soumission. La *devchirmé* était donc la
version ottomane de l'esclavage de service public. La plupart des grands cadres de l'empire étaient issus de ce système de formation, jusqu'aux vizirs et aux grands vizirs.
Même les sultans étaient fils d'esclaves, dans la mesure où
les épouses et les concubines des sultans en titre étaient
elles-mêmes des esclaves. À ce recrutement s'ajoutait le
flot ininterrompu des transfuges venus du monde chrétien,
ceux que les Occidentaux appelaient les renégats, qui
allaient se mettre au service du sultan et qui se convertis-
saient à l'islam, main-d'œuvre hautement qualifiée qui
choisissait cette voie par conviction religieuse ou par esprit
d'aventure. Quant au *timar,* c'était une sorte de fief prélevé
sur des revenus fiscaux et chargé de récompenser les serviteurs de l'État dans les provinces et d'entretenir l'armée de
sipahis. Le *timar* resta jusqu'au XVIᵉ siècle personnel et via-
ger. Il retournait au trésor à la mort de son détenteur. *Timar*
et *devchirmé* manifestaient l'idée selon laquelle le mérite
seul déterminait l'accès aux charges publiques et non pas,
comme en Occident, l'argent ou l'hérédité.

Au cœur de l'empire, en Anatolie ou dans certaines
régions de Roumélie, comme la Bulgarie, la Thrace, la
Thessalie ou la Macédoine, là où la présence musulmane
était majoritaire ou suffisamment forte pour que le pays fût
considéré comme terre d'islam, prévalait l'administration

commune des provinces *(sandjak)* dirigées par des sand-jakbeys s'appuyant sur des garnisons turques. Plus loin, dans un deuxième cercle, en Grèce, en Bosnie, en Serbie, en Albanie, régions plus récemment conquises, l'administration ordinaire connaissait de nombreuses exceptions : des villes (Sarajevo), des régions entières (le Monténégro), des vallées montagneuses étaient auto-administrées et exemptées de garnisons. Plus loin encore, aux confins de l'empire, le sultan se contentait d'une vassalité sanctionnée par le versement d'un tribut. C'était le cas de la république marchande de Raguse, des provinces roumaines au nord du Danube ou du khanat tatar de Crimée. Ce système d'organisation impériale mixte, alliant la fermeté de la centralisation et la souplesse de l'autonomie locale, fut étendu progressivement aux provinces annexées au XVIᵉ siècle. L'Empire ottoman était tout sauf un État-nation. C'était au contraire une tour de Babel linguistique, ethnique et religieuse, et l'autonomie était nécessaire au maintien de l'équilibre de l'ensemble. La notion de « joug ottoman » n'apparut dans les provinces européennes qu'au XVIIIᵉ siècle. Et il faut bien le reconnaître, si le système connut parfois des ratés, dans l'ensemble, il fonctionna correctement grâce à la loyauté des populations soumises, même chrétiennes. Il dut ce calme à l'idéologie impériale.

L'Empire ottoman était un État musulman, mais comme il ne pouvait encore réaliser l'union de la communauté des croyants (l'*oumma*) sous son autorité, son chef devait se contenter du titre de sultan. Mais, avec la conquête de Constantinople, il prit le titre de Grand Seigneur, en attendant le titre de calife que la conquête de l'Égypte au début du XVIᵉ siècle l'autorisa à revendiquer, sans qu'il lui fût réellement reconnu par l'ensemble des musulmans. Ce Grand Seigneur était choisi, à l'origine, parmi les mâles les plus compétents de la tribu des Osmanli et même si, avec le temps, les sultans essayèrent d'imposer le principe de la filiation masculine en ligne directe, la multiplication des épouses et des concubines qui entraînait la multiplication des prétendants rendait les successions difficiles. C'est là un des caractères particuliers de la vie politique de l'Empire ottoman, et plus généralement des États musulmans. La mort du sultan ouvrait une période de crise et de guerres civiles au sortir de laquelle le plus puissant l'emportait, comme dans une sorte d'ordalie ou de jugement de Dieu. Elle constituait toujours une période de faiblesse dont les ennemis de l'empire essayaient de profiter. Mais si le Grand Seigneur était le chef incontesté des musulmans de son empire, il ne pouvait ignorer qu'une bonne partie de ses sujets n'étaient pas musulmans. Ces peuples, chrétiens ou juifs, bénéficiaient du statut de *dhimmis* (protégés), reconnu par le droit islamique. Tout en laissant à ces religions le soin de s'auto-administrer, ce statut sanctionnait aussi leur infériorité à l'égard de l'islam, qui se manifestait par le paiement d'une capitation et par des mesures vexatoires. Mais il est certain que, tout en leur interdisant tout prosélytisme, les Ottomans laissaient les religions du Livre s'organiser dans une relative liberté. C'est pourquoi, beaucoup de juifs séfarades chassés d'Espagne vinrent se réfugier à Istanbul, en Thessalie ou dans le delta du Danube.

Quant aux chrétiens, qui étaient en grande majorité orthodoxes, la sujétion à un prince musulman ne les gênait pas trop. Ils n'avaient aucune raison d'être attirés par les chrétiens d'Occident qui n'étaient, à leurs yeux, que des hérétiques, soit l'abomination des abominations. Même lorsque la situation de Constantinople devint désespérée face aux attaques turques, un notable byzantin osait rappeler qu'il préférait le croissant (de l'islam) à la croix latine (de Rome). Cette attitude traduisait la profonde hostilité manifestée par la chrétienté orthodoxe à l'égard de celle de Rome. Les Grecs qui n'avaient pas apprécié les tentatives du pape pour imposer l'union des Églises, c'est-à-dire le ralliement de l'Église orthodoxe à l'autorité pontificale, en profitant de l'état de déliquescence de l'Empire byzantin.

Mehmet II, le vainqueur de Constantinople, comprit parfaitement la situation. Peu après la chute de la ville, il rappela la population grecque et désigna un nouveau patriarche, Gennadios, un farouche opposant à l'union des Églises. Ce faisant, le sultan renouait avec la tradition byzantine et les Grecs le reconnurent comme leur *basileus*. Jusqu'à l'émergence de l'Empire russe au XVIIIᵉ siècle, les Grecs orthodoxes de l'Empire ottoman n'eurent aucune raison de contester « le joug ottoman » et se montrèrent, au contraire, de loyaux sujets du sultan et d'un système politique dont ils profitaient largement.

Mais, à la fin du XVᵉ siècle, l'Empire ottoman ne constituait pas le seul État musulman ni même encore le plus puissant ni le plus prestigieux. Il ne contrôlait pas l'ensemble de l'Anatolie, où d'autres tribus turcomanes s'employaient à définir leur espace vital sur les ruines de l'empire des Timourides. Parmi elles, les Moutons Noirs (Qara Qyunlu) et les Moutons Blancs (Aq Qyunlu). La tribu des Moutons Noirs s'était emparée d'un vaste territoire situé sur les hauts plateaux de l'Azerbaïdjan et de l'Iran. Des luttes de succession furent fatales à cet État instable qui tomba entre les mains de la tribu rivale des Moutons Blancs, elle-même éliminée au profit d'une dynastie nouvelle, celle des Safavides qui convertit la Perse à l'islam chiite. L'Iran moderne était en train de naître autour de sa première capitale, Tabriz, une ville cosmopolite où se mêlaient les influences turques, arabes et persanes. L'émergence de l'État iranien d'obédience chiite perturba profondément la région. L'Empire ottoman se posa face à lui en position de défenseur de l'orthodoxie sunnite, et l'état de guerre permanent pour la possession de l'Azerbaïdjan et de la vallée de l'Euphrate l'obligea à combattre sur deux fronts, à l'est en Asie, à l'ouest en Europe. Cette donnée stratégique fut déterminante pour la politique diplomatique et militaire de la Turquie.

Plus au sud encore, se situait l'État musulman qui, aux yeux de tous les croyants, était considéré comme le plus

prestigieux, l'Égypte des Mamelouks. Cet État curieux
s'était formé au début du XIIIᵉ siècle, quand l'Égypte fut
confrontée à la poussée mongole. Pour résister aux envahisseurs, le sultan d'Égypte fit appel à des esclaves qu'il
acheta sur les marchés d'Asie centrale et de la mer Noire et
dont il fit sa garde prétorienne. À la mort du sultan, les
Mamelouks s'emparèrent du pouvoir et organisèrent la
défense du Proche-Orient contre les Mongols, vainqueurs
à Bagdad en 1258. Ils les arrêtèrent à la bataille d'Ain-
Djahut en 1261. Parallèlement, les Mamelouks éliminèrent
la présence chrétienne au Moyen-Orient : en 1249, à
Damiette, ils mirent fin à la première croisade du roi de
France Louis IX ; en 1291, ils s'emparèrent de Saint-Jean-
d'Acre, dernier bastion des anciens États latins d'Orient.
L'Égypte fut donc gouvernée par des dynasties de Mamelouks jusqu'en 1517. Ces Mamelouks, pour la plupart
d'origine circassienne, étaient organisés en maisons dirigées
par des émirs. Ils résidaient au Caire, dans la citadelle et
ses alentours, regroupés dans les casernes et les palais atte-
nants. Comme ils ne pouvaient se succéder de père en fils
en raison de leur condition servile, ils désignaient celui
d'entre eux qui leur semblait le plus compétent pour exercer le pouvoir à la mort du sultan en titre. Aux yeux des
musulmans, les Mamelouks d'Égypte bénéficiaient d'un
avantage symbolique sur les autres États musulmans :
après la prise de Bagdad en 1258, le calife abbasside vint
se réfugier au Caire. Il n'avait aucun pouvoir, mais l'Égypte
demeura un point de référence pour les croyants.

Sous l'autorité ferme des Mamelouks, l'Égypte connut
une brillante période de centralisation administrative et
d'expansion. Elle maintint ses positions en Syrie et en
Palestine et avança en Haute-Égypte où l'islamisation progressa aux dépens du christianisme dans les populations
nubiennes. La stabilité du régime favorisait également
l'activité économique et le commerce international, d'autant que la route septentrionale du grand commerce, la

fameuse route de la soie, était perturbée par la présence des Mongols. Le commerce rémunérateur des épices entre l'Orient et la Méditerranée emprunta donc une route plus méridionale qui, à travers l'océan Indien, rejoignait la mer Rouge et les rivages de la Méditerranée. Les grands entrepôts du Caire, de Damas ou d'Alep redistribuaient ces richesses auprès des marchands occidentaux, vénitiens et génois surtout, qui venaient les chercher aux Échelles du Levant. Sous les Mamelouks, l'entente fut bonne entre l'Europe chrétienne et le Proche-Orient. Elle reposait sur la reconnaissance du monopole conjoint de l'Égypte et de Venise sur le commerce des épices. C'est ce monopole que Portugais et Espagnols tentaient de remettre en cause à la fin du XVe siècle, au moment même où la civilisation mamelouk atteignait son apogée sous les règnes des sultans Qaytbay (1468-1496) et Qansouh al-Gourî (1501-1516). Mais si paradoxal que cela puisse paraître, la paix qui régnait dans l'Empire égyptien fut aussi la cause de sa perte. Le régime, né d'un putsch militaire et fondé sur les vertus guerrières, s'était en quelque sorte embourgeoisé. Il n'avait plus d'ennemi à qui se confronter. La paix et la prospérité avaient émoussé son agressivité et ses capacités de défense. Les Mamelouks d'Égypte ne virent pas le danger que représentait pour eux un Empire ottoman plus ambitieux et plus aguerri. Quand ils le perçurent enfin, il était trop tard. Leur armée était obsolète et ne fit pas le poids face à la remarquable machine de guerre des Ottomans. L'enjeu du conflit entre Le Caire et Istanbul n'était rien moins que le leadership sur le monde musulman.

Plus à l'ouest, le Maghreb était en déliquescence. Quatre royaumes se partageaient le territoire qui s'étendait du golfe de Syrte à l'Atlantique : à l'est, le royaume de Tunisie, sous la dynastie des Hafsides ; au centre, le sultanat de Tlemcen, sous la dynastie des Abd al-Walides ; à l'ouest, le royaume chérifien, sous la dynastie des Mérinides et enfin, au sud de l'Espagne, le royaume de Grenade sous l'autorité des Nasrides. Aucun de ces États ne parvint à s'assurer la suprématie régionale, bien que les souverains hafsides et chérifiens eussent porté tous deux le titre de commandeurs des croyants. Ils s'abandonnèrent dans les luttes fratricides et les querelles de succession, et l'ensemble du Maghreb dont les centres de pouvoir étaient établis sur la côte souffrait de l'insubordination des tribus nomades, maîtresses de l'arrière-pays. Dans ces conditions, l'intervention des puissances chrétiennes fut déterminante. La reconquête de la péninsule Ibérique menaçait directement le royaume de Grenade et indirectement le Maghreb. Les Portugais s'étaient déjà emparés de Ceuta en 1415, d'Arzila et de Tanger en 1471, tandis que les Espagnols mettaient la main sur Melilla en 1497. Mais les plus menacés étaient les Nasrides de Grenade. En 1482, ils se déchirèrent une nouvelle fois en des luttes de succession. L'un des prétendants, Boabdil, fit appel à la reine de Castille, Isabelle la Catholique. Bien mal lui en prit. Après une guerre de dix ans, le royaume tombait aux mains de la Castille. Avec la capitulation de Grenade le 1ᵉʳ janvier 1492, s'achevaient huit siècles de présence musulmane en Espagne. Sur le long terme, la perte du royaume de Grenade constitua le seul recul significatif de l'islam dans une dynamique d'expansion ininterrompue. Au traité de Tordesillas en 1494, le Portugal et la Castille se divisèrent le Maghreb en zones d'influence. Le Maroc revenait au Portugal et la Tunisie et Alger à la Castille, tandis que le petit sultanat de Tlemcen servait d'État tampon entre les deux puissances chrétiennes.

4. L'Afrique noire

À la fin du XVᵉ siècle, l'Afrique noire restait encore faiblement intégrée au jeu des échanges du vieux monde. En réalité, elle n'était connue que sur ses marges, marges sahéliennes au sud du Sahara, marges maritimes tout au long de la façade occidentale et en partie le long de la façade orientale. L'Afrique noire apparaissait donc comme un monde enclavé, barbare, malsain et de pénétration difficile. Étant donné l'état de sous-développement dans lequel elle se trouvait, elle ne pouvait offrir que très peu de produits aux Indiens, aux Arabes et aux Européens qui venaient trafiquer sur ses côtes : l'or surtout, l'ivoire et les esclaves. La région la mieux connue et la plus ouverte aux échanges extérieurs était la zone sahélienne comprise entre le Sahara et la forêt tropicale. Dans ce Soudan, naquirent les États les plus anciens et les plus puissants. Dès les IXᵉ-Xᵉ siècles, les marchands arabes venaient des ports de Berbérie et traversaient le désert pour négocier l'or et les esclaves destinés à alimenter les marchés européens. Ils apportaient aux populations noires le sel des mines sahariennes, comme celles de l'oasis de Teghazza. Le point d'aboutissement de ce grand commerce caravanier nord-sud se situait sur la boucle du Niger, dans ce que les géographes appellent aujourd'hui le « delta intérieur » du Niger, dans les villes-marchés de Tombouctou, Gao, Djenné, ou, plus à l'est à Kano en pays haoussa ou dans les villes du Darfour à l'ouest du lac Tchad. Le sel était découpé en petits morceaux et transporté vers le sud à la saison sèche par des caravanes de porteurs. Ces porteurs étaient des esclaves qui étaient revendus en fin de voyage.

Avec les marchands arabes, l'islam arriva très tôt, et, dès le XIIIᵉ siècle, Tombouctou était considéré comme une métropole musulmane avec ses nombreuses mosquées et ses medersas célèbres où enseignaient des maîtres respectés. Les étudiants accouraient de tout le monde arabe pour suivre leurs cours. Le grand commerce international servit de base à la création d'immenses empires arabo-africains, généralement islamisés, qui cherchèrent à contrôler les échanges entre la région méridionale, en bordure de la forêt, où vivaient des populations noires d'agriculteurs

sédentaires et animistes, et la région des oasis sahariennes
où se trouvaient les mines de sel. Ces empires militaires
fondaient leur puissance sur la guerre, sur la collecte
de l'or dont les mines étaient situées très au sud, dans le
Ghana actuel, et sur les razzias servant à alimenter les marchés des esclaves des villes du Maghreb. Au Moyen Âge,
l'empire du Mali avait fédéré le Soudan sous son autorité.
Après son effondrement, un empire encore plus puissant
vit le jour à la fin du XVᵉ siècle. L'Empire songhaï fut fondé
par Sonni Ali Ber et couvrit un immense espace centré sur
le delta intérieur du Niger, du Sénégal à l'ouest au pays
haoussa à l'est. Sonni Ali Ber mourut accidentellement
en 1492. Il fut remplacé par son adversaire, l'Askia
Mohammed, chef d'un parti musulman rigoriste, qui, après
avoir fait le pèlerinage de La Mecque en 1495, régna avec
le titre de calife de Tekrour.

Sur la côte occidentale de l'Afrique, ce sont les Portugais
qui accédèrent les premiers au monde africain. Nous
rappellerons plus loin les conditions dans lesquelles ils
explorèrent la route maritime de contournement de
l'Afrique pour rejoindre l'océan Indien. Mais dès le milieu
du XVᵉ siècle, ils étaient au fond du golfe de Guinée, et en
1487-1488, Bartolomeu Dias doublait le cap de Bonne-
Espérance. Dans un premier temps, les Portugais cherchèrent à tourner le monopole des marchands musulmans
qui acheminaient l'or et les esclaves du Soudan vers les
marchés de la Méditerranée. Il fallait aller cueillir l'or à
sa source. D'où la fondation du comptoir d'Arguin sur une
île de la côte mauritanienne qui capta une partie du commerce de l'or, mais surtout en 1482 la fondation du fort de
Saint-Georges-de-la-Mine sur la côte du Ghana, qui leur
permit de se ravitailler au cœur même de la région minière.
Les Portugais ne colonisèrent pas le territoire, ni ne firent
par eux-mêmes le commerce de l'or et des esclaves. Ils
agissaient à travers des intermédiaires locaux, des chefs
de guerre indigènes, et restaient sur les côtes ou même, de

préférence, dans les îles hors de portée des coups de main toujours à craindre. Au Ghana, leurs interlocuteurs étaient les Akan, avec lesquels ils eurent toujours de bons contacts. Plus à l'est, dans le royaume du Bénin, ils s'adressaient directement au roi *(oba)* et à ses agents, avec lesquels ils échangeaient le laiton contre les esclaves. C'est ainsi qu'ils s'emparèrent des îles du Cap-Vert, de Fernando Poo, São Tomé et Príncipe au fond du golfe de Guinée, de Luanda face à la côte angolaise. L'introduction de la culture de la canne à sucre requérait une abondante main-d'œuvre servile. Les marchands-aventuriers portugais se ravitaillaient sur le marché de São Tomé qui devint la plaque tournante du commerce des esclaves africains dans les possessions portugaises.

Mais quand les Portugais débouchèrent sur l'océan Indien, ils furent surpris de s'apercevoir que la place était déjà occupée. Sur les côtes, les Arabes régnaient en maîtres depuis le Xe siècle au moins. Ils étaient à Kiloa, à Zanzibar, à Malindi, à Mombasa où ils trafiquaient l'ivoire exporté vers le golfe Persique, le fer envoyé à Damas et en Inde. Ils y constituaient des sultanats indépendants qui, avec le temps, avaient créé une culture hybride arabo-africaine. Bien qu'islamisés, les habitants étaient noirs, ils écrivaient l'arabe mais parlaient le swahili. Plus au sud, le comptoir arabe de Sofala exportait l'or du royaume du Monomotapa qui exploitait les mines situées dans l'arrière-pays entre les fleuves Zambèze et Limpopo. Les marchands arabes de Kiloa commerçaient aussi avec les Comores où se trouvait un petit sultanat musulman et connaissaient les Seychelles et les Mascareignes encore inhabitées. Plus au nord, dans la corne de l'Afrique, résistait encore le vieil empire chrétien d'Éthiopie, une anomalie, presque un fossile dans une zone où l'islamisation progressait rapidement. Les chrétiens d'Éthiopie étaient des monophysites – ils ne croyaient pas en la nature divine du Christ – et leur pape était nommé par le patriarche d'Alexandrie. La dynastie régnante prétendait descendre du roi Salomon et de la reine de Saba. Elle connut son heure de gloire au XIIIᵉ et au XIVᵉ siècle quand le royaume d'Éthiopie fédéra toutes les terres chrétiennes des hauts plateaux et soumit le royaume juif des Falashas et les principautés musulmanes environnantes. Mais cette expansion connut un coup d'arrêt dans la première moitié du XVᵉ siècle. Les sultans d'Égypte envoyèrent au sud du Soudan des tribus bédouines chargées d'islamiser les populations de Nubie autrefois largement christianisées. C'est à ce moment que l'Éthiopie entra en contact avec l'Occident pour lui demander de l'aide face aux pressions de l'islam. En 1407, les textes font mention pour la première fois de la présence d'un Européen à la cour éthiopienne. C'était un Italien, Pietro Rombulo, qui séjourna dans la corne de l'Afrique jusqu'en 1444. En 1427, le roi Yeshaq le dépêcha auprès du roi Alphonse V d'Aragon pour obtenir son aide. Ces premiers contacts donnèrent consistance à la légende du royaume du Prêtre Jean, dont la littérature messianique annonçait l'existence. L'Occident se prit alors à rêver à une alliance de revers contre l'islam. Mais, à la fin du XVᵉ siècle, le royaume d'Éthiopie vivait isolé et replié sur les hauts plateaux, tandis que les plaines littorales des côtes de la mer Rouge étaient entre les mains de sultanats musulmans, dont le plus important était celui de Zeyla sur la côte Issa. L'Afrique apparaissait donc comme un enjeu à la fin du XVᵉ siècle, un enjeu dont on méconnaissait largement les potentialités. C'était surtout un monde clos qui ne fut véritablement ouvert qu'au XIXᵉ siècle.

5. L'Europe

Dans l'ensemble de l'ancien monde connu, l'Europe occidentale n'était pas, à la fin du XVᵉ siècle, sa partie la plus brillante ni la plus puissante. À côté de l'Empire chinois ou même de l'Inde, elle pouvait apparaître comme un nain politique, d'autant qu'elle sortait d'une période de crise faite de guerres civiles et de guerres entre États, une longue crise qui l'avait épuisée. L'Europe était aussi politiquement divisée et cette pulvérisation désespérait toute tentative de regroupement. Mais des forces profondes la travaillaient, une révolution silencieuse, intellectuelle et scientifique qui devait, à terme, lui fournir les armes de sa domination mondiale. Pourtant, elle se trouvait encore sous la menace de l'islam qui progressait inexorablement sur son front oriental, dans les Balkans, une progression que la destruction de l'État mauresque de Grenade ne parvenait pas à compenser. À l'heure où les échanges se développaient, le renforcement des empires musulmans en Méditerranée orientale bloquait toute possibilité d'expansion vers les routes traditionnelles du commerce international. C'est la raison pour laquelle les Ibériques, beaucoup moins intégrés à la politique méditerranéenne, se tournèrent résolument vers d'autres routes, la route du Sud par le contournement de l'Afrique pour les Portugais, la route de l'Ouest plus risquée pour les Castillans. Cependant, les facteurs d'unité ne manquaient pas. Ils étaient culturels et religieux. Dans sa diversité et même si tous les territoires qui la composaient n'avaient pas fait partie de l'Empire romain, la référence à l'héritage gréco-romain était générale, renforcée à l'Ouest par la Renaissance qui remettait en valeur les traditions de l'Antiquité. L'Europe était aussi unanimement chrétienne. Elle refusait l'islam qu'elle chassait de ses derniers bastions ibériques et qu'elle combattait au Maghreb ou dans les Balkans, elle refusait le judaïsme dont le culte avait été interdit en Angleterre et en France dès le XIIIe siècle, en Espagne en 1492 et qu'elle tolérait en Italie, en Allemagne, en Pologne ou en Lituanie, mais sous des formes contrôlées et souvent teintées d'hostilité.

Cet enracinement du christianisme sur le sol européen ne doit pas masquer pour autant les fractures confessionnelles. La première ligne de fracture avait été ouverte en 1054 par le schisme entre l'Église d'Orient et l'Église d'Occident. Elle exprimait la vieille divergence culturelle qui s'était manifestée à l'intérieur de l'Empire romain entre la partie occidentale dépendant de Rome et la partie orientale dépendant de Constantinople. Cette frontière rejouait à la fin du XVe siècle, dans la mesure où – et ce n'était certainement pas le fait du hasard – les territoires conquis par les Ottomans dans les Balkans étaient tous d'obédience grecque. Les seuls territoires de confession orthodoxe qui ne relevaient pas de l'autorité de l'Empire ottoman étaient les territoires russes de l'ancienne principauté de Kiev. Toutes les tentatives d'union entre les deux Églises grecque et romaine avaient échoué. En 1439, au concile de Florence, les évêques orthodoxes qui avaient bien voulu participer aux discussions en vue de la réunification avaient accepté de se placer sous l'autorité romaine, mais, de retour à Constantinople, ils avaient été désavoués par leurs ouailles. La haine entre les deux courants du christianisme semblait inextinguible. Les orthodoxes reprochaient aux chrétiens d'Occident de n'être que des hérétiques et de profiter de leur faiblesse politique pour les forcer à capituler et à reconnaître l'autorité du pape de Rome. De leur côté, les Latins n'envisageaient la réduction du schisme que sous la forme d'une reconnaissance par les Grecs de leurs erreurs passées. La division religieuse fragilisait la position militaire ou diplomatique des États européens face à leur ennemi commun, l'islam. Elle explique les échecs répétés des croisades contre les Turcs, à Nicopolis en 1396, à Varna en 1444 et, finalement, à Constantinople en 1453. L'idée de croisade ne connut une ultime renaissance qu'en 1456 au moment du siège de Belgrade par les troupes turques de Mehmet II, sauvée par l'armée hongroise assistée de contingents européens.

Du point de vue politique, les deux confessions chrétiennes, orthodoxe et romaine, s'opposaient dans le rapport qu'elles entretenaient avec l'État. Le christianisme orthodoxe, depuis le IVe siècle, était marqué par son allégeance à l'État impérial. Cette tendance au césaropapisme se maintint même après la chute de Byzance. Le patriarche de Constantinople, autrefois investi par l'empereur, le fut dès lors par le sultan. Et quand les Églises étaient autocéphales, comme en Serbie ou dans les pays roumains, c'était pour mieux être associées à la politique du prince. À l'inverse, dans les régions occidentales de l'Europe dépendant de l'Église romaine, le sentiment d'appartenance à une confession commune existait, mais plus aucune institution supranationale n'était en mesure de l'incarner, et même, depuis le XIIIe siècle, les États territoriaux s'étaient constitués contre l'Église romaine. Si les princes s'efforçaient de soumettre les Églises nationales à leur contrôle, la tendance à distinguer les deux sphères temporelle et spirituelle s'affirmait toujours davantage. Le pape Pie II, au milieu du XVe siècle, se désolait de voir que ses appels à la croisade n'étaient pas écoutés. « Chaque État a son prince et chaque prince a ses intérêts particuliers », devait-il constater amèrement. La papauté de Rome n'était plus capable de fédérer les aspirations des chrétiens d'Occident, discréditée qu'elle avait été par son asservissement à la monarchie française au XIVe siècle lorsqu'elle fut contrainte de s'installer en Avignon, et par le grand schisme d'Occident à la fin du XIVe siècle et au début du XVe siècle qui vit la chrétienté d'Occident partagée entre plusieurs obédiences.

Le concile de Constance (1414-1418) rétablit l'unité de l'Église romaine, mais la sécularisation des États européens semblait désormais irréversible. Des mouvements hérétiques, comme les vaudois, les hussites ou les lollards, remettaient en cause l'autorité du clergé et du pape, tandis que des théologiens et des canonistes, comme Guillaume d'Ockham, Pierre d'Ailly ou Jean Gerson, n'hésitaient pas à affirmer la supériorité de l'autorité des conciles sur celle du pape. Les papes de la Renaissance ne parvinrent plus à restaurer l'autorité spirituelle qui était la leur deux siècles plus tôt. Les royaumes de France et de Castille, les États territoriaux les plus achevés de la fin du Moyen Âge, s'émancipaient de la tutelle pontificale et obtenaient des concordats qui les autorisaient à nommer les grands dignitaires ecclésiastiques de leur royaume et qui mettaient fin à l'immunité fiscale des biens du clergé. Là où ce processus ne put aboutir, en Allemagne, dans les royaumes scandinaves, en Angleterre, les tensions entre la monarchie et le clergé local devenaient de plus en plus vives. En outre, en 1492 montait sur le trône de saint Pierre Alexandre VI Borgia, qui ne fut certes pas un parangon de vertus chrétiennes, alors que l'Église romaine attendait le pape réformateur qui devait la rénover. La crise était d'autant plus profonde que l'autre puissance supranationale censée incarner la chrétienté romaine, l'Empire, n'était guère en meilleure posture que la papauté.

Le Saint Empire était bien la construction politique la plus extravagante de l'Europe de la fin du XVe siècle. Il représentait avant tout une dignité, le pouvoir temporel à vocation universelle de l'empereur, comme successeur des empereurs romains. Son existence reposait sur le mythe politique d'un transfert de la dignité impériale des Romains vers les Francs, puis vers les Allemands ; ce que les théoriciens politiques du Moyen Âge appelaient la *translatio imperii*. Mais le Saint Empire était aussi un État dont la structure fut toujours un peu particulière à cause de ses prétentions universelles. Théoriquement, il couvrait des territoires considérables : de l'Escaut, la Meuse, la Saône et le Rhône à l'ouest, à la mer Baltique au nord, à l'Oder et au quadrilatère de Bohême à l'est et à l'Italie centrale au sud. À la fin du XVe siècle, son aire d'influence avait considérablement rétréci. La suzeraineté de l'empereur sur l'Italie du Nord était devenue purement nominale, tandis que le vieux royaume de Bourgogne et d'Arles avait été absorbé en grande partie par le royaume de France et que les cantons suisses avaient arraché leur indépendance dès la fin du XIIIᵉ siècle. Le titre de Saint Empire romain apparut pour la première fois en 1254, mais, à la fin du XVᵉ siècle, le pouvoir de l'empereur se limitait à des territoires essentiellement de culture germanique, et les princes d'empire menaient la vie dure à l'empereur avec lequel ils prétendaient partager l'autorité. Bien que son pouvoir eût décliné depuis le milieu du XIIIᵉ siècle, depuis la mort de Frédéric II en 1250, le titre impérial gardait encore son prestige. L'empereur était le chef temporel de la chrétienté, il était couronné par le pape à Rome, du moins jusqu'en 1452 puisque Frédéric III fut le dernier empereur à accomplir le voyage romain. L'empereur avait la préséance sur tous les autres princes d'Occident, en particulier à la cour de Rome.

Le Saint Empire se caractérisait par l'archaïsme de ses institutions. Il était constitué d'un bon millier d'États dont trois cent quatre-vingt-dix étaient quasi souverains, dépendant directement de l'empereur qui exerçait sur eux une simple suzeraineté. Qu'ils aient été vastes comme le royaume de Bohême, l'Autriche, le Brandebourg, la Bavière ou le Palatinat, ou réduits aux dimensions d'une simple cité, tous ces États avaient leurs institutions, leur politique étrangère et leur diplomatie, et agissaient parfois en contradiction avec les intérêts de l'Empire. Dans cette confédération lâche de familles princières, d'États ecclésiastiques et de pouvoirs municipaux, certains possédaient davantage de prestige que les autres. C'était le cas des princes électeurs, car, parmi les incongruités institutionnelles de l'Empire, l'élection de l'empereur n'était certainement pas la moindre. Alors que l'institution de la monarchie élective était devenue obsolète en Occident, elle se maintenait encore en Europe de l'Est, dans l'Empire ainsi que pour la papauté. En 1356, une bulle d'or de l'empereur Charles IV de Luxembourg avait fixé le nombre des électeurs à sept, nombre qui fut maintenu jusqu'au XVIIᵉ siècle. Quatre électeurs étaient des princes laïques : le roi de Bohême – le seul monarque parmi les princes d'empire –, le duc de Saxe, le margrave de Brandebourg et le comte palatin du Rhin. Leur titre s'effaçait derrière leur dignité électorale. On parlait alors de l'Électeur de Bohême, de Saxe, de Brandebourg ou de l'Électeur palatin. Les trois autres étaient des dignitaires ecclésiastiques : les archevêques de Mayence, de Cologne et de Trêves, eux-mêmes élus par leur chapitre cathédral, ce qui donnait lieu à de rudes empoignades politiques, compte tenu de l'enjeu. Dans ces circonstances, et bien que la dignité fût transmissible à l'intérieur de la famille des Habsbourg depuis 1438, les pouvoirs de l'empereur étaient limités. L'empereur devait tenir compte de l'avis des princes qui s'exprimait à travers une assemblée représentative aux modes de désignation complexes, le Reichstag ou diète d'empire. Le seul pouvoir réel que les princes reconnaissaient à l'empereur était l'organisation de la défense commune de l'Empire contre les Turcs. Pour le reste, ils s'estimaient libres de suivre la politique qui leur convenait. Ce fut le cas par exemple de la Hanse, une confédération de soixante-dix villes marchandes qui formaient un réseau commercial en Allemagne du Nord et dont l'activité était centrée autour de la mer du Nord et de la Baltique. À la fin du XVᵉ siècle, la Hanse était dominée par Lübeck qui définissait sa politique étrangère en fonction de ses intérêts commerciaux. En 1474, elle signait la paix d'Utrecht avec l'Angleterre après une guerre victorieuse de quatre ans. Mais elle devait maintenant faire face à d'autres rivaux, comme le Danemark qui, en contrôlant le détroit du Sund, détenait la clé de la Baltique et de ses immenses richesses en blé, en fourrures et en ambre, un trésor également convoité par les marchands hollandais.

De tous les États occidentaux, le royaume de France était incontestablement le plus puissant. Massivement campé sur la pointe occidentale du continent, il était, avec ses 15 millions d'habitants, l'État le plus densément peuplé. Pourtant, il avait bien failli disparaître lorsque les dissensions internes et l'occupation étrangère l'avaient entraîné au fond du gouffre. En 1420, il était pour ainsi dire rayé de la carte politique de l'Europe, ravagé par les guerres, détruit par les épidémies et les famines, divisé entre deux prétendants, le roi d'Angleterre qui occupait le nord du royaume et le futur Charles VII replié à Bourges au sud de la Loire. Mais la dynastie capétienne avait su réagir et profiter d'un sursaut national pour « bouter l'Anglais » hors du royaume. Charles VII avait mis fin à la guerre de Cent Ans et reconquis l'intégralité de son royaume, tandis que son fils Louis XI avait rétabli l'autorité monarchique en muselant la grande aristocratie et assuré les bases d'une reconstruction de la société. Le plus grand danger auquel Louis XI avait dû faire face venait de la Bourgogne. Cet État était de création récente puisqu'il s'était constitué à la fin du XIVe siècle à partir du duché de Bourgogne, donné en apanage au prince de sang royal Philippe le Hardi, et des comtés de Flandre, d'Artois et de Bourgogne hérités par son épouse Marguerite de Flandre. Les ducs de Bourgogne, qui étaient des Valois, revendiquèrent la couronne de France ou du moins une partie de l'héritage de la maison de France, mais ils en furent écartés au nom de la loi salique et ils tentèrent de construire un État dans l'ancienne Lotharingie en regroupant les territoires compris entre le golfe du Zuyderzee et le Jura. Charles le Téméraire fut sur le point d'y parvenir quand Louis XI coalisa contre lui les puissances européennes inquiètes des agissements de cet encombrant voisin : le duc de Lorraine, directement visé par les projets annexionnistes du duc de Bourgogne, l'empereur Frédéric III, le roi d'Angleterre et les cantons suisses. Ces derniers se chargèrent des basses œuvres. En trois batailles, à Grandson, Morat et Nancy (1476-1477), ils annihilèrent les efforts de Charles le Téméraire, qui trouva par ailleurs la mort sous les murs de Nancy. Le roi de France en profita pour confisquer le duché de Bourgogne et le comté d'Artois et pour les rattacher au domaine royal. C'en était fini provisoirement de l'État bourguignon qui se retrouvait démantelé et affaibli par les dissensions internes. À sa mort en 1483, Louis XI laissait à son jeune fils, Charles VIII, un royaume en paix, soumis à sa poigne de fer. Le roi de France disposait d'une puissante armée permanente constituée d'une cavalerie lourde et d'une efficace artillerie de siège. Cette armée était financée par l'impôt prélevé sur les sujets – la taille – et dont le roi fixait lui-même le montant selon ses besoins et sans jamais le négocier. Il était le seul prince en Europe à pouvoir agir de la sorte. Charles VIII poursuivit la politique de son père. Il soumit le dernier grand feudataire du royaume, le duc de Bretagne, en épousant sa fille et héritière, et il inaugura une politique d'intervention à l'étranger, en se lançant dans l'expédition de Naples en 1494. La tentative de Charles VIII se solda par un échec, mais elle ancra l'idée que le royaume de France était un État jeune et dynamique, guerrier et agressif, dont il convenait d'endiguer les initiatives bellicistes. En 1498, le changement de dynastie n'infléchit guère cette politique. Le nouveau roi, Louis XII, ajoutait à la revendication traditionnelle des Valois sur le royaume de Naples celle de sa propre famille des Orléans sur le duché de Milan. Les guerres d'Italie avaient commencé, qui allaient servir de théâtre d'affrontement entre les puissances européennes.

L'Angleterre qui, pendant si longtemps, disputa la suprématie à la France, était désormais hors course pour près d'un siècle. De son aventure continentale, il ne lui restait plus qu'une tête de pont, Calais. Mais surtout, à la sortie de la guerre de Cent Ans, elle s'abîma dans les querelles dynastiques qui inspirèrent tant, plus tard, le théâtre shakespearien. La guerre des Deux-Roses opposa pendant vingt ans la maison des Lancastre dont l'emblème était la rose rouge à la maison cadette des York dont l'emblème était la rose blanche. Finalement, ce furent les York qui l'emportèrent, ou plutôt leurs alliés les Tudor, quand Henri VII prit le pouvoir en 1485. L'Angleterre était épuisée. Elle entra en convalescence, mais le règne réparateur d'Henri VII ne lui permit pas de revenir dans les affaires européennes. Les véritables rivaux du royaume de France se trouvaient plus au sud, en péninsule Ibérique. Des quatre États qui se partageaient le territoire de la péninsule, éliminons tout de suite le petit royaume de Navarre qui était trop enclavé entre l'Aragon et la France pour jouer un rôle politique déterminant. Les trois derniers, le Portugal, la Castille et l'Aragon, s'étaient ressourcés depuis le xiiie siècle dans la *Reconquista,* la reconquête sur ce qui restait de l'ancien califat musulman de Cordoue. Très tôt, le Portugal chassa les Maures de son territoire et se consolida dans les frontières qu'il possède aujourd'hui. En 1385, une révolution amena au pouvoir la dynastie des Aviz soutenue par la moyenne noblesse et la bourgeoisie marchande lisboète. Ce petit pays de moins d'un million d'habitants se lança alors dans l'aventure atlantique et la découverte des côtes africaines.

Mais c'est autour du royaume de Castille, le plus peuplé avec ses 4 millions d'habitants et le plus dynamique, que se scella le sort de la péninsule. Le règne d'Henri IV l'Impuissant se termina en 1474 dans la confusion. Le roi laissait une fille, Jeanne, dont la rumeur prétendait qu'elle ne fût pas de lui, d'où son surnom de Beltraneja, du nom de son père putatif. Elle était soutenue par la grande aristocratie qui la poussa au mariage avec le roi de Portugal, Alphonse V. Mais la moyenne noblesse des *caballeros* et la petite noblesse des *hidalgos* soutinrent le parti de la demi-sœur du roi défunt, Isabelle, qui avait épousé en

1469, l'héritier de la couronne d'Aragon. L'Aragon avait lui aussi connu une période de troubles dont il ne s'était sorti qu'avec l'aide du roi de France Louis XI, qui, en compensation, s'était fait donner le Roussillon (1473). Les guerres de succession en Castille furent favorables à Isabelle qui reçut le soutien de l'Aragon et, lorsque Ferdinand succéda à son père Jean II en 1479, les Rois Catholiques associèrent leurs deux royaumes dans une union dynastique très prometteuse. Dans la corbeille de mariage, Isabelle apportait un État fort et le dynamisme de ses sujets qui s'apprêtaient à en découdre avec le royaume musulman de Grenade pour achever la *Reconquista* et qui, par ailleurs, s'étaient déjà lancés à l'assaut de l'Atlantique et des routes océaniques. Quant à lui, Ferdinand héritait d'un royaume faiblement peuplé et aux structures sociales et politiques archaïques, mais à la tête d'un empire méditerranéen qui comprenait les Baléares, la Sardaigne et la Sicile, sans oublier le royaume de Naples où régnait une dynastie aragonaise issue d'une branche légitimée. L'union dynastique porta ses fruits en 1492 lorsque, coup sur coup, la Castille s'empara du dernier bastion musulman de Grenade, chassa sa minorité juive, numériquement et politiquement importante, et ouvrit la voie des conquêtes américaines avec le premier voyage de Christophe Colomb.

En Europe du Nord, Danemark, Norvège et Suède formaient une confédération depuis la création de l'Union du Nord aux pourparlers de Kalmar en 1397. En fait, le royaume de Danemark dominait une Norvège docile, mais une Suède de plus en plus rétive au joug de son encombrant associé, d'autant que, comme duc de Schleswig et de Holstein, dans la péninsule du Jütland, le roi de Danemark était aussi un prince d'empire. L'accès au commerce baltique représentait un enjeu stratégique pour les puissances européennes. Le bois des forêts scandinaves était indispensable à la construction navale qui se développait, tandis que l'Angleterre et les Pays-Bas dépendaient déjà des blés polonais et lituaniens pour nourrir leur population. À la fin du XVe siècle, les jours de l'Union du Nord semblaient donc comptés. Dernier point sensible en Europe occidentale, la péninsule italienne. L'Italie réussissait ce tour de force d'être à la fois la région la plus riche et la plus développée d'Europe, tout en étant la plus faible politiquement et la plus convoitée par ses voisins. Elle apparaissait à juste titre aux contemporains comme un pays de cocagne avec une agriculture riche dans la plaine lombarde et ses greniers à blé en Sicile et en royaume de Naples, ses industries textiles dans les villes de Lombardie et de Toscane et ses grandes maisons bancaires à Florence, Lucques, Gênes et Venise. Sa classe dirigeante se faisait remarquer par ses goûts fastueux, et ses intellectuels étaient à la pointe de l'innovation dans les domaines artistiques et techniques. Tout cela constituait autant d'atouts qui valaient à l'Italie d'être un objet de convoitise de la part des principales puissances européennes.

Avec les successions difficiles dans le duché de Milan et dans le royaume de Naples, l'Italie avait connu une histoire tourmentée au milieu du XVe siècle, et la paix de Lodi, conclue en 1454, avait rétabli un équilibre qui se maintint jusqu'en 1494. Le garant de cet équilibre était le maître de Florence, Laurent de Médicis, dont l'autorité était incontestée et le talent diplomatique reconnu. Sa mort en 1492 créa un vide que personne ne fut en mesure de combler. L'affrontement entre les ambitions du roi de France et du roi d'Aragon en Italie devenait inévitable. Depuis longtemps, l'Aragon avait pris pied dans la péninsule. En 1282, il s'était emparé du royaume de Sicile après en avoir chassé la dynastie française des Angevins. Un long effort de près d'un siècle lui avait permis de se rendre maître de la Sardaigne au début du XVe siècle. À Naples, Alphonse V avait ruiné les derniers espoirs de reconquête que nourrissait le roi René d'Anjou en 1442-1443 et avait fait entrer le royaume dans l'empire que l'Aragon construisait en

Méditerranée occidentale. En 1458 cependant, Alphonse laissait sa couronne napolitaine à un fils bâtard qu'il avait légitimé, Ferrante. Si Ferdinand d'Aragon soutenait la dynastie aragonaise de Naples contre les prétentions du roi de France Charles VIII, qui avait hérité des droits de la maison d'Anjou, il n'attendait que le moment favorable pour s'emparer du royaume, en profitant des luttes de faction toujours vives entre les grandes familles aristocratiques napolitaines. Pour sa politique italienne, il pouvait compter sur le soutien de la papauté depuis qu'un de ses vassaux, Rodrigo Borgia, était monté sur le trône pontifical sous le nom d'Alexandre VI. En Italie du Nord, la situation n'était pas encore décantée. L'influence française s'y faisait sentir, mais elle n'était pas prédominante. Depuis le règne de Louis XI, le duché de Savoie-Piémont était entré dans la zone d'influence de la France qui finit par y exercer un véritable protectorat. La république de Gênes, déchirée par les luttes entre les familles patriciennes, était menacée de connaître le même sort. La république de Venise, qui cherchait à compenser son recul en Méditerranée orientale par une politique expansionniste en Lombardie aux dépens du duché de Milan, était une alliée traditionnelle des rois de France. Quant au duché de Milan, il était fief impérial, inféodé à une famille de condottieres, les Sforza. Mais des dissensions familiales l'affaiblissaient et l'homme fort du duché, Ludovic le More, qui rêvait d'usurper le titre ducal, se prévalait du soutien de la France.

L'Italie centrale était encore plus fragmentée sur le plan politique. Florence y jouait un rôle prépondérant. Cette cité-État cherchait à fédérer l'espace toscan sous son autorité, sans y parvenir totalement, puisque d'autres républiques urbaines comme Lucques, Pise ou Sienne défendaient leur indépendance. Sans autre titre de légitimation que celui d'être la famille marchande la plus puissante de la ville, les Médicis contrôlaient le gouvernement de

Florence. Tant que Laurent le Magnifique put faire respecter son autorité, la ville vécut dans la stabilité. Mais, à sa mort, les familles de l'oligarchie marchande réclamèrent une redéfinition des pouvoirs, et certaines d'entre elles se tournèrent vers la France qui bénéficiait encore sur place des sympathies du vieux parti guelfe, celui de la maison d'Anjou. Dans cette région, deux petits États détenaient des positions stratégiques, le duché de Mantoue et le duché de Ferrare-Modène. Ils contrôlaient, dans cette zone amphibie de la basse vallée du Pô, les digues et les routes, ainsi que les cols des Apennins. Sans leur appui, les liaisons terrestres entre le nord et le sud de l'Italie étaient impossibles.

Le dynamisme de l'Italie se manifestait surtout à travers sa culture et son organisation économique. Plusieurs États italiens pouvaient être considérés comme des nains politiques, tout en étant de grandes puissances économiques. À Gênes, Milan, Venise et Florence prospéraient les plus grandes banques d'affaires d'Europe. Les marchands italiens étaient implantés en Flandre, à Bruges et à Anvers, puis, à partir de 1464, Lucquois, Florentins et Milanais investirent à Lyon, qui devint un centre économique de première importance. Venise et Gênes, fortement implantées en Méditerranée orientale, avaient subi le contrecoup de l'expansion ottomane. Venise avait pu se maintenir dans les Échelles du Levant grâce aux capitulations, ces traités de commerce qu'elle négocia avec le sultan. Elle gardait encore pour un temps ses comptoirs au Proche-Orient et en Égypte, mais elle commençait à convertir ses capitaux sur les marchés ibériques, prometteurs grâce au développement du commerce atlantique et africain. C'est Gênes qui, définitivement chassée de ses bases en mer Noire, fit davantage encore que Venise le pari de s'installer à Lisbonne et à Séville et de se lancer dans l'exploitation de la canne à sucre aux Canaries, à Madère et aux Açores, de l'or et des esclaves de Guinée, avant de profiter de

l'ouverture des marchés américains. Ce n'est donc pas un
hasard si Christophe Colomb était génois. Ainsi se mettait
progressivement en place une alliance objective entre
Gênes et la Castille pour l'exploitation des nouveaux
mondes. Tout au long du XVIᵉ siècle, l'alliance avec Gênes
constitua l'une des pièces maîtresses de la Monarchie
catholique.

   Dans la grande plaine orientale, des bouleversements
politiques considérables étaient alors en cours en cette fin
de XVᵉ siècle. Deux États en étaient les protagonistes : le
royaume de Pologne et la principauté de Moscou. Le
royaume de Pologne et le grand-duché de Lituanie qui lui
était associé occupaient une place déterminante dans
les communications à travers l'isthme européen, entre la
Baltique et la mer Noire. Ces deux États étaient rattachés
au grand commerce par l'intermédiaire des villes hanséatiques. Si le royaume de Pologne, avec son université à
Cracovie, participait de la culture européenne médiévale,
il n'en allait pas encore de même du grand-duché de Lituanie qui, à la fin du XIVᵉ siècle, était encore largement païen,
même si sa dynastie régnante venait de se convertir au
christianisme romain. C'est à cette période que la Lituanie,
d'abord centrée autour de sa capitale Vilnius, déploya une
grande activité de conquête qui atteignit son apogée dans
la première moitié du XVᵉ siècle, sous le règne de Vytautas
(1392-1440). L'État lituanien s'étendait de la Baltique à
la mer Noire, englobant une partie de la Russie blanche
(Biélorussie) avec la ville de Smolensk, une partie de
l'Ukraine avec Kiev, tandis que les terres roumaines,
Moldavie, Valachie et Bessarabie, reconnaissaient sa
suzeraineté. Avec l'appui de la Pologne, les armées litua-
niennes écrasèrent en 1410 les chevaliers de l'ordre Teuto-
nique à la bataille du Tannenberg (ou Grunwald), refoulant
ainsi vers l'ouest les colonisateurs germaniques. En
Pologne, la dynastie régnante s'éteignit et, en 1385,
par l'accord de Krewo, le fils de Jagellon, grand-duc de

Lituanie, épousa la reine de Pologne et monta sur le trône de Pologne sous le nom de Ladislas II. L'union entre la Lituanie et la Pologne était une union dynastique, chacun des deux États gardant son autonomie. Cette union ne prit d'ailleurs pas effet immédiatement puisque Ladislas II dut concéder la Lituanie à son cousin Vytautas qui se reconnut comme son vassal. Mais le principe prévalut et l'union fut renouvelée à Radom en 1410. Elle fut définitivement scellée en 1447 quand Casimir IV réunit les deux États sous son autorité. C'est ainsi que se constitua, sous l'égide de la Pologne, l'État le plus développé intellectuellement, un vaste empire en Europe centrale, un bloc ambitieux et dynamique, catholique aussi face à la Russie orthodoxe et à l'islam mongol et turc. Dans cette optique, en 1444, le roi de Pologne, Ladislas III, prit la tête d'une croisade contre l'Empire ottoman qui se termina par une déroute à Varna, bataille au cours de laquelle le roi fut tué.

Plus au sud, le royaume de Hongrie se trouvait lui aussi en première ligne pour la défense de l'Occident face à l'islam. Paradoxalement, les Magyars étaient des nomades des steppes lorsqu'ils se sédentarisèrent dans la puszta de Pannonie au Xe-XIe siècle. Sous des dynasties étrangères, française comme les Angevins de Naples ou allemande depuis le XIIIe siècle, ils se christianisèrent en profondeur et s'occidentalisèrent. Le royaume subit les invasions mongoles au XIIIe siècle et, à partir du XIVe siècle, fut confronté à la pression turque. À partir du milieu du XVe siècle, face à des difficultés de succession dans la dynastie royale et face au danger ottoman, l'aristocratie magyare élit des « régents » énergiques : Jean Hunyadi qui défendit victorieusement Belgrade en 1456 devant Mehmet II, Mathias Corvin qui établit une frontière fortifiée à l'est. Pendant ce temps, Casimir IV de Pologne et de Lituanie avançait les pions de sa grande politique impériale. En 1479, il fit élire son fils Ladislas au trône de Bohême, puis le proposa au trône de Hongrie à la mort de Mathias Corvin, où il fut également élu en 1492. Le rêve de Casimir qui voulait réunir dans une même union dynastique sous l'autorité des Jagellon les trois royaumes de Bohême, de Hongrie et de Pologne ainsi que le grand-duché de Lituanie était sur le point de se réaliser. En quelques années, ce rêve s'envola. À la mort de Casimir IV, l'aristocratie lituanienne provoqua la scission. Ladislas gardait la Bohême et la Hongrie, tandis que Jean Albert montait sur le trône de Pologne-Lituanie. Tout compte fait, la construction échafaudée par Casimir IV était fragile à bien des égards. En Europe centrale, la monarchie était encore élective et les rois devaient compter avec une grande aristocratie terrienne, qui imposait le servage aux paysans sur ses vastes domaines. En Bohême plus germanisée – le royaume faisait partie du Saint Empire –, la société était plus diversifiée et plus développée, mais la fonction royale était aussi élective. En somme, ces royaumes restaient des États féodaux et ne parvenaient pas à se transformer en États territoriaux. En 1505, les boyards polonais imposaient au faible Jean Albert, dans une diète tenue à Radom, une décision lourde de conséquences sur le développement ultérieur de la Pologne : le roi ne pouvait plus désormais proclamer une loi sans qu'elle fût enregistrée par une diète réunie à cet effet. Le pouvoir royal était définitivement muselé et contraint à l'impuissance. La Pologne se transformait en une république aristocratique et s'ôtait tout moyen de construire un État central moderne.

À terme, l'échec de la Pologne devait profiter à l'État moscovite. De la grande principauté kiévienne qui avait réuni les terres russes, il ne restait plus qu'une référence mythique à la fin du Moyen Âge. Bien avant les invasions mongoles, la principauté de Kiev avait commencé à se désagréger en de multiples principautés dirigées par des dynasties de princes apanagés. Cette désagrégation explique en grande partie la faible résistance que les Russes opposèrent aux Mongols au XIIIᵉ siècle. Écrasées,

détruites, subjuguées, les principautés russes furent vas-
salisées par les khans de la Horde d'Or, successeurs
de Gengis Khan, qui établirent leur capitale à Saraï sur la
Basse-Volga. Pendant deux siècles, elles payèrent tribut au
khan. C'est aussi à la cour mongole que les princes russes
recevaient leur investiture et que les litiges étaient réglés.
Cette longue soumission de la Russie à l'autorité mongole
marqua profondément son histoire politique et sa conception de l'État. Par ailleurs, sur les franges occidentales,
l'État polono-lituanien mordait sur des terres traditionnellement russes, au point qu'il put se présenter lui aussi
comme l'héritier de la principauté de Kiev et le rassem-
bleur des terres russes. C'est dans ce contexte que se fit
l'ascension de la principauté moscovite, sous la protection
des khans mongols, au nom desquels les princes de
Moscou collectaient le tribut.

Ils purent ainsi absorber les principautés adjacentes et se
faire reconnaître le titre de grands princes. Puis, dans la
seconde moitié du xive siècle, le grand prince Dimitri
Donskoï tenta une première fois de se retourner contre ses
protecteurs. En 1380, il vainquit une armée mongole alliée
à la Lituanie à la bataille de Koulikovo (le Champ des
Bécasses) sur les bords du Don. Cette victoire fut de courte
durée, car, dès 1382, Moscou fut ravagée par une armée
mongole et la principauté retourna dans le giron mongol.
La Horde d'Or entra en décadence après l'invasion de
Tamerlan au début du xve siècle et se scinda en trois khanats indépendants : en 1430, le khanat de Crimée qui
reconnut en 1475 la suzeraineté de l'Empire ottoman ; en
1436, le khanat de Kazan sur le cours moyen de la Volga ;
en 1466 enfin, le khanat d'Astrakhan sur la basse Volga.
Dans la seconde moitié du xve siècle, le règne d'Ivan III fit
accéder la principauté russe au rang de grande puissance
régionale. Par achats, mariages ou héritages, il regroupa
les terres russes et annexa entre 1477 et 1480 le Grand
Souverain de Novgorod, une république marchande indé-

pendante affiliée à la ligue hanséatique et, en 1485, la principauté de Tver, son dernier grand rival. En 1480, il dénonçait l'allégeance de Moscou à la Horde d'Or et, en 1493, il prit le titre de « souverain de toutes les Russies », tsar et autocrate. Sur le plan politique et religieux, Moscou captait l'héritage symbolique de Byzance. Moscou se présenta tout d'abord comme le rempart de l'orthodoxie face à Rome. En 1439, le métropolite de la ville, Isidore, qui participa au concile de Florence sanctionnant l'union des Églises, se convertit au christianisme romain. Mais de retour en Russie, il fut emprisonné, destitué par un concile des évêques orthodoxes qui dénonça l'union, et un nouveau métropolite fut nommé. Le mariage d'Ivan III en 1472 avec Zoé Paléologue, la nièce du dernier empereur de Byzance, accentua cette orientation orthodoxe. Ivan adopta alors sur les armoiries de la Russie l'aigle à deux têtes de Byzance, et c'est au nom de la défense de l'orthodoxie contre le catholicisme qu'il entreprit de regagner la Biélorussie et l'Ukraine sur la Lituanie catholique. Il n'y parvint qu'en partie en repoussant les frontières de la Russie jusqu'aux portes de Smolensk et de Kiev.

Vers 1500, les grandes lignes de fractures politiques de l'Europe moderne étaient donc en place. À l'ouest, le bloc catholique romain était dominé par deux États territoriaux aux visées divergentes. Le royaume de France développait une politique d'expansion continentale sur ses frontières orientales dans une Lotharingie francophone et divisée et vers une Italie riche, morcelée politiquement mais peu sensible à l'autoritarisme des princes français. L'union dynastique en Castille-Aragon constituait l'événement marquant de cette fin de siècle. Elle associait deux États complémentaires, la Castille optant pour l'expansion coloniale dans l'Atlantique, l'Aragon poursuivant son rêve impérial en Méditerranée occidentale. À l'est, l'Empire ottoman avançait de manière irrésistible dans les Balkans en jouant la carte du christianisme orthodoxe contre Rome.

Dans la grande plaine européenne, l'État polono-lituanien qui venait de rater sa mutation politique subissait la double pression germanique sur ses frontières occidentales et russe sur son flanc oriental. Il apparaissait encore comme une puissance régionale avec laquelle il fallait compter, mais la faiblesse de l'intégration étatique rendait son avenir incertain. La Russie, quant à elle, parvenait à se dégager du joug mongol et s'affirmait comme une puissance montante. Mais elle restait enclavée. L'accès à l'Europe occidentale lui était fermé par la Pologne, le débouché sur la mer Noire et la Méditerranée était verrouillé par les Tatars associés à l'Empire ottoman. Quant à la Baltique, la Lituanie, le duché de Courlande et la Suède lui en bouchaient le passage. La Russie n'avait donc pas le choix. Elle n'avait plus pour s'étendre que l'est, cette immense forêt sibérienne, vide d'hommes mais riche de potentialités.

Chapitre 2

Les progrès de l'islam

Le XVIe siècle fut marqué par une nouvelle progression de l'islam autour du bassin méditerranéen, en Afrique noire et dans l'océan Indien. Au XIIIe siècle, les invasions mongoles avaient contribué à élargir la zone d'influence de la religion musulmane. Les Mongols n'étaient pourtant pas, à l'origine, des musulmans. Ils étaient adeptes des religions chamaniques et certains de leurs chefs furent même tentés par le christianisme. Mais, à partir du milieu du XIIIe siècle, les élites mongoles commencèrent à se convertir à l'islam, entraînant dans leur sillage les peuples qu'ils avaient soumis. Le XVIe siècle vit surtout le renforcement des États islamiques et la constitution de vastes empires, puissants, efficaces et modernes. Le monde musulman du XVIe siècle fut principalement dominé par trois empires, le premier, l'Empire ottoman qui était déjà solidement installé et qui poursuivit sa progression, tandis que les deux autres, l'Empire moghol en Inde et l'Empire safavide en Iran, commencèrent à regrouper sous leur autorité des ensembles géographiques et humains jusque-là peu intégrés. À côté de ces trois mastodontes, le petit royaume chérifien, campé sur la façade nord-occidentale de l'Afrique, réussit dans les soubresauts d'une vie politique agitée à maintenir son indépendance et son intégrité territoriale face aux agressions du Portugal et de l'Espagne. Nous les envisagerons successivement.

1. L'Empire ottoman

Le règne de Mehmet II avait fait franchir une étape importante à l'Empire ottoman en cours de formation. Avec la chute de Byzance et des derniers territoires européens de l'Empire byzantin, la nature même de l'Empire ottoman avait été modifiée. Le centre de gravité de l'empire penchait désormais nettement vers l'Europe, vers la Roumélie chrétienne, et le sultan se voyait conférer une tout autre légitimité en se drapant dans les oripeaux de l'Empire romain. Ces bouleversements eurent des conséquences internes qui se révélèrent avant la mort du Conquérant survenue en 1481. L'Empire ottoman vécut une crise de croissance sans précédent. Il avait besoin de digérer les énormes acquisitions du règne et sa mutation d'un empire tribal des steppes à une construction politique à vocation universaliste. Cette crise se manifesta de deux manières différentes. Ce fut tout d'abord une crise d'identité des populations turcomanes qui n'acceptèrent pas l'autorité d'un pouvoir central, installé qui plus est à Istanbul. L'ancien émirat de Karaman – dont Konya était la capitale – avait été annexé, mais un irrédentisme turcoman s'y exprima pendant près d'un demi-siècle. L'émirat, mal assimilé, fut le centre de révoltes répétées contre le pouvoir central et coalisa autour de lui d'autres émirats turcomans de l'Anatolie orientale qui craignaient de se voir imposer la suzeraineté d'Istanbul. Cette région fut sensible à l'onde de choc suscitée par la création de l'Empire safavide et constitua un souci constant pour les autorités ottomanes. Sur cette crise identitaire se greffa une crise financière. Il fallait bien payer l'effort de guerre considérable qui avait permis les conquêtes. Mehmet II prit les mesures drastiques que lui avait suggérées son grand vizir Karamani Mehmet Pacha : il confisqua les propriétés privées (les *mülk*) et les biens des fondations pieuses (les *waqf*) au profit du fisc afin de récompenser les timariotes, ce qui suscita les protestations des confréries soufies, les principales victimes de cette politique. Comme dans le même temps il s'attirait les bonnes grâces des communautés chrétiennes en nommant un patriarche orthodoxe et un patriarche arménien à Istanbul, les musulmans se sentirent une nouvelle fois lésés par un pouvoir qui semblait s'éloigner des principes islamiques dont le sultan devait être, à leurs yeux, le représentant et le défenseur. C'est en Anatolie, évidemment, que ces mesures furent le plus mal perçues.

Ces tensions rejouèrent de manière aiguë au moment de la succession. Si l'État ottoman a connu une modernisation incontestable au XVe siècle et, en particulier, sous le règne du sultan Mehmet II, il conserva les règles de succession traditionnelles des États musulmans. Mehmet II, d'ailleurs, les codifia dans le recueil de lois qu'il fit rédiger et adopter. Il officialisa la coutume du fratricide qui consistait à laisser faire la loi de Dieu dans le choix de celui de ses fils appelé à prendre le pouvoir. La succession devait s'opérer à la suite d'un coup de force, le plus méritant des fils s'emparant d'Istanbul avec l'aide des janissaires et éliminant physiquement ses frères et demi-frères réduits à l'état de rivaux potentiels. Cette coutume ancienne qui prévalait dans les peuples de la steppe contribua à créer l'instabilité. La mort du sultan en titre ouvrait immanquablement une période de guerre civile. Ce fut le cas en 1481 à la mort de Mehmet II. Le sultan avait deux fils qu'il avait apanagés loin d'Istanbul : Bajazet résidait à Amasya au nord-est de l'Anatolie et Djem à Konya. Chacun des deux représentait un parti d'opposants au régime de leur père. Bajazet, un musulman très pieux – il fut surnommé le Saint –, était soutenu par les confréries soufies, tandis que Djem avait l'appui des tribus turcomanes opposées à la centralisation de l'État. Les janissaires firent la différence en soutenant Bajazet. Ils s'emparèrent d'Istanbul, tuèrent le grand vizir

impopulaire de Mehmet, Karamani Mehmet Pacha, et appelèrent Bajazet qui entra dans la ville le 22 mai 1481. Djem
s'était installé à Bursa et la bataille décisive eut lieu aux
environs de cette ville à Yénitchéri le 19 juin 1481. Lâché
par ses fidèles, Djem n'eut d'autre recours que de s'enfuir et
de se réfugier au Caire auprès du sultan mamelouk.

Ces problèmes de succession eurent des conséquences
sur les relations de l'Empire ottoman avec ses voisins
et ses rivaux. L'asile accordé à Djem par les Mamelouks
eut des répercussions à long terme sur les relations avec
l'Égypte qui manifestait ainsi son hostilité à Istanbul.
Mais, pour rétablir la paix intérieure, Bajazet avait besoin
de la paix à l'extérieur. Il négocia avec les chevaliers de
Rhodes, qui avaient subi un premier siège en 1480, et avec
Venise. Ces bonnes dispositions à l'égard des Occidentaux
lui permirent de résoudre la crise ouverte par le conflit
avec son frère. En 1482, Djem revint en Anatolie avec le
soutien des Mamelouks et des tribus du Karaman. Mais
il fut incapable de soulever ses partisans et se réfugia
auprès des chevaliers de Rhodes. Le prétendant mena dès
lors une vie d'otage. Par un accord conclu entre Bajazet II
et les chevaliers, ces derniers s'engageaient à garder Djem
contre le versement par le sultan d'un tribut de quarante
mille ducats et la reconnaissance de leur souveraineté sur
la forteresse de Bodrum (l'ancienne Halicarnasse)
sur la côte de l'Asie Mineure. Djem fut expédié en France
où il résida jusqu'en 1488, puis cédé au pape. Il séjourna
à Rome de 1488 à 1495, toujours selon les mêmes dispositions, jusqu'à ce que le roi de France, Charles VIII, se le
fasse rétrocéder, avec l'intention de l'utiliser comme monnaie d'échange dans son grand rêve de croisade. Il mourut
inopinément à Naples le 24 février 1495. Certains ont pré-
tendu qu'il avait été empoisonné par le pape Alexandre VI
Borgia, mais l'accusation était facile dans l'Italie de la
Renaissance. Grâce au répit qu'il s'était ainsi accordé,
Bajazet II put rétablir son autorité dans l'empire. Il réprima

une révolte des janissaires mécontents de leurs primes et
se rendit populaire en cassant les mesures prises par son
père.

Mais dès que l'ordre fut rétabli, la guerre reprit aux frontières, inéluctable car elle alimentait le Trésor et fournissait de quoi satisfaire les timariotes. Elle oscillait entre le
front occidental de Roumélie dans les Balkans, la vallée
du Danube et la plaine hongroise, et le front oriental en
Anatolie. Les premières années du règne furent consacrées
aux frontières de la Roumélie. En 1483, l'Herzégovine fut
annexée et des raids en territoire hongrois aboutirent à la
signature d'une trêve de cinq ans avec le roi de Hongrie,
Mathias Corvin. La Moldavie, principauté vassale, qui
s'agitait contre la domination ottomane, fut attaquée l'année suivante, réduite à payer le tribut et Bajazet en profita
pour annexer les villes de Kilia à l'embouchure du Danube
et d'Akkerman (anciennement Cetatea Alba, aujourd'hui
Bielgorod Dniestrovski) à l'embouchure du Dniestr.
L'Empire ottoman contrôlait ainsi, directement ou indirectement, les rives de la mer Noire. Puis Bajazet II se tourna
vers l'Asie où il entra en conflit avec l'Égypte mamelouke. Le contentieux des guerres de succession était
encore brûlant, mais ce n'était plus qu'un prétexte. Le sultan d'Égypte commençait à s'inquiéter sérieusement de la
montée en puissance de son rival ottoman, dont les frontières jouxtaient les siennes en Cilicie et au nord de la
Syrie. Déjà, Istanbul et Le Caire se disputaient l'influence
sur l'émirat turcoman de Zulkadr, un État tampon situé
aux confins de l'Anatolie ottomane, de la Syrie mamelouke et du khanat des Moutons Blancs. D'autre part, les
Mamelouks entretenaient à l'évidence l'agitation des tribus Varsak et Turgut dans l'ancien émirat de Karaman.
Aussi, Bajazet II tenta-t-il de s'emparer de la Cilicie. En
1485, il prit Tarse et Adana, mais il dut abandonner sa
conquête l'année suivante devant la contre-attaque des
armées égyptiennes. Au printemps de 1488, les Ottomans

lancèrent une nouvelle campagne militaire de grande envergure contre la Cilicie, mais leurs troupes subirent une défaite humiliante à Agatcharï, entre Tarse et Adana (17 août 1488). Les Mamelouks en profitèrent pour pénétrer dans le Karaman et le ravager. La paix avec l'Égypte fut conclue en mai 1491 sur la base du *statu quo*. Ces différentes campagnes se soldaient donc par un échec complet pour l'Empire ottoman, qui n'était pas encore de taille à s'imposer à l'Égypte des Mamelouks et à la supplanter comme la principale puissance musulmane. Désormais, les deux puissances se faisaient face sur cette frontière si sensible des confins de l'Anatolie. Il leur arriva, par la suite, de collaborer contre les Portugais par exemple, mais il était clair que, tôt ou tard, l'affrontement serait inévitable.

Après avoir réglé provisoirement le problème égyptien, les Ottomans se préoccupèrent à nouveau de l'Europe. La mort du roi de Hongrie, Mathias Corvin, en 1490 leur ouvrait de nouvelles perspectives. Le roi défunt, en organisant une ligne de forteresses sur la frontière de son royaume, était parvenu à maintenir la poussée turque. Des raids turcs en Albanie, en Bosnie – qui faisait alors partie du royaume de Hongrie – et en Hongrie même n'aboutirent pas. Après un long interrègne, Ladislas II Jagellon, déjà roi de Bohême, fut élu au trône de Hongrie. Les préoccupations des Ottomans se déplacèrent donc plus au nord, quand le roi de Pologne-Lituanie, Jean-Albert, attaqua la Moldavie dans l'espoir d'y installer l'un de ses frères. Mais Stéphane le Grand, voïvode de Valachie et de Moldavie, fit appel aux Ottomans qui, en 1498, chargèrent les Tatars de Crimée de chasser les Polonais de Moldavie. Ces campagnes militaires n'étaient, à tout prendre, que des opérations de police aux frontières ou dans les États vassalisés. Le calme relatif qui régnait en Anatolie offrit l'occasion au sultan de se retourner contre son adversaire traditionnel en Europe, la république de Venise. Après le recul important que Mehmet II lui avait fait subir en mer Égée et en Grèce, Venise avait pu bénéficier d'un répit grâce à la crise de succession en 1481. Bajazet II lui avait accordé une trêve qui dura près de vingt ans. Venise tenait encore quelques places en Dalmatie, autour du golfe de Corinthe et dans le Péloponnèse (l'ancien duché de Morée). Un traité commercial (des « capitulations ») aux conditions très favorables en faisait aussi un partenaire commercial privilégié de l'Empire ottoman. Mais la présence de Venise dans la zone d'influence turque était perçue comme une gêne par les Ottomans. Les bateaux vénitiens étaient soumis à la pression des corsaires et la République s'en plaignait en vain auprès des autorités turques. Mais, tant que Djem vivait encore, Bajazet ne pouvait s'attaquer ouvertement à l'Europe chrétienne.

La mort du prétendant en 1495 le libéra du chantage qu'exerçaient sur lui les puissances occidentales, et la restitution du corps de son frère en 1499 marqua le signal de son offensive. Elle prit de court les Vénitiens qui, sur la foi des conventions antérieures, ne s'y attendaient pas. Des actions de diversion sur la frontière vénitienne, au Frioul, en Carinthie et en Dalmatie empêchèrent les armées de Venise de secourir Lépante assiégée, qui dut se rendre en août 1499. L'année suivante, la flotte ottomane s'emparait des forts de Modon, Coron et Navarin dans le Péloponnèse. Plusieurs puissances occidentales offrirent leur aide à Venise, comme l'Espagne et le royaume de France. En 1501, une triple alliance unit Venise au pape et à la Hongrie. La République put alors se ressaisir. À la veille de Noël 1500, elle s'emparait de Céphalonie avec l'aide de la flotte espagnole, puis de Sainte-Maure (Leucade) en août 1502, grâce à l'aide française. Mais la même année, elle perdait Durazzo (Durrës), une place importante en Albanie, et, épuisée, devait demander la paix. Elle reconnaissait la perte de ses positions dans le Péloponnèse, restituait Sainte-Maure et perdait Durazzo, en échange de nouvelles capitulations commerciales dans l'Empire ottoman. En

1503, une nouvelle trêve de sept ans était conclue entre l'empire et la Hongrie. Cette guerre turco-vénitienne eut des conséquences importantes dans l'équilibre des forces en Méditerranée. L'empire maritime de Venise se réduisait comme une peau de chagrin. Hormis la Crète (Candie) et Chypre, Venise se voyait chassée de la Méditerranée orientale. Elle gardait ses positions commerciales privilégiées dans l'Empire ottoman, sanctionnées par des traités de commerce et la présence d'un ambassadeur – le baile – à Istanbul, auprès de la Porte, mais son poids politique et militaire était sérieusement amenuisé. Bien plus, elle reculait aussi en Adriatique, et son alliance avec l'Égypte mamelouke, pour assurer la sécurité de la route des épices, lui valait une réelle hostilité de la part de la diplomatie ottomane. Quant à l'Empire ottoman, cette guerre lui procura un succès prometteur. En éliminant Venise du Péloponnèse, il s'ouvrait les portes de l'Adriatique et menaçait le cœur de l'Europe chrétienne. Sur le plan militaire, la guerre contre Venise fut l'occasion d'un effort considérable dans le domaine maritime. La flotte ottomane, largement renforcée, faisait entrer l'Empire ottoman dans le cercle restreint des puissances navales. Insensiblement, la Méditerranée orientale se transformait en lac turc.

C'est à l'initiative du sultan que la guerre en Europe avait été suspendue. Les événements d'Anatolie attiraient désormais toute son attention. Le mouvement de bascule entre la Roumélie et l'Anatolie jouait encore une fois et permettait de lever la pression sur les Balkans. Sur les frontières orientales de l'empire, une nouvelle puissance, turbulente et inquiétante, voyait le jour. En 1490, mourait Yakub, le khan de la tribu turcomane des Moutons Blancs, installée au sud du Caucase, dans l'Azerbaïdjan actuel, entre l'Asie centrale et la mer Caspienne, ce qui déclencha l'inévitable guerre de succession. Elle dura près de dix ans, au bout desquels une nouvelle dynastie s'imposa, celle des Safavides, dont le fondateur fut chah Ismaïl. Comme les

Ottomans et comme beaucoup de chefs tribaux de la région, chah Ismaïl était un turcoman. Il se prévalait de l'islam, mais il appartenait à un ordre religieux hétérodoxe et syncrétiste, qui empruntait des éléments à l'islam sunnite comme à l'islam chiite, mêlés à des croyances pré-isla-miques. Surtout, le mouvement religieux qui le porta au pouvoir était traversé de courants messianiques. Pour ses fidèles, chah Ismaïl était un nouveau prophète et ses guer-riers, fanatisés, étaient prêts à lui donner leur vie, ce qui les rendait invincibles. En 1501, chah Ismaïl s'empara de Tabriz, la capitale de l'Azerbaïdjan, puis il prit le contrôle du plateau iranien et acheva sa conquête par la prise de Bagdad en 1508. La Perse moderne venait de naître. Le nouvel État représentait un danger pour l'Empire ottoman dans une Anatolie qui était encore mal assimilée. La pro-pagande religieuse des Safavides connut un grand succès parmi les tribus turcomanes qui n'acceptaient pas la tutelle d'Istanbul. Les partisans de chah Ismaïl, appelés les Kizilbach – ou Têtes rouges –, y entretenaient l'opposition au pouvoir central. Dès la prise de Tabriz par chah Ismaïl, Bajazet II fit déporter en Grèce, dans les territoires nouvel-lement conquis sur Venise, des populations acquises à la propagande des Kizilbach, ce qui n'empêcha pas l'insur-rection de progresser en Anatolie. Plusieurs campagnes militaires furent nécessaires pour mater la rébellion des tribus Varsak et Turgut du Karaman. Bajazet était disposé à ouvrir des négociations avec chah Ismaïl, mais le prince héritier Sélim qui était apanagé dans la province de Trébi-zonde et qui vouait une haine à l'égard de chah Ismaïl, pour des raisons politiques autant que religieuses, menait des raids contre l'Iran et torpillait la politique de son père. Car la lutte pour la succession de Bajazet II était désor-mais ouverte et elle interféra avec les affaires d'Anatolie.

Bajazet II était âgé, affaibli par son passé d'opiomane et se préoccupait davantage de son salut dans l'au-delà que des affaires de l'empire. Le vide à la tête de l'État suscita les appétits des princes héritiers. Plusieurs d'entre eux pouvaient prétendre à la succession, et Bajazet les avait apanagés dans des régions stratégiques. Le prince Ahmed, l'aîné, résidait à Amasya, le prince Sélim à Trébizonde, Soliman, le fils de ce dernier, à Caffa en Crimée, tandis que Korkud était possessionné à Antalya au sud de l'Anatolie. Ahmed était le favori de Bajazet, aussi Sélim n'attendit-il pas la mort de son père pour déclencher les hostilités. En 1511, il rejoignit son fils Soliman à Caffa et, avec l'aide des Tatars de Crimée, il marcha sur Andrinople exigeant du sultan qu'il fût nommé gouverneur d'une province de Roumélie, afin de se rapprocher d'Istanbul dans la perspective de l'ouverture de la succession. Pendant ce temps, Ahmed et Korkud firent leur jonction en Anatolie et se rapprochèrent de la capitale. Derrière eux, l'Anatolie se souleva. Les rebelles Kizilbach s'emparèrent d'Antalya, abandonnée par Korkud, et du Karaman et ils marchèrent sur Bursa. Ils furent repoussés par l'armée du prince Ahmed et du grand vizir Hadim Ali Pacha. Ce dernier poursuivit les Kizilbach à travers toute l'Anatolie, mais tomba dans une embuscade entre Kayseri et Sivas en juillet 1511. Son armée fut exterminée, mais les Kizilbach perdirent également leur chef et se réfugièrent en Iran. Durant ces événements, Sélim s'était emparé d'Andrinople et du trésor impérial, mais son père avait marché contre lui et l'avait forcé à lâcher prise et à repartir pour la Crimée. Pourtant, Bajazet ne parvint pas à imposer son fils Ahmed aux janissaires qui lui préféraient Sélim. À la suite de ce premier acte, Ahmed et Sélim étaient renvoyés dos à dos. L'année suivante, une nouvelle révolte des Kizilbach éclata en Anatolie, cette fois soutenue par Mourad, le propre fils d'Ahmed. Devant la déliquescence du pouvoir, les janissaires d'Istanbul se mutinèrent en faveur de Sélim qui entra dans la ville. Le 24 avril 1512, Bajazet II abdiquait. Il mourait deux mois plus tard.

2. L'Empire ottoman au sommet
de sa puissance

De 1512 à 1606, l'Empire ottoman devint une puissance considérable, s'étendant sur trois continents et contrôlant la plus grande partie du pourtour méditerranéen, les rivages de la mer Rouge et ceux du golfe Persique. Il n'était pas le seul État islamique, ni le plus important en termes de population. Au même moment, l'Empire moghol commençait la conquête du sous-continent indien et les Safavides soumettaient le plateau iranien, mais l'Empire ottoman possédait un avantage considérable sur ses rivaux. Avec la conquête de l'Égypte, il représentait, aux yeux des croyants, la forme achevée de l'*oumma* musulmane, en assurant la protection des principaux lieux saints de l'islam et des routes de pèlerinages vers La Mecque. À partir de 1517, le Grand Seigneur put même revendiquer le titre de calife. Pour comprendre la politique extérieure de l'Empire ottoman, il faut en assimiler les grandes lignes directrices. Cet empire était avant tout un État fondé sur la guerre et sur une armée puissante, une armée de terre reposant sur deux piliers, les janissaires et les *sipahis,* et une flotte de guerre. Cet instrument militaire se nourrissait de conquêtes et de butins destinés à récompenser les janissaires et à remplir les caisses de l'État de recettes fiscales et de tributs, redistribués aux *sipahis* et aux dignitaires de l'État sous la forme de *timars.* Dès que le rythme des conquêtes ralentissait, l'armée manifestait son mécontentement par des mutineries et exigeait de nouvelles campagnes militaires. Les révoltes des janissaires et des *sipahis* qui ponctuèrent l'histoire de l'Empire ottoman au XVIe siècle n'étaient pas motivées par la misère mais par l'espoir qu'une politique militaire plus dynamique leur assurerait des revenus plus confortables. Très tôt, ces conquêtes s'opérèrent dans deux directions opposées, à l'ouest dans les Balkans et la plaine hongroise, à l'est en Anatolie, en Azerbaïdjan et en Irak. La soumission de l'Égypte ouvrit à l'empire les espaces maritimes de l'océan Indien, mais les capacités d'intervention des Ottomans aussi loin de leurs bases furent limitées et malheureuses. Ils se contentèrent d'interdire pour un temps l'entrée de la mer Rouge et du golfe Persique aux Portugais.

La nécessité de lutter sur plusieurs fronts explique en grande partie cette politique de bascule qui caractérise les opérations militaires et diplomatiques de l'Empire ottoman au XVIe siècle. Dès que l'armée partait en campagne vers le front occidental, l'Anatolie entrait en dissidence et l'Empire perse en profitait pour pousser son avantage. Une trêve rapidement conclue avec les Habsbourg permettait alors au sultan de porter ses efforts vers l'est pendant plusieurs années, le temps d'y rétablir l'ordre et de repousser les armées iraniennes. Les Habsbourg, qui sentaient alors la pression se relâcher en Roumélie, lançaient des attaques en Hongrie ou fomentaient des troubles dans les principautés danubiennes vassales du Grand Seigneur, la Transylvanie, la Valachie et la Moldavie. Tous les quatre ou cinq ans en moyenne, l'armée ottomane combattait ainsi sur le Danube ou sur l'Euphrate. D'autre part, en tant que détenteur d'un pouvoir universel comme successeur de l'empereur byzantin et comme chef de la communauté des musulmans, le sultan estimait qu'il n'avait de comptes à rendre à personne et qu'il ne lui revenait pas de parler d'égal à égal avec tout autre prince. La diplomatie ottomane avait pour seul but d'imposer la supériorité du sultan et de la faire reconnaître par celui qui la subissait. Il n'était donc pas question d'admettre le titre impérial de Charles Quint puisqu'il n'y avait qu'un seul empereur, le sultan lui-même. Dans le vocabulaire diplomatique de la Porte, Charles de Habsbourg n'était que le roi d'Espagne, son frère Ferdinand, roi des Romains, n'était que le roi d'Allemagne. Quant au roi de France, François Ier, qui fit tant d'efforts pour s'attirer les bonnes grâces de Soliman le Magnifique, il fut bien souvent considéré comme un simple *bey,* le gouverneur d'une province de France qui s'était placée sous la vassalité du Grand Seigneur en obtenant de lui son soutien commercial et militaire. Dans ces conditions, le sultan ne pouvait conclure de paix, ce qui aurait présupposé des négociations sur un pied d'égalité. Il octroyait des trêves temporaires, généralement agrémentées du paiement d'un tribut humiliant qui sanctionnait la reconnaissance de vassalité.

La succession de Bajazet II avait provoqué une guerre civile habituelle dans les mœurs politiques de l'Empire ottoman. Le vainqueur en fut Sélim Ier qui n'était ni le fils aîné ni le favori de Bajazet, mais il avait reçu le soutien déterminant des janissaires d'Istanbul. Dès qu'il se fut emparé du pouvoir, il dut se défaire de ses frères et de ses neveux, solidement installés en Anatolie où ils fomentaient des troubles. En avril 1513, il vainquit son frère Ahmed à la bataille de Yénitchéri près de Bursa. Capturé, le vaincu fut exécuté et ses fils s'enfuirent en Iran. Pour mater la sédition en Anatolie, Sélim installa son fils Soliman à Manisa avec le titre de gouverneur, et la répression fut sévèrement menée en 1513 et en 1514 dans les milieux hétérodoxes favorables aux Kizilbach et donc à la dynastie des Safavides d'Iran. Ce fut pourtant la dernière guerre de succession dans l'Empire ottoman pour des raisons qui tiennent à la fois au hasard biologique et à une modification des modalités de choix du futur sultan. Tout d'abord, Sélim n'avait qu'un fils, Soliman, en qui il avait pleinement confiance d'ailleurs, ce qui simplifia la passation des pouvoirs en 1520. Par la suite, les sultans préparèrent leur propre succession en favorisant l'un des fils et en éliminant les autres. Les événements de 1512 déterminèrent cependant la politique de conquête de Sélim Ier, entièrement tournée vers l'Asie. Sélim s'occupa d'abord de l'Iran. Depuis qu'il avait été gouverneur de Trébizonde, il nourrissait une véritable haine à l'égard de chah Ismaïl, pour des raisons personnelles et pour des raisons religieuses. En bon sunnite, il ne pouvait admettre l'hétérodoxie des Kizilbach. En outre, il était convaincu que, tant que l'Iran serait puissant, les provinces frontalières de l'Anatolie ne connaîtraient pas le calme. Sélim obtint du mufti d'Istanbul une *fatwa* condamnant les positions religieuses de chah Ismaïl et, par conséquent, déclarant que la guerre contre l'Iran était juste.

En 1514, il lança son armée puissamment pourvue d'artillerie jusqu'en Azerbaïdjan. La rencontre avec les troupes de chah Ismaïl eut lieu à Tchaldiran le 23 août 1514, au nord-est du lac de Van. Les charges furieuses de la cavalerie kizilbach furent fauchées par les canons turcs et l'armée iranienne fut écrasée. Sélim poursuivit son offensive jusqu'à Tabriz dont il s'empara, mais les janissaires, effrayés de combattre si loin de leurs bases de départ, refusèrent d'aller plus loin. Sélim dut se replier en Anatolie. Il en profita l'année suivante pour y rétablir l'ordre et annexer l'émirat de Zulkadr, puis, en 1516, une partie du Kurdistan où il créa un nouveau beylerbicat à Diyarbakir. Ces nouvelles annexions mettaient l'Empire ottoman directement en contact avec le sultanat mamelouk du Caire. Les possessions des deux États s'interpénétraient dans cette région de l'Anatolie au nord de la Syrie. L'émir de Zulkadr était d'ailleurs un vassal du Caire et l'annexion de l'émirat fut considérée par le sultan Qansouh al-Gourî comme un acte d'hostilité. Les relations entre les deux États, si cordiales lorsqu'il s'agissait de combattre conjointement les forces portugaises en mer Rouge, s'aigrirent sensiblement. Dans ces premières années du XVIᵉ siècle, le sultan du Caire, protecteur des Lieux saints, restait la principale puissance islamique. L'affrontement qui avait pour enjeu l'hégémonie sur le monde musulman était inévitable. Déjà, Sélim pouvait compter sur des ralliements, comme celui du puissant gouverneur d'Alep en Syrie. L'armée mamelouke, inquiète des menées turques en Anatolie, campait au nord de la Syrie et observait les mouvements de l'armée ottomane. Durant l'été 1516, Sélim fit mine de marcher une nouvelle fois contre l'Iran, puis il bifurqua brusquement vers le sud et surprit l'armée égyptienne à Mardj Dabik au nord d'Alep (24 août 1516). Les Mamelouks, armés d'arcs, ne purent rien contre l'artillerie turque qui les mit en pièces, d'autant que le gouverneur d'Alep les trahit sur le champ de bataille en passant à l'ennemi. La Syrie fut immédiatement occupée et Sélim entrait au Caire en janvier 1517. Le chérif de La Mecque reconnut aussitôt l'autorité de Sélim qui déposa le calife abbasside résidant au Caire et prit son titre. L'année suivante, il tenta de nouveau sa chance contre l'Iran. Ses troupes atteignirent l'Euphrate mais refusèrent encore une fois d'aller plus avant. Sélim rentra donc à Istanbul et ne put renouveler ses attaques contre son ennemi mortel. Il mourut en septembre 1520.

Durant le règne court mais énergique de Sélim Ier, l'Empire ottoman s'était considérablement étendu. Il contrôlait désormais l'ensemble de l'Anatolie, la Syrie, la Palestine et l'Égypte jusqu'à la Nubie, une bonne partie des pourtours de la mer Rouge. En Méditerranée occidentale, l'empire commençait à étendre son influence sur le Maghreb. En 1515, les habitants d'Alger, excédés par l'agressivité des Espagnols qui cherchaient à conquérir l'Afrique du Nord, firent appel à deux corsaires de Smyrne, chrétiens eux-mêmes à l'origine mais convertis à l'islam, les frères Arudj et Khayr al-Din Barberousse. Ces derniers s'emparèrent d'Alger, mais Arudj mourut en 1517 dans une révolution de palais. Son frère fit alors appel au sultan d'Istanbul en 1518 pour lui demander secours. Il se plaça sous la vassalité de la Porte, reçut en échange un détachement de janissaires armés de mousquets, les titres de *pacha* et de *beylerbey,* et entreprit la conquête de l'Algérie en reprenant certains présides occupés par les Espagnols. La mort de Sélim Iᵉʳ n'interrompit pas cette dynamique, mais elle l'orienta dans d'autres directions. Son fils Soliman – que les Occidentaux surnomment le Magnifique, mais que les Turcs appellent le Législateur – avait déjà l'expérience du gouvernement puisque son père l'avait associé à son règne, mais son tempérament tranchait sur celui de son père. Sélim II était un prince autocrate, dont les colères étaient redoutées. Il ne supportait pas la contradiction et ses grands vizirs connurent souvent un sort peu enviable. Soliman ne chercha pas à monopoliser le pouvoir. Il sut s'entourer de serviteurs compétents et écouter ses grands vizirs, du moins dans les premières années de son règne. Il conserva jusqu'en 1523 le dernier grand vizir de son père, Piri Mehmet Pacha, déjà âgé, mais dont la sagesse lui fut utile. Il le remplaça en 1523 par un ami de jeunesse, Ibrahim Pacha. Cette dernière nomination suscita des remous à la cour, puisque Ibrahim n'avait pas suivi la carrière classique de janissaire. Il devint grand vizir par la seule faveur du sultan. Le deuxième vizir, Ahmed Pacha, qui était alors gouverneur d'Égypte, en prit ombrage et se révolta. Mais il fut renversé par les troupes restées fidèles au sultan. La carrière d'Ibrahim Pacha fut éclatante. En 1524, il fut nommé à la tête de l'Égypte pour y rétablir l'ordre et réprimer les abus ; en 1529, il reçut le commandement de toutes les armées et le titre de *beylerbey* de Roumélie, c'est-à-dire gouverneur de l'ensemble des territoires européens de l'empire. Les deux premiers grands vizirs de Soliman, surtout Ibrahim Pacha qui était originaire d'Épire, contribuèrent à relancer le regain d'intérêt de l'Empire ottoman pour les Balkans au cours de la première décennie du règne.

Mis à part une révolte du *beylerbey* de Syrie-Palestine à la mort de Sélim, rapidement réprimée, le calme régnait dans la partie asiatique de l'empire. Soliman conclut une trêve avec la Perse et rétablit les relations commerciales entre les deux États, ce qui contribua à relancer les marchés de Bursa et d'Alep, si dépendants du commerce avec l'Asie. C'est ainsi que Soliman put se tourner vers l'ouest, contre les puissances chrétiennes. Il déclencha les hostilités avec la Hongrie au prétexte que l'ambassadeur ottoman chargé d'annoncer l'avènement du nouveau sultan avait été mal reçu par la cour hongroise. En fait, il avait été éconduit parce qu'il avait exigé la soumission de la Hongrie au sultan et le paiement d'un tribut. Dès 1521, les armées ottomanes s'emparaient de Belgrade, qui faisait alors partie du royaume de Hongrie. La prise de cette ville qui contrôlait la moyenne vallée du Danube et la vallée de la Save, deux voies de pénétration importantes vers l'ouest et le nord, changea les équilibres stratégiques. La ville devint l'arsenal et la base arrière de toutes les entreprises ottomanes contre l'Europe chrétienne jusqu'au XVIIIᵉ siècle. Dans un premier temps, les campagnes militaires en Europe n'allèrent guère plus loin, car les problèmes de l'Asie retinrent à nouveau l'attention du sultan : l'occupation du Yémen en 1521 et la révolte de l'Égypte en 1524 détournèrent Soliman des Balkans.

Rhodes, l'un des derniers bastions chrétiens en Méditerranée orientale, tomba en 1522. Les chevaliers de Saint-Jean-de-Jérusalem s'étaient repliés sur l'archipel des Sporades, autour de Rhodes qui fut la capitale de leur petit État maritime, après leur expulsion de la Palestine, et ils s'y adonnaient à la piraterie contre les flottes musulmanes. Bien installés dans le Dodécanèse, les chevaliers de Rhodes possédaient aussi un point d'appui en Anatolie à Bodrum. Cette présence chrétienne en mer Égée perturbait la politique ottomane dans la région, d'autant que les chevaliers pouvaient intervenir dans les affaires de l'empire, comme l'affaire Djem l'avait démontré. En 1480, Mehmet II avait assiégé Rhodes une première fois, mais la citadelle énergiquement défendue par son artillerie avait victorieusement résisté. Avec la conquête de l'Égypte, la piraterie des chevaliers de Rhodes ne pouvait plus être admise par la Porte car elle coupait les routes maritimes directes entre Istanbul et Alexandrie. Une flotte vint mettre le siège devant Rhodes durant l'été 1522. Le blocus dura plus de cinq mois et la citadelle tomba le 20 décembre 1522. Le Dodécanèse fut immédiatement occupé par les Ottomans et les chevaliers se réfugièrent en Europe avant de se replier sur Tripoli, en Libye. La chute de Rhodes marqua profondément l'opinion publique européenne et suscita de nouveaux projets de croisade qui avortèrent. Désormais, la présence chrétienne au Proche-Orient se limitait à Chypre pour laquelle Venise payait tribut à la Porte et à Chio encore tenue par les Génois.

L'attaque décisive contre la Hongrie vint plus tard et fut occasionnée par des problèmes internes à l'empire. Une révolte des janissaires détermina Soliman à agir. Il fallait trouver un dérivatif et une occasion de faire du butin à cette garde prétorienne qui devenait dangereuse lorsqu'elle s'ennuyait dans ses casernes de la capitale. La campagne du printemps 1526 fut donc dirigée contre la Hongrie. L'armée turque commandée par Soliman remonta la vallée du Danube et pénétra en territoire hongrois à partir de Belgrade. Elle rencontra l'armée hongroise près de Mohács, le 29 août 1526, une ville située dans la vallée du Danube à la frontière méridionale du royaume. La puissance de feu de l'artillerie turque et la mobilité de la cavalerie des *sipahis* eurent tôt fait de mettre en pièces la cavalerie lourde d'une armée chrétienne mal préparée, mal commandée et indisciplinée. Au cours de la retraite, le roi Louis II se noyait dans les marais où les chefs ottomans avaient pris soin d'attirer l'armée chrétienne. En septembre, l'armée turque s'emparait de la citadelle de Buda. Soliman n'avait pas l'intention d'annexer la Hongrie, mais d'en faire un État vassalisé sous l'autorité d'un prince qui reconnaîtrait la suzeraineté de la Porte et qui paierait tribut. Dans la partie sous domination turque, les magnats hongrois élurent un nouveau roi en la personne du voïvode de Transylvanie,

Jean Szapolyai. Il fut reconnu comme le seul roi de Hongrie par Soliman et paya tribut. Mais la partie occidentale du royaume était restée indépendante. Elle couvrait une longue bande de territoires qui s'étendait du nord au sud, de la Slovaquie au royaume de Croatie. Dans cette Hongrie indépendante avec Presbourg (Bratislava) comme capitale, les barons désignèrent comme roi Ferdinand de Habsbourg, le frère de l'empereur Charles Quint et le beau-frère du roi défunt Louis II.

Cette division de la Hongrie résultait bien sûr d'événements militaires, mais elle traduisait aussi des clivages fondamentaux dans la société hongroise, entre une population magyare, anti-allemande et xénophobe, sensible à la Réforme luthérienne et qui préféra la domination lointaine du sultan, et une population plus germanisée, restée catholique et qui partageait davantage d'affinités avec la dynastie des Habsbourg et le Saint Empire. Il fallut plusieurs années pour que le rapport des forces se stabilisât. Profitant des difficultés que l'Empire ottoman rencontrait en Anatolie, le roi Ferdinand attaqua Jean Szapolyai en 1528 et reconquit la Hongrie. La réponse de Soliman fut immédiate. La campagne de 1529, conduite conjointement avec son grand vizir et généralissime Ibrahim Pacha, lui permit de récupérer les territoires perdus et de pousser jusqu'à Vienne. La capitale autrichienne fut assiégée pendant trois semaines en septembre 1529, mais la saison étant trop avancée, le sultan ordonna le repli de son armée vers Belgrade. Ce premier siège de Vienne fut un signal envoyé par l'Empire ottoman à l'adresse de la chrétienté. L'Europe trembla à l'idée que les Turcs se trouvaient désormais à ses portes, prêts à déferler vers le cœur de l'Allemagne. En 1531, Ferdinand tenta une nouvelle fois de reprendre la citadelle de Buda. Il échoua, mais une campagne de rétorsion mena en 1532 les armées turques au cœur de l'Autriche, jusqu'aux portes de Graz et de Vienne. Les Habsbourg comprirent qu'il valait mieux conclure une trêve. Ferdinand devint tributaire de la Porte pour la partie de la Hongrie qu'il gouvernait, au même titre que Jean Szapolyai pour la partie sous domination ottomane.

Quand les affaires de Hongrie furent temporairement réglées, Soliman se tourna vers l'Asie. Cette politique agressive à l'égard de la Perse fut fatale au grand vizir Ibrahim Pacha. Jusque-là, Ibrahim avait su faire preuve d'une grande prudence diplomatique. En 1524, il avait remis de l'ordre dans les affaires égyptiennes après la révolte d'Ahmed Pacha. Après la révolte de l'Anatolie en 1525-1526, il avait habilement négocié avec les chefs des tribus turcomanes de la région et imposé un *modus vivendi* qui permit à la région de connaître le calme jusqu'à la fin du siècle. L'Empire ottoman tira profit aussi de la mort de chah Ismaïl en Perse en 1524. L'Empire safavide s'abîma temporairement dans les luttes de faction pendant la régence du jeune fils de chah Ismaïl, Tahmasp, ce qui laissa les mains libres à Soliman en Europe. Mais après la trêve conclue avec les Habsbourg, Ibrahim Pacha fit valoir que le moment était favorable pour attaquer la Perse. Il conduisit une puissante armée jusqu'à Alep où elle hiverna et, au printemps 1534, il la lança contre l'Azerbaïdjan. Mais Tahmasp refusa le combat et pratiqua la politique de la terre brûlée devant l'ennemi. Les difficultés de ravitaillement et la mauvaise volonté de l'armée qui refusa de s'engager si loin vers l'est faillirent conduire l'Empire ottoman au désastre. Ibrahim Pacha ne dut son salut qu'à l'arrivée d'une armée de secours commandée par Soliman lui-même.

Incapables de tenir l'Azerbaïdjan ravagé, les forces turques se dirigèrent alors vers l'Irak qu'elles occupèrent. Bagdad fut prise en septembre 1534. La conquête de l'Irak donnait aux Ottomans une fenêtre sur le golfe Persique, mais ce n'était pas le but de guerre initialement fixé. Les dignitaires de la cour se rejetèrent mutuellement la responsabilité des difficultés rencontrées pendant ces campagnes.

Temporairement, Ibrahim Pacha eut le dessus, en obtenant la tête du surintendant des Finances qui s'était opposé à cette politique aventureuse et qui fut accusé des défaillances logistiques qui affectèrent l'armée. Pendant l'hiver 1534, Soliman marcha une nouvelle fois vers l'Azerbaïdjan, s'empara de Tabriz, mais Tahmasp recula devant lui en évitant le combat. L'armée rentra à Istanbul au début de 1536. Cette campagne se terminait donc par un échec. L'Azerbaïdjan et l'Irak devenaient à l'est les verrous au-delà desquels l'Empire ottoman ne pouvait espérer progresser, comme Vienne l'était également à l'ouest. Ibrahim Pacha fut tenu responsable de cet échec et Soliman le fit discrètement exécuter. Cette année 1536 constitua un tournant dans le règne de Soliman. Le sultan dut affronter les luttes de factions qui faisaient rage dans son entourage. Après sa visite à Istanbul en 1534, Khayr al-Din Barberousse, le *beylerbey* d'Alger, prit de l'influence auprès du sultan qui le nomma amiral de sa flotte *(kapudan pacha)*. Barberousse inspira la politique offensive contre l'Espagne et ses alliés en Méditerranée occidentale, favorisa le rapprochement avec le royaume de France, qui prévalut dans la deuxième partie du règne. Au palais, la sultane Hurrem – la Roxane de la tradition occidentale – prit l'ascendant sur Soliman aux dépens des autres épouses et chercha à favoriser ses enfants et ses fidèles. Son intrusion dans le jeu successoral provoqua des intrigues de palais préjudiciables à la cohérence de la politique impériale.

Son intervention se fit sentir principalement dans les affaires d'Orient, étroitement mêlées aux affaires de la cour. La tension avec l'Iran reprit quand un frère cadet de Tahmasp, Alkass Mirza, vint se réfugier à Istanbul. Le parti de la guerre y était mené par le propre gendre de la sultane Hurrem, le grand vizir Rustem Pacha, qui pensait ainsi pouvoir s'illustrer sur les champs de bataille. L'enjeu du conflit portait sur les régions frontalières entre l'Empire ottoman et la Perse safavide dans l'est de l'Anatolie. La campagne de 1549 permit de conquérir la région du lac de Van et la ville de Tabriz, ainsi que des places en Anatolie orientale et en Géorgie. Soliman entreprit une dernière campagne contre l'Iran en 1553-1554. Elle fut le théâtre d'un drame familial qui marqua beaucoup les imaginations et qui assombrit la fin de la vie de Soliman et sa mémoire. L'armée partit comme d'habitude pour Alep où elle hiverna, avant de marcher sur la Perse au printemps. Soliman était accompagné de son fils cadet Djihangir. Sur la route d'Alep, son fils aîné Mustafa vint le rejoindre. Il était l'objet des médisances d'Hurrem qui l'accusait de comploter contre son père. En éliminant Mustafa, Hurrem favorisait l'ascension de son propre fils, Sélim, au rang de prince héritier. Quand Mustafa vint prêter hommage à Soliman sous sa tente, le sultan le fit arrêter et exécuter. Au cours de l'hiver, Djihangir mourut à Alep. Il ne restait plus que Sélim (le futur Sélim III) et un autre frère plus jeune, Bajazet, qui prit peur devant le sort qui l'attendait et s'enfuit à la cour de Perse.

Cette campagne contre l'Iran ne donna rien. Sur la route du retour vers Istanbul, Soliman fut rejoint par des émissaires de Tahmasp qui lui proposèrent la paix, conclue le 29 mai 1555 à Amasya. L'Iran y reconnaissait les conquêtes ottomanes en Anatolie. La fin du règne fut calme sur le front oriental et, pour célébrer la paix retrouvée, Tahmasp fit exécuter en 1561 le prétendant Bajazet et ses quatre fils, sur les instances de Soliman. En fait, c'est en Occident que se déroulèrent les événements les plus significatifs de la seconde moitié du règne. Avec l'appui du raïs d'Alger, Khayr al-Din Barberousse, la politique ottomane se fit plus ambitieuse en Méditerranée occidentale. Elle heurtait de front l'Espagne de Charles Quint et de Philippe II. En 1534, le nouveau *kapudan pacha,* de retour d'Istanbul, entreprit une grande campagne navale en mer Tyrrhénienne, à la fois démonstration de force et entreprise de pillage. À Marseille, il rencontra le roi de France, François Iᵉʳ, dont les négociations avec la Porte allaient bon train. Elles furent d'ailleurs conclues en janvier 1536 par des capitulations, dans lesquelles le sultan reconnaissait aux marchands français dans l'ensemble de l'Empire ottoman les privilèges commerciaux qu'ils possédaient en Égypte. En secret, une alliance offensive et défensive contre l'empereur Charles Quint fut nouée entre le sultan et le roi de France.

Au retour de cette équipée navale, Barberousse s'était emparé de Tunis. Le vieux royaume hafside était en butte à des dissensions internes liées à des problèmes de succession, mais derrière les différents prétendants se profilait la question des relations avec les puissances chrétiennes. Le royaume était devenu avec le temps un protectorat de l'Espagne. En mettant la main sur la Tunisie, Barberousse visait à unifier le Maghreb et à en chasser les Espagnols. Mais son projet échoua. En 1535, Charles Quint vint mettre le siège devant Tunis avec une flotte puissante, s'empara de la ville et rétablit le prince légitime. Après le retour de la Tunisie sous protectorat espagnol, il devenait impossible à la flotte ottomane de s'aventurer en Méditerranée occidentale. Elle se fixa donc l'Adriatique comme objectif et visa les intérêts de Venise. Des razzias furent menées en Pouille et à Corfou en 1537 et, le 25 septembre 1538, une flotte ottomane commandée par Barberousse défit la flotte chrétienne hispano-vénéto-pontificale commandée par Andrea Doria au large de Préveza sur la côte de l'Épire. Vaincue, Venise signa en 1540 de nouvelles capitulations moins favorables.

Pour contrer les interventions ottomanes en Méditerranée occidentale et les progrès de la course barbaresque, l'Occident chrétien joua la carte des chevaliers de Saint-Jean-de-Jérusalem. Après leur expulsion de Rhodes en 1522, ces derniers s'étaient repliés sur Tripoli, mais ils en furent une nouvelle fois chassés en 1551 par le corsaire Dragut qui y installa la base de ses entreprises de course.

Parmi les chefs corsaires barbaresques, Dragut prit la place
laissée vacante par la mort de Barberousse en 1546. En
1560, il infligea aux Espagnols une cuisante défaite à
Djerba dans le golfe de Syrte. Afin de fermer l'accès au
détroit de Sicile et au bassin occidental de la Méditerranée,
Charles Quint accorda aux chevaliers de Saint-Jean, sous
forme de fief, l'île de Malte où ils se fortifièrent. Malte
devint ainsi le verrou chrétien de la Méditerranée occidentale. En 1565, l'Empire ottoman fit un effort considérable
pour faire tomber l'île. Une expédition de plusieurs centaines de voiles commandée par l'amiral Piyale Pacha,
assisté de Dragut, mit le siège devant la forteresse qui
résista victorieusement. La résistance de Malte eut des
conséquences importantes. Elle marqua la limite de l'expansion ottomane vers l'Occident et sanctionna un partage
de la Méditerranée entre les Ottomans à l'est et les Espagnols et leurs alliés à l'ouest. D'ailleurs, en retournant
à Istanbul, Piyale Pacha s'empara de Chio, dernière possession génoise en mer Égée. Au-delà du détroit de Sicile,
Venise ne contrôlait plus que Chypre et la Crète.

Dans les Balkans et sur les frontières de la Roumélie,
l'Empire ottoman connut encore des succès significatifs à
la fin du règne de Soliman. En 1538 toujours, une révolte
du voïvode de Moldavie, Petru Rares, fut matée. L'Empire
ottoman profita de l'occasion pour occuper les territoires
en bordure de la mer Noire entre le Dniestr et la Crimée.
Mais c'est surtout la Hongrie qui redevint un théâtre d'affrontements à la suite de la mort de Jean Szapolyai en
1540. Le voïvode de Transylvanie laissait comme héritier
un fils, Jean-Sigismond, âgé d'une quinzaine de jours.
Ferdinand de Habsbourg saisit cette occasion pour mettre
le siège devant Buda l'année suivante. La ville fut dégagée
par une armée ottomane de secours commandée par Soliman. La Hongrie sous domination turque fut placée sous
administration directe de la Porte et divisée en douze *sandjak*. Une nouvelle attaque autrichienne contre Pest en 1543

permit à l'armée turque de s'emparer d'Esztergom, de Székesfehérvár et d'autres places de Hongrie occidentale et,
l'année suivante, de Visegrad. En 1547, une nouvelle trêve
fut conclue avec l'Autriche qui paya de nouveau le tribut.
Mais le cardinal Martinuzzi, régent de Transylvanie au
nom de Jean-Sigismond Szapolyai, tenta de se libérer de la
vassalité ottomane avec l'appui des Autrichiens. Plusieurs
campagnes en 1551 et 1552 se conclurent par une victoire
ottomane à Szeged. La ville de Veszprém, le banat de
Temesvár (Timisoara) et la place de Szolnok passèrent
sous domination turque. Mais les Autrichiens réussirent à
tenir Eger. La guerre en Hongrie reprit en 1556. Les troupes
ottomanes échouèrent devant Szigetvár, mais s'emparèrent
de Tata en 1558. Les pourparlers aboutirent à une nouvelle
trêve avec Ferdinand de Habsbourg en 1562 aux termes de
laquelle le nouvel empereur renonça à ses prétentions sur
la Transylvanie et paya de nouveau le tribut. En 1564, Ferdinand mourut et son fils Maximilien refusa d'honorer
les engagements de son père. Soliman entreprit en 1566
sa dernière campagne en Hongrie. Il mit le siège devant la
place de Szigetvár qui tomba après un mois de blocus,
mais Soliman mourut de maladie sous sa tente au cours des
opérations. La Hongrie n'existait plus. Elle était dépecée.
La principauté de Transylvanie restait indépendante, mais
elle était amputée et devait reconnaître la double vassalité
de l'Empire ottoman et de l'Autriche. Au centre, la Hongrie
ottomane était rattachée directement à l'administration de
la Porte. À l'ouest, la Hongrie royale était sous domination
des Habsbourg, mais elle devait s'acquitter d'un tribut à la
Porte.

La mort de Soliman en 1566 ne marque pas une rupture
dans la politique extérieure de l'Empire ottoman. Les successions s'opèrent sans heurt avec les règnes de Sélim II
(1566-1574), de Mourad III (1574-1595) et de Mehmet III
(1595-1603), qui éprouva quand même le besoin d'éliminer ses dix-neuf frères. Après lui, la pratique du fratricide

disparut, les prétendants écartés étant simplement enfermés dans les différents sérails, condamnés à la toxicomanie, à l'alcoolisme et à la folie. La continuité de la politique fut assurée par le dernier grand vizir de Soliman, Sokollu Mehmet Pacha, un janissaire d'origine slavonne, beau-frère par ailleurs du nouveau sultan Sélim II. Il fut maintenu à son poste jusqu'à son assassinat par un musulman fanatique en 1579. Il mit fin au conflit avec les Habsbourg en Hongrie par une nouvelle trêve conclue pour huit ans à Edirne (Andrinople) en 1568. Maximilien II acceptait de payer tribut pour la Hongrie royale. Débarrassés de ce conflit sur les frontières occidentales de leur empire, les Ottomans purent se consacrer à une autre tâche, celle de nettoyer la Méditerranée orientale des derniers points d'appui de la présence chrétienne. L'île de Chypre, tenue par les Vénitiens, fut leur principal objectif. Les Ottomans bénéficièrent de la complicité d'une partie de la population de l'île, grecque et orthodoxe, qu'indisposait l'autorité des Vénitiens, des latins d'obédience romaine. La conquête de l'île commença méthodiquement en 1570 et, l'année suivante, Chypre tombait à l'exception de Famagouste, dont la citadelle ne capitula qu'en août 1571.

La perte de Chypre fut durement ressentie en Occident. La littérature en a gardé le souvenir avec l'*Othello* de W. Shakespeare. Surtout, elle réveilla les craintes chrétiennes et suscita un élan de défense qui prit la forme d'une ultime croisade. La république de Venise, la république de Gênes, l'Espagne de Philippe II, le grand-duché de Toscane et l'Ordre des chevaliers de Malte conclurent, sous l'égide du pape Pie V, une Sainte-Ligue destinée à freiner les ambitions turques en Méditerranée. Une flotte puissamment armée de canons et sur laquelle avaient pris place les redoutables *tercios* espagnols attaqua la flotte turque réfugiée dans le golfe de Corinthe à Lépante. La bataille qui se déroula le 7 octobre 1571 fut gigantesque et sanglante. Le succès des chrétiens, commandés par le demi-frère de

Philippe II, don Juan d'Autriche, fut complet. La flotte turque fut détruite et ses combattants massacrés sans pitié. La mer était rouge du sang des vaincus. L'onde de choc suscitée par Lépante emplit l'Occident de fierté. Pour la première fois, les Occidentaux infligeaient une défaite sans appel à la flotte turque, qui semblait jusque-là invincible. La victoire fut ressentie aussi comme une manifestation de sursaut du monde catholique à peine sorti de la crise religieuse de la Réforme et encore convalescent quelques années après la clôture du concile de Trente.

Dans la foulée, don Juan s'en alla occuper Tunis menacé par les ambitions conjointes d'Alger et de Tripoli. La joie des Occidentaux fut de courte durée. L'Empire ottoman avait des ressources et le démontra. En moins d'une année, il parvenait à reconstruire sa flotte. En 1574, don Juan d'Autriche était chassé de Tunis qui passait sous autorité ottomane. Lépante avait cependant marqué une rupture ou, plutôt, la victoire chrétienne confirmait le nouvel équilibre qui se mettait en place en Méditerranée entre les deux empires qui s'en partageaient l'hégémonie. Le détroit de Sicile délimitait désormais les zones d'influence entre l'Empire ottoman et la Monarchie catholique des rois d'Espagne. À l'est, l'Empire ottoman contrôlait l'espace maritime et ses rives européennes, asiatiques et africaines. Seule Venise se maintenait encore en Crète (Candie), dont la conquête représenta le dernier grand effort militaire ottoman au XVIIe siècle. À l'ouest, la domination de l'Espagne et de ses alliés semblait moins évidente, car elle devait tenir compte de l'hostilité des républiques barbaresques du Maghreb, dont les activités corsaires gênèrent pendant longtemps les relations maritimes. En 1577, une trêve fut conclue entre Madrid et Istanbul sur ces bases.

Après Lépante, l'Empire ottoman avait su se ressaisir en s'emparant de la Tunisie, qui était restée jusque-là un État indépendant, mais qui, après 1574, passa sous autorité de la Porte représentée à Tunis par un *pacha* avec le titre de *bey*. Mourad III et son grand vizir se retournèrent alors vers la Perse qui traversait une nouvelle période de troubles à la suite de la mort de Tahmasp. En 1576, une longue guerre de près de quinze ans s'ouvrit avec l'Empire safavide par d'importants succès ottomans comme l'occupation de la Géorgie et de l'Azerbaïdjan. Pour la première fois, une flotte ottomane croisa sur la mer Caspienne. Mais l'assassinat de Sokollu Mehmet Pacha en 1579 mit fin à la période de gloire et d'expansion inaugurée au début du siècle sous le règne de Sélim Iᵉʳ. Mourad III et Mehmet III, sultans médiocres et incompétents, étaient les jouets des intrigues de palais. Les sultanes mères firent valser les grands vizirs, tandis que des tensions très fortes s'exprimèrent dans l'armée entre les janissaires et les *sipahis*. La fin des grandes conquêtes amenuisait les capacités de butin et aiguisait la concurrence entre les différents corps de militaires. Les *sipahis* se plaignaient de la baisse de revenus de leurs *timars*. Il y eut des révoltes à Istanbul. Mehmet III soutint les janissaires et les *sipahis* s'enfuirent en Anatolie où ils gonflèrent les rangs des bandes de *djelalis*, les bandits de grands chemins qui alimentèrent une insécurité chronique à partir des premières années du XVIIᵉ siècle.

L'affaiblissement du pouvoir central eut des répercussions immédiates sur l'influence de l'Empire ottoman auprès de ses ennemis traditionnels. Chah Abbas, qui fut le véritable fondateur de l'Empire perse, reprit les territoires perdus et rétablit les frontières de 1576. La guerre entre la Turquie et la Perse se conclut donc en 1590 par un retour au *statu quo ante*. Mais dès 1592, la guerre reprit en Hongrie à la suite du refus de Rodolphe II de Habsbourg de payer le tribut à l'Empire ottoman pour la possession de la Hongrie royale. L'offensive autrichienne fut tout d'abord couronnée de succès. En 1593, une armée ottomane fut battue à Sissek. Rodolphe II pouvait, par ailleurs, compter sur l'appui des principautés roumaines qui rejetèrent la suzeraineté ottomane. Mais la noblesse hongroise reconnut l'autorité d'Étienne Bocskai, le voïvode de Transylvanie, qui s'allia à la Turquie. Cette noblesse, calviniste et xénophobe, préférait une domination ottomane lointaine et bienveillante à l'égard des différentes confessions chrétiennes, à une autorité allemande proche et catholique. En 1596, le sultan Mehmet III conduisit lui-même la campagne contre la Hongrie royale. Il s'empara de la place d'Eger qui constituait un nœud de communication entre l'Autriche et les principautés danubiennes. La guerre de coups de main se poursuivit jusqu'en 1606 et affaiblit considérablement les finances ottomanes et autrichiennes. Cette année-là, le nouveau sultan Ahmed Ier accepta les propositions autrichiennes. En échange d'une reconnaissance de la pluralité confessionnelle en Hongrie par les Habsbourg, les deux puissances revenaient aux frontières antérieures au conflit. Surtout, le sultan n'exigeait plus de l'empereur le paiement du tribut, qui était si humiliant et qui interdisait toute relation normale entre les deux États.

La paix de Szitvatorok signée le 11 novembre 1606 marqua donc un tournant dans les rapports diplomatiques entre l'Empire ottoman et l'Occident. Pour la première fois, le sultan négociait d'égal à égal avec une autre puissance, sans exiger comme préalable la reconnaissance de sa suzeraineté. En ce début de XVIIe siècle, l'Empire ottoman atteignait son expansion maximale. À l'est, ses frontières avançaient jusqu'aux contreforts du plateau azerbaïdjanais et jusqu'au Caucase et, plus au sud, jusqu'à l'Euphrate. Le contrôle de Bassora et du Chatt al-Arab lui ouvrait une fenêtre sur le golfe Persique. La conquête de l'Égypte lui assurait la mainmise sur l'ensemble du Proche-Orient et lui permettait de s'enfoncer loin à l'intérieur de l'Afrique, en Nubie, jusqu'aux frontières de l'Éthiopie. La mer Rouge était devenue un lac ottoman depuis que le chérif de La Mecque avait reconnu l'autorité du sultan et que le Yémen avait été conquis. Sur les côtes de l'Afrique du Nord, l'influence de l'Empire ottoman se faisait sentir à travers les régences de Tripoli, de Tunis et d'Alger, dont les chefs étaient ses vassaux et dont la défense était assurée par des troupes de janissaires. Seul le royaume chérifien, au Maghreb occidental, était parvenu à maintenir son indépendance. L'Europe balkanique était elle aussi solidement ancrée à l'Empire ottoman. Les frontières de la Turquie s'avançaient jusqu'aux portes de Venise et de Vienne. Toute la partie de l'Europe située au sud du Danube était directement administrée par Istanbul, tandis que les principautés de Transylvanie, de Valachie et de Moldavie, restées indépendantes mais sous vassalité de la Porte constituaient, au nord du Danube, un glacis protecteur. Enfin, la mer Noire dont les régions côtières avaient été annexées ou se trouvaient sous l'autorité du khanat tatar de Crimée, lui aussi vassal de la Porte, était devenue un lac ottoman.

La présence chrétienne en Méditerranée orientale avait été annihilée. Il ne restait plus rien des colonies génoises de mer Noire et de mer Égée, tandis que Venise ne pouvait plus s'accrocher qu'à des lambeaux de son ancien empire, le long de la côte dalmate et en Crète. La puissance militaire ottomane était encore redoutable, mais l'empire avait perdu sa force d'expansion qui l'avait rendu irrésistible aux XVe et XVIe siècles. L'arrêt des conquêtes entraîna une redéfinition des équilibres sociaux. Jusque-là, la guerre nourrissait la guerre. L'immense potentiel militaire ottoman trouvait dans les conquêtes de territoires nouveaux, dans les possibilités de butin et de razzias, dans l'imposition du tribut aux populations soumises, la justification de son pouvoir et les moyens de son existence. Désormais, tout en restant une puissance militaire considérable, l'Empire ottoman rentrait dans le rang. Les soldats, janissaires sans solde ou *sipahis* sans *timar,* ne trouvaient plus dans les guerres extérieures leur raison d'être. Ils intervinrent de plus en plus dans la politique interne, en se révoltant et en pesant sur la désignation des sultans et des grands vizirs.

Ces difficultés rencontrées par l'Empire ottoman étaient aussi la rançon de la normalité. L'empire apprit au XVIIᵉ siècle à respecter ses voisins et à entrer dans le jeu des relations diplomatiques.

3. La naissance de l'Empire moghol

C'est en Inde au XVIᵉ siècle que se forma le deuxième grand empire musulman. Au début de ce siècle, le sous-continent indien était encore profondément divisé sur le plan politique. Le sud de la péninsule était dominé par des États hindous dont le plus important était l'empire de Vijayanagar, tandis que, au nord, les musulmans, sans être toujours majoritaires, étaient prépondérants et organisés en de multiples sultanats. Au centre, entre la plaine du Gange et les plateaux du Deccan, la situation politique était plus fluide. Si les hindous se maintenaient dans certaines de leurs places fortes, comme la confédération Rajput ou l'Orissa sur la côte orientale, les sultanats musulmans se partageaient l'espace occupé précédemment par l'Empire bahmanide.

La conception de l'État hindouiste est exposée dans un recueil de jurisprudence, la *Loi de Manou,* qui fait partie d'un ensemble de textes sacrés compilés entre le Iᵉʳ millénaire avant J.-C. et le Iᵉʳ millénaire après J.-C., la *Smriti* ou Tradition. Le prince hindou – le rajah – appartient à la caste des *kshatriya*, la deuxième caste après celle des brahmanes. Ce roi, de nature divine, est constitué à partir des « particules éternelles » du vent (Indra), du soleil (Yama) et du feu (Varuna). Il exerce la justice, conduit les armées à la guerre, assure la paix et la prospérité de son royaume. Selon la morale hindouiste, l'exercice du pouvoir royal relevait de la catégorie de l'*artha* (l'intérêt), un précepte moral exposé dans un traité d'histoire politique, l'*Arthashastra,* et qui entrait en contradiction avec les valeurs traditionnelles dont le prince était censé être le gardien. C'est pourquoi, dans l'exercice des pouvoirs de gouvernement, le rajah était toujours associé à un représentant de la caste supérieure des brahmanes, dont l'autorité spirituelle visait à contrebalancer son autorité temporelle. Ce *purohita* garantissait en quelque sorte la légitimité du souverain. L'association des deux représentants des castes supérieures, le rajah et le *purohita,* constituait la pierre angulaire du pouvoir dans la monarchie hindoue. La dimension spirituelle de la royauté se manifesta dans certaines prérogatives, comme la protection des sanctuaires et des pèlerinages, qui assurait en contrepartie son origine divine, même lorsque le rajah n'était qu'un usurpateur. Mais le caractère divin de la royauté hindoue ne protégeait nullement son détenteur de toute opposition. Bien au contraire. Alors qu'en Occident la monarchie avait su utiliser ses relations étroites avec la sphère du sacré – l'origine sacrée du prince ou, plus simplement, son devoir de protection à l'égard de l'Église ou de l'orthodoxie religieuse – pour renforcer sa légitimité, en Inde la royauté apparaissait comme très affaiblie.

Le pouvoir du rajah était sans cesse remis en cause. En cas d'échec ou d'incompétence notoire, s'il n'était pas éliminé, il était prié de se retirer dans un monastère. En outre, il avait tout à craindre de sa famille qui considérait l'exercice du pouvoir comme une prérogative collective, d'autant plus que la pratique de la polygamie et du matriarcat multipliait les prétendants. Ceux-ci exigeaient des apanages, exerçaient certains droits régaliens comme celui de battre monnaie ou de se constituer des armées personnelles et, bien sûr, n'hésitaient pas à se révolter si leurs exigences n'étaient pas satisfaites. « Les princes sont comme les crabes et mangent leurs parents », dit l'*Arthashastra.* L'instabilité politique était donc la règle dans les États hindous, dont la vie était ponctuée par de sanglantes rivalités. Le domaine d'intervention du roi était la terre. Il assurait la production des richesses agricoles et gardait le monopole de l'exploitation minière. Par contre, les activités maritimes étaient considérées comme impures et relevaient des communautés religieuses minoritaires, musulmanes en particulier. Le rajah se contentait d'exiger le partage des droits de douane. Cette conception hindouiste de l'État s'exprimait dans l'empire de Vijayanagar au sud de la péninsule, dans les petits royaumes de la côte de Malabar à l'ouest, dans les royaumes tamouls à l'est et à Ceylan, dans l'Orissa au nord-est et dans les États Rajput du Nord. Mais elle imprégnait tant les mentalités que, dans les États musulmans à majorité hindouiste comme le Gujarat ou le Bengale, le sultan devait en tenir compte et recueillait aux yeux de ses sujets hindouistes les prérogatives du rajah. Plus tard, les empereurs moghols n'y échappèrent pas lorsqu'ils annexèrent à leur empire des régions à forte tradition hindouiste. Le syncrétisme politique d'Akbar, le troisième empereur moghol, qui associa étroitement les conceptions hindouistes et islamistes de l'État, en fut la preuve éclatante.

L'empire de Vijayanagar était l'État hindou le plus puissant de l'Inde. Les familles princières y ponctionnaient une paysannerie qui leur reversait la moitié des récoltes et elles accumulaient or, argent et pierres précieuses, toutes ces richesses qui leur permettaient d'entretenir des armées considérables avec des éléphants et des chevaux importés à grands frais d'Arabie et de Perse par le port de Goa. Les luttes de pouvoir à l'intérieur de la famille royale y étaient féroces. Au début du XVIe siècle, le roi Immadi Narasimha n'était qu'un fantoche entre les mains de son ministre Narasa Nayaka. La politique de l'empire visait à enrayer la désagrégation des principautés et à reprendre en main le pays tamoul dans la partie orientale. En 1503, à la mort de Narasa Nayaka, Vira Narasimha, un fils d'Immadi, se révolta contre son père, le fit assassiner et régna jusqu'en 1509. Il fut alors remplacé par son demi-frère Krishna

Deva Raja qui, jusqu'en 1529, écrivit la dernière page la plus brillante de cet État, ce dont témoignent encore aujourd'hui les ruines imposantes de la ville de Vijayanagar. Mais la politique agressive dont fit preuve l'empire à l'égard des sultanats musulmans du Nord pour le contrôle des vallées fertiles de la Krishna et de la Tungabhadra et des mines de diamants de Golconde se retourna contre lui, d'autant que les luttes de factions l'affaiblirent de l'intérieur. Un neveu de Krishna Deva Raja, Achyuta Deva Raja, lui succéda mais son pouvoir fut contesté par son gendre Rama Raja qui prit le pouvoir en 1542. Durant cette ultime période de l'empire de Vijayanagar, de vastes principautés se constituèrent en royaumes quasi indépendants comme le Mysore et l'Ikkéri en Karnataka et en Gingee dans l'Ouest et le Sud, ou le Tanjavur et le Madurai en pays tamoul. Finalement, le 23 janvier 1565, l'empire de Vijayanagar s'effondrait à la bataille de Talikota devant les troupes coalisées des sultanats musulmans. Dès lors, ce qui restait de cet État se décomposa en de multiples principautés dominées par des seigneurs, les Nayaks, et qui furent progressivement absorbées au XVIIᵉ siècle par l'Empire moghol.

Les petits royaumes hindouistes de la côte de Malabar – Calicut, Quilon, Cannanore et Cochin – se maintinrent au XVIᵉ siècle, malgré une vie politique agitée, scandée de rébellions et de révolutions de palais, malgré aussi les pressions antagoniques des musulmans et des Portugais sur leurs côtes. Sur la côte sud-ouest du golfe du Bengale, l'Orissa, qui était également un État hindouiste, connaissait ses dernières lueurs. Depuis le milieu du XVᵉ siècle, la dynastie des Gujapati – les « maîtres des éléphants » – s'employait à remettre de l'ordre à l'intérieur en réduisant à l'obéissance les tribus primitives des hautes terres comme les Gond et les Santal, mais parvenait aussi à s'étendre aux dépens de ses voisins immédiats, que ce soit le sultanat du Bengale, l'Empire bahmanide ou l'empire de

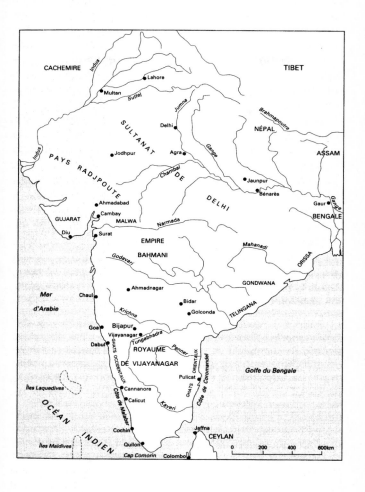

L'INDE VERS 1500

Vijayanagar. Elle finit cependant par s'abîmer dans les dissensions internes. En 1541, les Gujapati étaient renversés par un usurpateur du nom de Govinda, et l'Orissa commença à amorcer son déclin. Pays riche pour ses matières premières agricoles, son activité textile et son artisanat du bois et du fer, l'Orissa exportait une partie de sa production. Ce commerce, dominé par les communautés musulmanes des ports, passa progressivement aux mains des Portugais qui établirent un comptoir à Pipli. En 1592, l'Orissa fut annexé par Akbar à l'Empire moghol. Au nord de l'Inde, la confédération Rajput subsistait comme un îlot hindouiste dans un environnement entièrement musulman, repliée sur les plateaux arides au sud du Gange. Ce dernier bastion défendait farouchement son indépendance et son identité à l'image de ses guerriers redoutés. Au début du XVIe siècle, les Rajput étaient organisés en petites principautés, au sein desquelles les rajahs du Marwar (Jodhpur) et du Mewar (Udaipur) jouaient un rôle dominant. La confédération Rajput commença à reculer après la victoire du Moghol Babur à la bataille de Kanua en 1527. Dans les années qui suivirent, les Rajput subirent les attaques des Moghols, des Afghans de l'Est de l'Hindoustan et du sultan du Gujarat et leurs États furent progressivement annexés par l'Empire moghol.

Babur naquit vers 1483 dans la tribu des Caghatay, un peuple mongol de langue turque et de religion sunnite, qui résidait habituellement dans cette Asie centrale, le réservoir de tous ces peuples nomades de la steppe qui partaient régulièrement à la conquête des régions environnantes. C'était un jeune chef de guerre, ambitieux et cultivé à l'image de beaucoup de ses semblables. Il comptait Gengis Khan et Tamerlan parmi ses ancêtres. Avec sa petite armée, il tenta de conquérir les oasis de Transoxiane, mais il échoua et dut se replier en Afghanistan. En 1504, il s'emparait de Kaboul aux dépens d'un de ses oncles et épousait une princesse afghane. Il prit alors le titre persan de *padishah*. Il hésita un temps pour savoir s'il allait se lancer à l'assaut de l'Iran où la situation était instable – les Safavides en faisaient alors la conquête –, ou de l'Inde du Nord. Il choisit finalement une troisième option en occupant les oasis d'Asie centrale et en reconnaissant la suzeraineté du prince safavide chah Ismaïl. Cette soumission à un prince chiite lui valut l'hostilité des tribus ouzbekes, d'obédience sunnite, qui le chassèrent de Samarkand en 1513. Il rompit avec l'Iran et se tourna vers le sud, puisque la route du nord lui avait été coupée. Il s'empara de Kandahar, au sud de Kaboul, qui était un nœud routier important sur la « route de la soie » joignant l'Inde au Proche-Orient à travers le plateau iranien. Il profita ensuite des dissensions qui minaient le sultanat Lodi de Delhi pour tester sa résistance par une série de raids. En 1523, il s'emparait de Lahore et du Pendjab sur le cours supérieur de l'Indus, puis il envahit l'Inde du Nord. En avril 1526, il écrasait l'armée du sultan Ibrahim Lodi à Panipat au nord de Delhi.

L'armée moghole était nettement inférieure en nombre à l'armée de la principauté afghane, fortement pourvue de cavalerie et d'éléphants de guerre, mais ignorant les armes à feu. Babur disposait de la puissance de feu de ses canons qu'il avait protégés derrière les charrettes pour faucher les charges ennemies. Quand l'armée afghane fut suffisamment désorganisée, il lança sa cavalerie, selon la tactique habituelle des chefs de guerre des steppes, sur les ailes de l'armée adverse qu'elle enveloppa et mit en déroute. L'effet de surprise fut total. Babur occupa Delhi et envoya son fils Humayun s'emparer d'Agra, la capitale, du trésor des Lodi et surtout du prestigieux diamant, la « Montagne de lumière ». Babur eut l'intelligence de ne pas remettre en cause le système administratif performant mis en place par la dynastie afghane. Il se contenta de réorganiser sa conquête et fut l'initiateur d'une brillante civilisation, dans laquelle les arts purent s'épanouir. Cette conquête du sultanat Lodi le mit en contact avec le sultanat du Bengale à l'est, détenu par une famille afghane apparentée aux Lodi, et avec la confédération Rajput au sud, le dernier État hindouiste du nord de l'Inde. En 1527, il écrasa l'armée du rajah de Marwar, Rana Sanga, à Kanua au Rajasthan. Les 80 000 cavaliers et les 500 éléphants de guerre des Rajput ne purent rien contre les mousquets et les canons de Babur ni contre les charges de sa cavalerie. Rana Sanga et de nombreux chefs Rajput périrent dans la bataille. En 1528, Babur s'emparait de la forteresse de Chandiri, le bastion des Rajput. La population de la ville fut égorgée. Pendant ce temps, l'Afghanistan était menacé par des invasions ouzbekes. Babur y envoya Humayun, tandis que lui-même restait en Hindoustan. À sa mort en 1530, l'embryon de ce qui allait devenir l'Empire moghol comprenait l'Afghanistan, le Pendjab et la plaine du Gange jusqu'au Bihar. Il commençait à gagner sur les plateaux du Rajasthan au sud du Gange.

Cet empire faillit ne pas survivre à la mort de son fondateur. Fin lettré lui aussi, Humayun n'avait pourtant pas la carrure de son père, étant handicapé par son alcoolisme, son opiomanie et ses crises dépressives. En outre, il dut affronter les ambitions de ses frères et demi-frères, même si Babur avait mis fin à la pratique de la souveraineté collective en vigueur chez les peuples des steppes en donnant le titre de sultan à son fils aîné et en apanageant les cadets. C'est ainsi que Mirza Suleiman reçut le Badakhchan au nord-ouest de l'Afghanistan, dont il fit une principauté indépendante, que Kamran hérita de Kaboul et de Kandahar, tandis qu'Askari et Hindal étaient largement possessionnés en Hindoustan. Dès la mort de Babur, Kamran s'empara du Pendjab avec l'aide d'Askari et coupa Humayun de l'Afghanistan qui constituait la base de son pouvoir. Les Afghans Lodi n'étaient pas entièrement éliminés dans l'est de l'Hindoustan où ils parvenaient encore à se maintenir, tandis que d'autres chefs afghans, qui s'étaient réfugiés au Gujarat, poussaient le sultan à s'opposer à Humayun et à

s'emparer du sultanat de Malwa. En 1535, Humayun atta-
qua le Gujarat, défit son armée et prit la forteresse de
Champanir, mais il laissa échapper le sultan qui regagna le
Gujarat où il fut finalement tué dans un combat contre les
Portugais.

Pendant ce temps, à l'est de l'Hindoustan, un descendant
de la dynastie afghane essayait de réorganiser ce qui restait
de l'ancien sultanat Lodi. Sher Khan Sur parvint à s'implanter dans le sud du Bihar et regroupa autour de lui
la résistance afghane à la domination moghole. En 1537,
il envahit le sultanat du Bengale et assiégea le sultan Mahmoud Shah dans sa capitale, Gaur. Humayun s'avança
avec ses troupes pour porter secours à son allié, mais, en
proie à une crise de dépression et d'indécision, il tarda et
Gaur tomba. Il s'installa à Chunar et Mahmoud Shah vint
l'y rejoindre. Sher Khan, aussi fin diplomate que grand
organisateur, ouvrit avec Humayun des négociations, qu'il
fit traîner en longueur. En juin 1539, il attaqua par surprise
le sultan moghol. L'armée moghole fut détruite et
Humayun faillit se faire capturer. Après la victoire de
Chunar, Sher Khan prit le titre de Sher Shah. Un an plus
tard, en mai 1540, Humayun revint à la charge mais fut à
nouveau défait à Kanauj. Cette fois-ci, il dut abandonner
sa capitale Agra et il s'enfuit à Lahore auprès de son demi-
frère Kamran. Mais Sher Shah était sur ses talons. Kamran
se réfugia en Afghanistan, tandis qu'Humayun erra pendant quatre ans entre le Sind et le Rajasthan, avant de
s'exiler à la cour de chah Tahmasp en Iran.

En l'espace de deux ans, l'Empire moghol bâti par Babur
avait disparu et les Afghans avaient rétabli le sultanat de
Delhi. Pendant cinq ans, Sher Shah Sur régna sur un
empire constitué de l'Hindoustan et du Bengale, c'est-à-
dire l'ensemble de la vallée du Gange, ainsi que sur le
Pendjab. Sher Shah fut un prince intelligent qui sut mettre
en place une administration efficace et rallier l'aristocratie
à sa cause par des intermariages avec l'aristocratie

afghane. En ce sens, sa politique préfigura celle de l'empereur moghol Akbar, qui s'en inspira. Mais il mourut en 1545 et son fils, Islam Shah, ne parvint pas à maintenir son héritage. À sa mort en 1553, l'empire afghan de l'Inde fut partagé entre les membres de la famille, selon la tradition des peuples des steppes. Quatre sultanats, centrés sur le Pendjab, Agra et Delhi, le Bihar et l'Hindoustan oriental, et le Bengale, se divisèrent l'espace immense qui allait de la vallée de l'Indus à l'embouchure du Gange. Humayun resta près de dix années à la cour de chah Tahmasp. Il ne put se concilier les faveurs de l'empereur perse qu'à force de persévérance et de compromis : il fut soumis à un contrôle très strict et dut se convertir au chiisme. Peu à peu, les deux hommes apprirent à s'estimer. Le diamant « Montagne de lumière » qu'Humayun offrit à Tahmasp fit beaucoup pour cette amitié. Avec l'appui des troupes perses, Humayun entreprit la reconquête de l'Afghanistan et il parvint à capturer son demi-frère Kamran et à le faire aveugler. À la fin de 1554, il débouchait à nouveau dans la vallée du Gange. L'année suivante, il profita de la désorganisation de la région provoquée par une terrible famine. Sikandar Shah Sur qui contrôlait le Pendjab lui opposa une puissante armée. La bataille capitale se déroula à Sirhind, dans le Pendjab. La victoire resta aux Moghols, et Humayun put rentrer à Delhi pendant l'été 1555. Il ne jouit guère du pouvoir qu'il avait reconquis. En janvier 1556, il se tuait en tombant dans l'escalier de sa bibliothèque. Épris d'astronomie, il avait voulu observer le lever de Vénus. Sa mort fut cachée pendant dix-sept jours pour laisser le temps d'assurer la succession en faveur de son fils, âgé de seulement douze ans. Le garçon fut intronisé sous le nom de Jalal-ud Din Mohammed Akbar. Il est plus connu sous le nom d'Akbar.

Le long règne d'Akbar (1556-1605) marqua un tournant dans l'histoire de l'Empire moghol. Ce qui n'était, jusque-là, qu'un empire des steppes, instable, remis sans cesse en cause par des révoltes internes, se décomposant et se recomposant à chaque succession, se transforma en un État stable, doté d'un projet politique original et appuyé sur des institutions homogènes. Dans ce processus de réforme, la personnalité de l'empereur joua un grand rôle. Les années de jeunesse d'Akbar, qui furent des années de formation, ont été déterminantes. Une alternative s'offrait à lui : la monarchie collective sur le modèle turco-mongol ou la monarchie personnelle sur le modèle iranien. Quand Humayun était revenu de son exil persan pour reconquérir les États dont il avait été chassé, il était entouré d'un petit groupe de conseillers – guère plus d'une cinquantaine – qui se partageait en nombre égal entre des représentants de l'aristocratie ouzbeke et afghane, de confession sunnite, partisans de la première conception de l'État, et des membres de l'aristocratie iranienne, de confession chiite, partisans d'une monarchie centralisée, personnalisée et autoritaire. Les luttes de factions qui firent rage dans l'entourage du jeune Akbar pendant les premières années de son règne résument, au-delà des ambitions personnelles des chefs de clan, l'opposition entre ces deux types de monarchie. Cette période de transition dura une dizaine d'années.

Pendant quatre ans, Bairan Khan, un noble persan, assura les fonctions de régent et facilita la passation des pouvoirs en faveur d'Akbar. Le premier problème auquel il fut confronté était celui du maintien de la dynastie afghane dans certaines parties de l'Hindoustan, en particulier au Pendjab et au Bihar. Quelques campagnes militaires victorieuses permirent à Akbar et à Bairan Khan de reconquérir ces deux provinces. En janvier 1558, la forteresse de Gwalior au sud d'Agra, dernière place afghane, se rendait. Ainsi, en l'espace de deux ans, la dynastie moghole avait reconstitué l'unité de l'Hindoustan sous son autorité, de Lahore à Jaunpur. Mais l'étoile de Bairan Khan commençait à ternir. L'opposition était menée par la princesse douairière, la mère d'Akbar, Hamida Begam, le frère de lait d'Akbar, Adham Khan, et sa famille. Dans ce conflit, on retrouve les principaux clivages évoqués ci-dessus : pouvoir personnel contre autorité collective, chiisme contre sunnisme, auxquels il convient d'ajouter les ambitions personnelles. Les opposants représentaient surtout les intérêts de l'aristocratie timouride, afghane et ouzbeke. Une cabale força Akbar à limoger son conseiller en mars 1560. Bairan Khan fut assassiné par un Afghan, alors qu'il s'apprêtait à embarquer pour un pèlerinage expiatoire à La Mecque. Le meurtre n'avait aucune motivation politique, mais Bairan Khan avait été chassé du pouvoir sur des accusations diffamatoires. Akbar se rendit compte rapidement de son erreur et en revendiqua la responsabilité publiquement. Pendant quelques mois, Adham Khan détint les rênes du pouvoir et engagea l'Empire moghol dans une politique de conquête des sultanats situés au sud du Gange. Le premier visé fut le sultanat de Malwa dont le sultan Baz Bahadur fut vaincu à Sarangpur. Adham Khan s'empara de son trésor, de son harem, de ses éléphants de guerre et passa la garnison et la population de la ville au fil de l'épée, sans même épargner les oulémas ni les saïds (descendants du Prophète). Il signait ainsi sa disgrâce. Bien plus, Baz Bahadur était parvenu à se réfugier au Khandesh dont les troupes, alliées à celles du sultanat de Bérar, repoussèrent les armées mogholes. Il fallut attendre 1562 pour que le Malwa fût annexé et qu'une administration impériale y fût installée. Cette campagne malheureuse coûta la vie à Adham Khan qui fut exécuté de ses propres mains par Akbar.

L'élimination du favori entraîna une première réforme en profondeur du gouvernement qui se dota désormais de quatre ministères, un pour les finances, un pour l'armée, un pour la maison du prince et un pour les affaires religieuses. Akbar venait aussi de réaliser que, s'il désirait que son empire dure, il devait l'organiser. C'est la tâche à laquelle

il s'attela entre 1561 et 1566 sur fond de conquêtes extérieures et de révoltes intérieures. Les conquêtes s'opérèrent
essentiellement à l'est et au sud-est de l'empire, dans le
Bihar aux dépens des derniers membres de la famille Sur,
et au Gondwana qui, après avoir été occupé, fut rattaché à
la province du Malwa. Les révoltes furent suscitées par des
généraux ouzbeks, à l'indépendance sourcilleuse et de
confession sunnite, qui trouvèrent chez certains membres
de la famille royale – comme le demi-frère d'Akbar, Mirza
Muhammad Hakim, gouverneur de Kaboul –, ou chez le
prince Muhammad Sultan Mirza, un descendant de Tamerlan, des porte-parole et des soutiens dans leur opposition à
Akbar et à sa politique centralisatrice.

En juin 1566, Akbar massacra ses adversaires ouzbeks
en les surprenant dans leur camp, à Manikpur sur les bords
du Gange. Dès lors, il recruta ses conseillers, ses chefs de
guerre et ses administrateurs parmi les Persans, les musulmans indiens et dans l'aristocratie Rajput. Il réduisit ainsi
l'influence de la noblesse d'Asie centrale. Le ralliement
progressif de l'aristocratie Rajput est assez significatif du
tour nouveau qu'Akbar désirait donner à son empire, qui
restait officiellement musulman mais qui devait tenir
compte de la population autochtone de religion hindouiste.
Les rajahs ralliés ne versaient plus le tribut, recevaient des
fiefs *(mansab),* mais, en retour, considéraient Akbar
comme un rajah musulman, l'égal de Rama, le héros
culturel de la tradition hindouiste. C'est ainsi que se fit
l'annexion du Rajasthan, moins par la conquête que par
l'attraction qu'opérait le gouvernement impérial sur ces
milliers de guerriers Rajput auxquels Akbar offrait une
place dans son système impérial. Tous n'acceptèrent pas ce
pacte. Ce fut le cas du *rana* de Mewar, Udai Singh, qui
avait recueilli les restes de l'armée de Muhammad Sultan
Mirza. Akbar vint assiéger sa capitale, Chitor, qu'il prit
d'assaut et dont il massacra les vingt-cinq mille habitants.
En 1569, il s'emparait de Ranthambor, une autre ville du

Rajasthan qui contrôlait la route menant à la mer. En 1572, le Rajasthan était pacifié et rallié.

En 1572, l'Empire moghol était sorti de l'Hindoustan proprement dit, son territoire d'origine, pour gagner vers les plateaux au sud de la vallée du Gange. Les conquêtes du Rajasthan, du Malwa et du Gondwana furent consolidées par la construction d'un réseau de forteresses. Elles mettaient aussi l'Empire moghol au contact d'autres États qui se sentaient menacés par l'expansionnisme de leur puissant voisin, d'autant plus redoutable que les perdants des conflits antérieurs et les rebelles en fuite venaient s'y réfugier. C'était le cas du Gujarat, jusqu'alors éloigné de la menace moghole, mais qui, depuis l'annexion du Rajasthan, se trouvait en première ligne. Le sultan Muzaffar III était affaibli par les incessantes rébellions de sa noblesse et avait perdu le contrôle de son État, où étaient venus se réfugier les rebelles vaincus par Akbar en 1566. En deux campagnes éclairs qu'il entreprit en 1572 et 1573 et qui firent de lui l'un des grands stratèges de l'histoire, Akbar s'empara de la capitale Ahmadabad et soumit le sultanat. Il acquit alors une réputation d'invincibilité. La deuxième cible fut le golfe du Bengale, soit l'ensemble formé par le Bengale, le Bihar et l'Orissa. Cette dernière principauté était encore gouvernée par un prince hindou, mais le sultanat du Bengale, qui contrôlait l'est du Bihar, était tenu par une dynastie d'origine afghane, tributaire des Moghols. En 1574, le sultan Daud Karrani refusa de payer le tribut. Après plusieurs campagnes, il fut vaincu en 1576 à la bataille de Rajmahal et tué durant le combat. Le Bengale et l'est du Bihar furent occupés et, dans les années 1580, une administration impériale y fut installée par le gouverneur d'origine Rajput, Raja Man Singh. Pendant plusieurs années, l'Empire moghol fut entièrement occupé par l'assimilation des immenses territoires qu'il venait d'annexer. Cette période fut mise à profit par Akbar pour créer les institutions originales de son nouvel empire.

On a vu que le principal défi auquel était confronté l'Empire moghol créé par Akbar était d'associer dans un même État une classe dirigeante perçue comme étrangère, timouride, afghane et ouzbeke, de confession sunnite, et une population majoritairement hindouiste. La personnalité d'Akbar, son intelligence et son tact permirent les rapprochements. Comme tous les Timourides, Akbar avait été élevé dans le respect de la religion musulmane, dans sa version sunnite, c'est-à-dire orthodoxe. Mais pendant l'exil de son père Humayun, il avait résidé en Iran. Il était très jeune et il fut influencé par des courants musulmans hétérodoxes, soufis ou chiites. Akbar était cultivé, mais pas au même sens que son père et son grand-père qui furent des écrivains et des poètes. Lui-même était illettré, probablement parce qu'il souffrait de dyslexie, mais il n'était pas inculte. Sa culture était orale mais étendue et, surtout, il était doté d'une mémoire qui étonna ses contemporains. Curieux et intelligent, Akbar doit aussi être compté au nombre des grands stratèges de son temps, au même titre qu'un Gonzalve de Cordoue ou un Gustave-Adolphe en Europe. Sur le plan religieux, il fit preuve très tôt d'éclectisme, se montrant ouvert aux autres religions, au point qu'on a pu le considérer, non sans exagération, comme un libre-penseur. Quoi qu'il en soit, sa tolérance tranche dans un siècle marqué par les conflits religieux. Il est difficile de savoir si elle résulte d'un choix personnel ou d'une volonté politique. Probablement les deux à la fois. Tolérance et éclectisme n'étaient pas étrangers à certains courants de l'islam, parmi les confréries soufies, dans la tradition mongole ou dans le chiisme iranien. Mais il est certain aussi que seul cet éclectisme religieux lui permettait d'opérer l'amalgame entre les populations qui composaient son empire.

Akbar sut jouer sur différents registres. C'est ainsi qu'il put tirer profit des tensions millénaristes qui agitaient l'islam de la fin du XVIe siècle. Il existait une croyance selon laquelle Mahomet devait rester au tombeau pour mille ans et ressusciter pour venir sauver le monde. Dans le calendrier musulman, l'An Mil commençait le 27 septembre 1592. Ce courant millénariste, représenté par les mahdawistes – du terme *Mahdi,* le Sauveur –, était bien implanté dans l'Inde moghole. Plusieurs proches conseillers d'Akbar étaient imprégnés de ces croyances comme Shaikh Mubarak et ses deux fils, l'idéologue Abul Fazl et le poète Faizi. Les partisans mahdawistes et chiites d'Akbar voyaient volontiers en lui le *Mahdi* appelé à régénérer le monde. En 1581-1582, Akbar fit rédiger un livre, l'*Histoire du millénaire,* qui confortait l'opinion des tenants de cette thèse. Il s'y présentait comme un saint capable d'accomplir des miracles. Akbar s'attira aussi la bienveillance de ses sujets autochtones en se soumettant à des rituels hindouistes. Au lever du soleil, à midi, au coucher du soleil, il récitait une prière en sanskrit. Il se montrait à sa fenêtre comme un dieu dans son temple, faisait distribuer son poids en or et en pierres précieuses. Il était favorable à certaines pratiques de l'hindouisme, en interdisant l'abattage des vaches, en encourageant l'ascétisme, le végétarisme et la non-violence ; pratiques qui étaient d'ailleurs plus proches des mouvements dissidents à l'hindouisme comme les jaïns. Plus subtiles furent les influences zoroastriennes et chrétiennes.

Mais à partir de 1579, dans son palais de Fatehpur Sikrï, Akbar organisa des colloques religieux où furent convoqués des oulémas musulmans, des brahmanes hindous, des prêtres zoroastriens, des moines yogis et des missionnaires chrétiens. Il choisit même de donner comme tuteur à son second fils, le prince Mourad, le père jésuite Antonio Monserrate. Ces attentions qu'il portait aux différentes composantes religieuses de son empire eurent des conséquences politiques. Les oulémas sunnites en prirent évidemment ombrage. En 1563, Akbar avait déjà supprimé la taxe spéciale que les hindous payaient sur leurs pèlerinages et, contrairement aux prescriptions de la *charia,* il avait autorisé les non-musulmans à édifier de nouveaux lieux de culte. Surtout, il abolissait en 1579 la *jiziya,* la capitation spéciale prélevée sur les non-musulmans (les *dhimmis*) au profit des oulémas. Il faisait ainsi de tous ses sujets, quelle que fût leur religion, des égaux face à leur prince, situation inouïe dans un État musulman. La même année, tirant la leçon d'un grave conflit juridictionnel entre musulmans et hindous, il s'appropriait tous les pouvoirs religieux et se proclamait calife. Il acquérait le droit de prononcer le prêche du vendredi dans la mosquée la plus importante de la capitale et quand, sur un point particulier de droit canonique, il y avait désaccord entre les oulémas, l'empereur était habilité à trancher, conformément aux textes révélés.

Parallèlement à ces profondes réformes religieuses, des réformes politiques contribuèrent à consolider l'État moghol. Elles ne furent pas imaginées *ex nihilo,* mais elles furent l'aboutissement d'un processus commencé sous la dynastie afghane des Sur. L'empire fut divisé en douze provinces et la perception de l'impôt fut modifiée. Il était désormais prélevé directement par l'administration impériale et non plus sous forme d'*iqta,* ce fief fiscal semblable au *timar* ottoman chargé de récompenser les fidèles. La suppression de l'*iqta* permit à l'Empire moghol d'éviter l'évolution vers l'hérédité du fief fiscal que connut le *timar* dans l'Empire ottoman et qui lui fut si dommageable au XVIIe siècle. Toutes ces réformes, ainsi que les tentatives d'associer l'aristocratie Rajput au pouvoir, furent mal perçues par les milieux musulmans traditionalistes. Akbar ne put contourner les oppositions qu'en accentuant le caractère personnel de son pouvoir. Il instaura un cérémonial de cour complexe dans lequel rituels hindous et rituels musulmans étaient mêlés, mais, dans le même temps, il chercha toujours à se présenter comme un musulman pieux. Il fut protecteur du pèlerinage de La Mecque au moins jusqu'en 1580. Il s'appuya sur l'islam local, en soutenant la dévotion à des saints indigènes. Par l'intercession de Salim Chishti, un marabout vénéré comme un saint, il reçut la grâce divine de concevoir trois héritiers. Cette dévotion le conduisit à construire sa capitale, Fatehpur Sikrï, autour du tombeau du saint. Après 1585, il développa un culte en l'honneur de son propre lignage, en faisant du tombeau de son père Humayun le seul lieu de culte officiel de l'empire. Lui-même finit par devenir un saint vivant à la suite d'un appel divin qu'il reçut lors d'une crise mystique en 1577 au cours d'une chasse. Jusqu'à la fin de ses jours, il vécut avec une réputation de sainteté qui lui valut d'accomplir des miracles.

La période de réorganisation de l'Empire moghol se ferma aux alentours de 1585. Les activités militaires, qui avaient connu un sommet vers 1572 avec la conquête du Gujarat puis qui s'étaient calmées quelque peu par la suite, reprirent alors le dessus dans les préoccupations d'Akbar. La politique de conquête qui marqua la fin de ce long règne fut entachée par les retombées de la politique de réforme intérieure ainsi que par les problèmes dynastiques. En 1585, le danger, pour l'empire, venait du nord. Cette année-là mourait à Kaboul Mirza Muhammad Hakim, ce demi-frère qui s'était révolté et qu'Akbar avait exilé en Afghanistan. Pour mieux contrôler la situation, Akbar s'installa à Lahore. Il devait prévenir toute invasion de l'Afghanistan par les Ouzbeks qui étaient en train de se constituer un empire, plus au nord, dans les steppes de Transoxiane autour de l'oasis de Boukhara, un empire qui commençait à déborder vers le sud sur les plateaux iraniens du Khorassan. Un accord entre Akbar et Abdullah Khan, le khan des Ouzbeks, aboutit à un partage des zones d'influence. Contre la neutralité moghole dans le conflit qui opposait les Ouzbeks aux Safavides pour le contrôle du Khorassan, Akbar eut les mains libres pour pacifier l'Afghanistan où les tribus Yusufzai menaçaient la route stratégique qui reliait Kaboul à Peshawar si importante pour l'exportation de la production textile du Pendjab.

Après plusieurs campagnes militaires difficiles, Akbar obtint la reddition des tribus révoltées et installa des garnisons dans les principales villes qui contrôlaient les vallées de l'Hindu Kuch. Quand l'Afghanistan eut retrouvé le calme, Akbar se tourna vers le Cachemire où régnait la dynastie des Chak. Après une première campagne en 1586, le souverain de la région, Ali Shah, fit sa soumission, mais son fils Yakub poursuivit la lutte et ne se rendit qu'en 1589 après qu'Akbar se fut déplacé personnellement à Srinagar. L'annexion du Sind fut plus difficile. La principauté de Thatta refusait de reconnaître l'autorité du gouverneur de Multan, la forteresse du Pendjab du Sud, poste avancé en direction de la basse vallée de l'Indus. La capitale du royaume, Sehwan, fut occupée en 1586, mais le prince Jani Bek ne fit sa soumission qu'en 1593. Akbar le nomma alors gouverneur de Multan, et son royaume fut intégré à l'empire et placé sous administration impériale. Les dernières années de résidence à Lahore furent consacrées à d'ultimes campagnes dans le sud de l'Afghanistan, ce qui permit à Akbar de s'emparer de Kandahar aux dépens des Safavides. La mort d'Abdullah Khan en 1598 libéra l'Empire moghol du danger ouzbek, du moins pendant le temps des guerres de succession. Akbar quitta Lahore et s'installa à Agra pour mieux intervenir dans les affaires du Deccan.

Cinq sultanats s'étaient partagé l'ancien Empire bahmanide : les sultanats de Khandesh sous la dynastie des Farruqi, d'Ahmadnagar sous la dynastie des Nizam, de Bérar sous la dynastie des Imad, de Bijapur sous celle des Adil et de Golconde sous celle des Qutb. De tous ces États, seul le sultanat de Khandesh était entré dans l'orbite de l'Empire moghol en lui payant tribut de manière intermittente. Les autres ne reconnaissaient pas son autorité. En 1591, alors qu'il résidait encore à Lahore, Akbar envoya une ambassade à chacun d'eux pour leur intimer l'ordre de se soumettre. Le Khandesh répondit favorablement, les autres refusèrent. En 1595, Akbar mit son second fils, Mourad, à la tête d'une puissante armée pour envahir le Khandesh qui venait d'annexer le Bérar. Mais l'offensive moghole fut contrée par une coalition des sultanats de Bijapur et de Golconde qui refoula l'envahisseur. Le Khandesh parvint donc à préserver temporairement son indépendance, mais il dut céder le Bérar qui passa sous administration impériale.

En septembre 1599, Akbar quitta Agra pour le Deccan. En août 1600, il s'emparait d'Ahmadnagar et renversa la dynastie des Nizam, puis il se dirigea vers le Khandesh dont le sultan venait de renier son allégeance et il l'annexa en janvier 1601. Les trois nouvelles provinces de Bérar, d'Ahmadnagar et de Khandesh furent réunies dans une sorte d'apanage à la tête duquel fut placé le troisième fils d'Akbar, le prince Daniyal. Mais l'empereur se faisait vieux désormais et sa succession était ouverte. En 1599, son fils Mourad était mort, mais le prince Salim, l'aîné des trois fils, réclamait ouvertement l'héritage. Il avait profité du séjour de son père dans le Deccan pour s'emparer de la citadelle d'Agra. À son retour, son père lui offrit le gouvernement du Bengale et de l'Orissa, mais Salim refusa, s'enferma dans la citadelle d'Allahabad et entra en rébellion. Il fit prononcer son nom lors du prêche du vendredi, ce qui, dans le monde islamique, correspond à un coup d'État. En 1602, il fit assassiner le conseiller Abul Fazl qu'Akbar avait dépêché pour négocier avec lui et s'en fit livrer la tête. Mais la crise se dénoua d'elle-même quand, en 1604, le dernier fils, Daniyal, mourut, comme son frère, d'alcoolisme. Salim restait seul en lice. Quand Akbar mourut en septembre 1605 de dysenterie, le prince Salim fut immédiatement intronisé sous le nom de Djihangir. Il fit enterrer son père dans un mausolée spécialement construit à sa mémoire et fit de son tombeau un nouveau lieu de culte dynastique. En 1605, l'Empire moghol s'étendait sur

un espace considérable, du Sind au Bengale, de l'Afghanistan au Khandesh. Seul échappait encore à l'emprise
moghole dans le sous-continent le sud du Deccan, soit les
deux sultanats de Bijapur et de Golconde et l'empire de
Vijayanagar. Leur conquête fut réalisée par les souverains
moghols du XVIIe siècle.

4. L'Empire safavide

À la différence des dynasties ottomane et moghole, celle
des Safavides ne tirait pas sa légitimité d'une origine tribale ni d'une ascendance mongole ou timouride plus ou
moins légendaire, mais de son appartenance à un ordre
religieux, en rupture avec l'orthodoxie sunnite. La Safaviyya est en effet une communauté soufie fondée au
XIVe siècle par le maître spirituel cheikh Safi al-Din Ishaq,
à Ardébil, une ville située au sud-ouest de la mer Caspienne.
Les Safavides étaient des Turcomans qui avaient été pous-
sés vers l'ouest à la fin du XIIe siècle par les invasions
mongoles. Avec les autres tribus turcomanes, ils avaient
fini dans cette nasse que constitue le plateau anatolien
entre mer Égée et mer Caspienne. Les Safavides étaient
donc des proches cousins des Ottomans, qui devinrent par
la suite leurs ennemis les plus irréductibles. Alors que les
Ottomans cherchaient à contrôler l'ouest de l'Anatolie,
d'autres tribus turcomanes s'installaient à l'est, entre le lac
de Van et la Caspienne. Parmi celles-ci, les Qara Qyunlu
(les Moutons Noirs) étaient parvenus à fédérer un vaste
territoire qui couvrait l'est de l'Anatolie, l'Azerbaïdjan, la
Géorgie et le plateau iranien, en éliminant ou en soumettant les principautés issues de l'empire de Tamerlan, grâce
au talent de conquérant de leur chef de guerre, Uzun
Hasan. La capitale de cet État se situait en Anatolie, à
Amida (Diyarbakir). Les Qara Qyunlu visaient l'Anatolie

et entraient en concurrence avec les Ottomans qui, au même moment, commençaient à s'étendre en Anatolie orientale. Les espoirs d'Uzun Hasan furent anéantis par le sultan Mehmet II à la bataille de Bashkent en 1473. La puissance de feu ottomane écrasa la cavalerie turcomane. Uzun Hasan fit son deuil de l'Anatolie et déplaça sa capitale à Tabriz en Azerbaïdjan. Quand Uzun Hasan mourut en 1478, son fils Yakub fut intronisé mais, à sa mort, en 1490, ses héritiers se déchirèrent, ouvrant la voie aux Safavides.

L'ordre d'Ardébil avait pu se développer grâce à l'absence de tout instrument de contrôle dans l'islam de la fin du Moyen Âge. Il appartenait à la mouvance soufie, mais il se caractérisait, au-delà de son mysticisme, par des tendances messianiques et eschatologiques. L'autorité spirituelle de son fondateur lui venait de la réputation de saint homme dont il bénéficiait. Cheikh Safi protégeait les pauvres et les faibles, était entouré de nombreux disciples qui essaimaient dans toute la région et qui portaient son message. Cheikh Safi rêvait d'un renouveau de l'islam qui transcenderait le dogmatisme des théologiens et les déviances des hérétiques. Ainsi, son ordre était-il appelé à conquérir le monde. Ces deux éléments essentiels, le messianisme et la méfiance soufie à l'égard du dogmatisme théologique, firent de la Safaviyya un ordre situé certainement aux marges de l'orthodoxie musulmane, mais sans être chiite pour autant. C'est avec chah Ismaïl que les Safavides franchirent le pas et adhérèrent au chiisme en abolissant la *sunna*. Les chiites ne reconnaissaient pas les trois premiers califes qui avaient succédé à Mahomet selon l'orthodoxie sunnite, mais ils voyaient en Ali, cousin et gendre de Mahomet et quatrième calife, le véritable héritier du fondateur de l'islam. Ali avait été assassiné en 661, mais son héritage s'était transmis à des imams, dont le douzième, le mahdi Muhammad Hujjat, était mort en 874. À la fin des temps, ce douzième imam – d'où le terme de chiisme duodécimain – devait revenir pour sauver le monde. Le mot chiisme tirait son origine du parti – *shia* – fondé par Fatima, fille de Mahomet et veuve d'Ali, et ses proches à la mort d'Ali. Dans l'ordre safavide, une tradition relativement récente avait contribué à donner une aura divine à la dynastie. Le grand-père de chah Ismaïl, Junair, avait été appelé Dieu par ses disciples, et Haidar, le père d'Ismaïl, fils de Dieu. Ce dernier aurait vu Ali en rêve. Mais les premières références au chiisme des Safavides sont tardives. Il semble bien que chah Ismaïl se soit converti au chiisme durant son exil auprès de l'émir de Gilan, Karkiya Mirza Ali, qui le professait et qui prétendait descendre d'Ali. Une généalogie postérieure de cheikh Safi le rattachait, par une lignée de vingt ancêtres, à Muza al Kazim, le septième imam.

D'abord purement religieux et mystique, l'ordre d'Ardébil se militarisa au XVe siècle, sous le règne de Haidar, le père d'Ismaïl. Haidar proclamait à qui voulait l'entendre qu'aux bancs de l'école il préférait la selle de son cheval et qu'aux traités mystiques il préférait les récits épiques. Cette militarisation de l'ordre alla de pair avec sa sécularisation, mais aussi avec l'idée que ses membres étaient des combattants de Dieu (des *ghazi*) appelés à mener la guerre sainte (le *djihad*) contre les mécréants. Jusque-là discret et peu actif parmi les tribus turcomanes turbulentes, l'ordre safavide commença à s'illustrer dans la politique guerrière de la région. Haidar fit porter un uniforme à ses partisans. Il se caractérisait par un turban rouge, ce qui valut aux guerriers safavides le sobriquet de « têtes rouges » *(qïsïlbachlar)* de la part de leurs adversaires. Mais ils adoptèrent eux-mêmes ce qualificatif comme un signe du courage qui leur était reconnu. Les Kizilbach se recrutaient essentiellement parmi les tribus turcomanes de l'est de l'Anatolie et en Azerbaïdjan. L'idée de combattre pour chah Ismaïl en qui ils voyaient le *Mahdi* qu'ils attendaient, le Sauveur, le Seigneur du Temps, l'espoir de mourir au combat et d'accéder ainsi au paradis du guerrier les galvanisaient. Ils formaient une troupe redoutée, dont les guerriers démontraient une folle bravoure sur le champ de bataille. Cette armée était organisée selon des formes tribales, ce qui renforçait sa cohésion. Les guerriers d'une même tribu turcomane étaient regroupés dans des escadrons commandés par leurs propres émirs. Mais l'armée safavide manifestait aussi certaines faiblesses. Si sa rapidité de manœuvre en faisait une arme accomplie pour les raids dévastateurs ou la guerre de guérilla, ou si elle pouvait démontrer sa supériorité face à des armées pratiquant le même type de combat, comme les armées des autres États turcomans ou les armées timourides ou ouzbekes, devant des armées plus perfectionnées elle se trouvait démunie. Il en fut ainsi dans les guerres ottomanes. Face à une armée turque qui s'appuyait sur la puissance de feu des mousquets et des canons, la cavalerie safavide subit des revers cinglants.

Dans les dernières années du XVe siècle, la situation semblait favorable aux Safavides pour secouer le joug des Qara Qyunlu. Les premières tentatives avaient été infructueuses : cheikh Haidar, le père d'Ismaïl, avait été tué en juillet 1488 et Ali, le frère d'Ismaïl, en 1494 dans des combats contre des tribus turcomanes alliées aux Moutons Noirs. L'ordre d'Ardébil avait failli disparaître et Ismaïl avait dû se réfugier auprès de l'émir de Gilan. La tribu des Qara Qyunlu était donc parvenue à museler les autres tribus turcomanes qui s'opposaient à son hégémonie sur la région et que l'on regroupe sous le nom de la plus puissante d'entre elles, les Aq Qyunlu ou Moutons Blancs. En quelques années, le rapport des forces allait changer. Les guerres de succession affaiblirent les Qara Qyunlu, tandis que les principales puissances régionales ne voulurent pas intervenir ou n'en eurent pas les moyens. Le sultan ottoman, Bajazet II, qui était un pieux musulman favorable à la mystique soufie, considérait avec sympathie les initiatives des Safavides. Les Ouzbeks qui, depuis 1495, s'étaient emparés des oasis de Transoxiane et avaient installé leur capitale à Boukhara ne pouvaient pas encore intervenir aussi loin de leurs bases. Quant à l'Égypte des Mamelouks, elle était plongée dans la crise qui avait suivi la mort du sultan Qaytbay en 1496. Le jeune cheikh Ismaïl avait donc les mains libres. À la tête de ses sept mille cavaliers kizilbach, il s'attaqua à l'émir de Shirvan, un ancien adversaire des Safavides et un allié des Qara Qyunlu. C'est lui qui, en 1488, avait défait et tué son père. En décembre 1500, chah Karruk-Yasar était vaincu et tué près de sa capitale, Shamakhir, mais cheikh Ismaïl se contenta de placer l'émirat de Shirvan sous protectorat safavide et maintint la dynastie locale jusqu'en 1538. Puis Ismaïl entreprit la conquête de l'empire des Moutons Noirs, qui était alors partagé entre plusieurs fils de Yakub. En août 1501, il battait l'un d'eux, Alvand, à Sharrur dans la vallée de l'Araxe et il entrait à Tabriz, la capitale. C'est là qu'il prit de titre de chah. Il rallia autour de lui les émirs des tribus turcomanes qui reconnurent son autorité, puis se dirigea vers l'est de l'Anatolie, le cœur de l'ancien empire d'Uzun Hasan, et il en fit la conquête. Il lui fallut quelques années pour prendre le contrôle du plateau iranien, qu'il compléta par l'annexion de la Mésopotamie aux dépens du dernier représentant des Qara Qyunlu, Mourad. En 1506, il s'emparait de Merdin et, en 1507, il entrait dans Bagdad.

Dès qu'il fut entré à Tabriz, chah Ismaïl déclara le chiisme religion d'État. Le pari était risqué, car la majorité de la population de l'ancien empire des Qara Qyunlu était sunnite, mais l'abolition de la *sunna* ne provoqua guère de heurts. Le ralliement des populations au projet impérial et religieux de chah Ismaïl se fit progressivement. Sa base sociale était constituée par les tribus turcomanes, en particulier celles qui avaient rejoint les rangs des Kizilbach. L'audience des Safavides pénétra loin en Anatolie, jusqu'en territoire ottoman, ce qui provoqua l'hostilité d'Istanbul. En revanche, la conquête de l'Iran fut plus longue et s'opéra en fonction des situations locales. Chah Ismaïl fut accueilli triomphalement dans les régions à majorité chiite, comme dans les villes de Kashan et de Qom, mais, ailleurs, le passage au chiisme et le ralliement à la dynastie se firent plus lentement. Certaines provinces, comme le Khorassan à l'est ou l'Irak à l'ouest, restèrent farouchement attachées à l'orthodoxie sunnite et ne manquèrent jamais une occasion de le manifester. Il existait également, au Kouzistan, dans le sud-ouest de l'Iran, une secte chiite encore plus radicale que les Safavides. Son leader, Sayyid Fayyaz, prétendait lui aussi être une réincarnation d'Ali. Chah Ismaïl ne pouvait tolérer une telle concurrence. Le Kouzistan fut envahi, Sayyid Fayyaz fut tué et remplacé par son frère, mais le petit royaume chiite qui joua un rôle stratégique important aux frontières de l'Irak garda son autonomie et servit d'État tampon. En effet, l'expansion rapide de l'Empire safavide le mit en contact très tôt avec de puissants voisins qui ne manquèrent pas de s'en inquiéter.

Les premiers furent les Ouzbeks. Le conflit portait sur le contrôle du Khorassan. Après une défaite ouzbeke à Merv, la ville d'Herat passa sous contrôle safavide en 1510. Mais deux ans plus tard, en novembre 1512, une armée safavide subissait une sévère défaite à Ghujdwan et chah Ismaïl dut venir en personne au Khorassan, au printemps 1513, pour rétablir la situation. Il ne put y rester bien longtemps, car, sur la frontière occidentale, les Ottomans avaient décidé d'endiguer l'avancée des Safavides. En 1512, le sultan Bajazet II avait été écarté du pouvoir par son fils Sélim Iᵉʳ, bien moins favorable que son père à l'égard de chah Ismaïl et des Kizilbach, qu'il avait appris à connaître en tant que gouverneur de Trébizonde. Sélim était un sunnite orthodoxe et, pour lui, chah Ismaïl n'était qu'un hérétique. D'autre part, il s'inquiétait de l'influence que les Kizilbach avaient acquise dans l'est de l'Anatolie et qui gagnait les régions occidentales sous domination ottomane. Cette agitation religieuse et ethnique – l'insoumission des tribus turcomanes à l'égard du pouvoir central – n'avait cessé d'augmenter pendant tout le règne de Bajazet II et l'Anatolie ottomane entrait régulièrement en rébellion. Les émirs des tribus turcomanes faisaient appel aux Kizilbach ou entraient dans leurs rangs et dévastaient les villes anatoliennes. Durant la crise de succession de 1511-1512, l'état d'insécurité atteignit son point culminant, surtout dans la région d'Antalya où les Kizilbach menés par un chef local, chah Quli, massacrèrent les populations et les troupeaux, ravagèrent villes et campagnes. Le sultan envoya contre eux une armée commandée par son grand vizir, qui les refoula d'Anatolie mais qui fut battue le 2 juillet 1511 près de Sivas, en Anatolie orientale.

La prise du pouvoir par Sélim II entraîna des révoltes de la part de ses frères écartés. C'est ainsi que le prince Ahmed, gouverneur de la province de Karaman en Anatolie, et son fils, le prince Mourad, livrèrent Amasya aux Kizilbach en avril 1512. Les troupes de Kizilbach se répandirent en commettant des forfaits sans nom qui épouvantèrent les populations. C'est le moment que choisit chah Ismaïl pour intervenir dans le conflit, dans l'intention de mettre la main sur l'ensemble de l'Anatolie. Il chargea le gouverneur de la province d'Arzinjan, à la frontière de l'Azerbaïdjan, de porter secours aux Kizilbach révoltés. La réaction du nouveau sultan à cette agression fut déterminée et sévère. Il réprima sans pitié l'insurrection de l'Anatolie et marcha vers l'est. Il occupa toute l'Anatolie orientale, l'Azerbaïdjan, et rencontra les forces safavides le 13 août 1514 à Tchaldiran. L'artillerie ottomane tailla en pièces la cavalerie perse et chah Ismaïl échappa de justesse à la mort. Sélim ne put cependant profiter de sa victoire. S'il prit Tabriz sur sa lancée, il ne put s'y maintenir sous la pression de ses troupes de janissaires qui refusèrent d'hiverner aussi loin de leur base. Pour les Safavides, la défaite de Tchaldiran eut des conséquences considérables.

Elle portait un coup à leur politique d'expansion vers
l'ouest. Les espoirs de chah Ismaïl de reconstruire l'empire
d'Uzun Hasan étaient ruinés. L'Empire safavide perdait
le contrôle des provinces d'Arzinjan et de Diyarbakir, le
cœur de la dynastie, qui furent définitivement rattachées à
l'Empire ottoman, et il se replia sur le plateau iranien.
À terme, c'est Tabriz, la capitale, qui devait être abandonnée car trop exposée aux attaques ottomanes. Il n'y avait
plus de place à l'est de l'Anatolie pour un État concurrent
de l'Empire ottoman. Le nouvel Empire safavide, centré
sur l'Iran, constituait un autre territoire, une autre culture,
devait s'appuyer sur d'autres traditions. Cette bataille eut
aussi un effet dramatique sur le chah, car elle démontrait
qu'il avait perdu la protection divine avec son invincibilité.
La fin du règne de chah Ismaïl fut plus terne. Le conquérant
devait renoncer à sa grande politique vers l'ouest. Il mourut de maladie en mai 1524, sans avoir entrepris d'autres
conquêtes.

C'est le fils d'Ismaïl, chah Tahmasp, qui, durant son long
règne (1524-1576), fut chargé de cette transition. À bien
des égards, chah Tahmasp n'eut pas les honneurs de l'historiographie. Situé entre celui de chah Ismaïl, le fondateur
charismatique de l'Empire safavide, et celui de chah
Abbas, le fondateur de l'État iranien, son règne apparaît
comme incohérent et irrésolu. Cependant, chah Tahmasp
eut le mérite, lui qui hérita de territoires considérables,
récemment conquis par la force et susceptibles de s'éva-
nouir comme la plupart des empires des steppes, de les
défendre face à des ennemis dangereux, les Ouzbeks à l'est
et les Ottomans à l'ouest. Le premier danger que dut
affronter le nouveau souverain était d'ordre intérieur, mais
il eut pendant bien longtemps des implications sur la politique extérieure de l'empire. En effet, les Kizilbach, c'est-
à-dire les émirs des tribus turcomanes ralliées, menaçaient
les fondements mêmes de l'État safavide. S'ils avaient
contribué à aider les Safavides dans leurs conquêtes, les

Kizilbach, par leur tribalisme, leurs rébellions incessantes, leur absence totale de sens de l'État, leur insubordination chronique, de plus en plus mal supportée par des populations sédentaires mises en coupe réglée, posaient des problèmes à la dynastie. D'autant plus que la valeur militaire de la cavalerie turcomane commençait à s'estomper. Tchaldiran avait amplement démontré que, face à une armée qui avait assimilé la nouvelle donne de la révolution militaire du XVIe siècle, la puissance de feu de la poudre à canon, les armées des steppes ne pouvaient soutenir la comparaison. En outre, les révoltes des émirs turcomans contribuaient à affaiblir les Safavides face à leurs adversaires.

Quand chah Tahmasp monta sur le trône, il n'avait que dix ans et, jusqu'en 1530, il fut le jouet des Kizilbach qui s'insinuèrent dans tous les rouages de l'État et se livrèrent à une concurrence effrénée. La première révolte eut lieu à Bagdad en 1528, qui fut soulevée par l'émir Zu'l-Faqar, exécuté l'année suivante. Cette sécession fut sans conséquence, mais l'instabilité de l'Irak donna au sultan ottoman Soliman l'idée qu'il pouvait en tenter la reconquête. En 1534-1535, c'était au tour du Khorassan de se révolter. Excédées par l'attitude des garnisons de Kizilbach stationnées dans la province frontalière, qui les opprimaient et les détroussaient sans vergogne, les populations locales appelèrent à leur aide les Ouzbeks. Enfin, les deux frères de Tahmasp, le prince Sam Mirza en 1534 et le prince Alkass Mirza en 1548, se soulevèrent avec l'aide des tribus turcomanes et livrèrent l'Azerbaïdjan aux Ottomans. Les ennemis traditionnels des Safavides profitèrent donc des dissensions internes de l'Iran pour tenter de le dépecer. Tahmasp comprit le danger et entreprit de restreindre l'indépendance des émirs turcomans par plusieurs mesures. La première consista à déplacer en 1548 la capitale de l'empire de Tabriz à Qazvin, au sud de la mer Caspienne. Cette décision fut bien sûr motivée par des raisons stratégiques. Tabriz, complètement excentrée et trop proche de la frontière avec l'Empire ottoman, était beaucoup trop exposée. Elle avait déjà été prise à plusieurs reprises. Mais Tabriz se situait au cœur des territoires turcomans, alors que Qazvin était en territoire iranien. La transplantation de la capitale signifiait une perte d'influence pour les Kizilbach. Peu à peu, dès qu'il en avait la possibilité, chah Tahmasp remplaça également dans les hautes fonctions de l'État, administratives ou militaires, les émirs turcomans par des Iraniens, ou des Géorgiens et des Caucasiens convertis à l'islam. Cette nouvelle élite, entièrement dévouée au prince, apporta la stabilité à l'État safavide, là où les Kizilbach semaient le trouble et le désordre. C'est ainsi que David, le frère du roi de Géorgie, Simon Iᵉʳ, se convertit à l'islam et fut nommé gouverneur de Tiflis. Dans le gouvernement, la fonction de commandant de la garde impériale, attribuée à un non-Turc, prit insensiblement le pas sur la fonction de grand émir (« l'émir des émirs »), traditionnellement occupée par un Turcoman.

Dans ces circonstances difficiles, chah Tahmasp peina pour maintenir l'intégrité de l'héritage transmis par son père. Somme toute, des deux ennemis traditionnels, l'Ouzbek était le moins redoutable. L'enjeu des multiples conflits qui opposèrent les Safavides et les Ouzbeks durant tout le XVIᵉ siècle fut le Khorassan, contrefort du plateau iranien surplombant l'Asie centrale, avec ses trois forteresses de Merv, Meched et Herat, autant de verrous contrôlant l'accès au cœur de l'Empire perse. Dès 1528, le chah ouzbek Ubaid-Allah Shah assiégeait Herat, qui ne fut débloquée que par une armée conduite par Tahmasp en personne. À cette occasion, l'armée iranienne infligea une cinglante défaite aux Ouzbeks à Jam (24 septembre 1528). Son artillerie naissante eut raison des charges de la cavalerie des steppes. Mais Tahmasp n'eut pas le temps de consolider sa victoire, car il fut rappelé sur la frontière occidentale par la révolte de Bagdad. Les Ouzbeks reprirent et perdirent à nouveau Herat en 1530, et Tahmasp installa à la tête de la province son frère, le prince Bahram Mirza. De 1532 à 1537, les heurts se poursuivirent autour d'Herat jusqu'à ce que chah Tahmasp s'assurât définitivement du contrôle de la province en élargissant son glacis protecteur par l'annexion de Kandahar conquise sur les Moghols.

C'est à l'ouest que les Safavides connurent les plus grosses difficultés face aux Ottomans. L'enjeu était double : l'est de l'Anatolie et l'Azerbaïdjan, ce vaste territoire compris entre le lac de Van et la mer Caspienne qui était la terre d'origine des tribus turcomanes, d'une part, et la Mésopotamie avec Bagdad, de l'autre. L'intervention ottomane fut facilitée par les dissensions internes fomentées par les Kizilbach. La première tentative ottomane pour mettre la main sur l'Azerbaïdjan se déroula en 1534, lorsque le gouverneur de la province qui appartenait à un clan turcoman en désaccord avec Tahmasp se fut réfugié à Istanbul auprès de Soliman le Magnifique. Le grand vizir Ibrahim Pacha sut convaincre le sultan de profiter de la situation. Il prit la tête d'une expédition qui s'empara de Bagdad et de la Mésopotamie tandis que Soliman occupait l'Azerbaïdjan et Tabriz. Chah Tahmasp qui combattait alors les Ouzbeks au Khorassan dut revenir précipitamment. Abandonné par les Kizilbach, il opposa à l'impressionnante armée ottomane une guerre de guérilla, suffisamment efficace pour forcer Soliman à la retraite. L'Empire safavide était parvenu à reconquérir ses territoires du nord de l'Iran, mais il dut renoncer à la Mésopotamie dont les populations, acquises à l'islam sunnite, préféraient gagner le giron de l'Empire ottoman.

Soliman tenta encore à deux reprises de s'emparer de l'Azerbaïdjan. En 1548, le frère de chah Tahmasp, le prince Alkass Mirza, livra la province au sultan qui occupa Tabriz, tandis que lui-même entreprenait un grand raid dévastateur jusqu'au cœur de l'Iran avec des troupes d'irréguliers turcomans. Alkass fut capturé et exécuté. Chah Tahmasp réagit alors avec détermination. Il lança ses

troupes à l'assaut de l'Anatolie orientale et repoussa une
offensive de Soliman en Géorgie. La troisième tentative
se déroula en 1554-1555, après que le prince Ismaïl Mirza,
le second fils de Tahmasp, eut ravagé l'Anatolie. Soliman
répondit par un raid en Arménie et au Karabagh, mais, sur
le chemin du retour à Istanbul, il fut rejoint par une ambassade perse qui lui proposa la paix. Soliman accepta de
signer le premier accord de paix entre l'Empire ottoman et
l'Empire perse à Amasya, le 29 mai 1555. La fin du règne
de Tahmasp fut plus calme et sans campagne militaire de
grande envergure. Tout compte fait, le fils de chah Ismaïl
était parvenu à maintenir l'Iran safavide, même s'il avait
perdu Bagdad. Mais il avait conservé l'Azerbaïdjan, la
Géorgie, l'Arménie et les possessions du Caucase du Sud
en les augmentant de nouveaux territoires comme Bakou.
À l'est, il garda le Khorassan, dont il avait repoussé les
frontières au sud-est jusqu'au cœur de l'Afghanistan. Chah
Tahmasp avait aussi pris acte du fait que la dynastie safavide devait rompre avec les Kizilbach et qu'elle devait
s'enraciner en Iran, dont les élites, culturellement plus
développées, l'aideraient à organiser son empire et à l'ad-
ministrer. Il fut donc le premier souverain safavide à engager cette grande mutation sociale et politique qui devait
aboutir à l'iranisation de la dynastie. Signe révélateur de
cette évolution, le déplacement, en 1548, de sa capitale de
Tabriz à Qazvin au sud de la mer Caspienne. L'Empire
safavide n'était plus centré sur les provinces turcomanes
du nord mais sur le plateau iranien de culture persane.

   Chah Tahmasp mourut empoisonné le 14 mai 1576.
Était-ce un crime ou un accident ? Personne ne le sut, mais
cette mort ouvrit la question de l'ordre de succession
jamais réglée et, surtout, remit en selle les opposants kizilbach qui avaient été écartés. Tahmasp laissait plusieurs
fils et si, dans l'ordre d'Ardébil, la tradition voulait que le
pouvoir se transmette de père en fils, rien n'indiquait que
l'aîné était privilégié. En 1576, c'est Ismaïl II qui fut

intronisé, soutenu par le parti kizilbach, aux dépens de son frère Haidar, qui avait la préférence de son père et le soutien des Iraniens et des Géorgiens. Le règne de chah Ismaïl II fut court (1576-1577), mais particulièrement sanglant. Il semble que le prince ait eu l'esprit perturbé par un séjour de dix-huit ans en forteresse à régime sévère et par l'abus de narcotiques. Sa cruauté étonna ses contemporains, même dans un contexte oriental. Il élimina systématiquement tous les mâles de la famille royale. Il rétablit aussi l'ordre intérieur, en réprimant le banditisme de manière impitoyable. Peu avant de mourir d'une prise excessive de drogue, il rétablit la *sunna,* ce qui lui valut l'hostilité des Kizilbach. Mais le retour en faveur de la composante turcomane s'accentua sous le règne de Muhammad Khudabanda (1577-1587), le frère aîné d'Ismaïl II, qui avait échappé par miracle aux purges. Si les émirs turcomans s'opposaient à la noblesse iranienne, arménienne ou géorgienne, ils se livraient à des guerres privées, contribuant à affaiblir l'empire face à ses ennemis. Au Khorassan, les gouverneurs des villes de Meched et d'Herat, qui appartenaient à deux tribus turcomanes rivales, se livraient à une guerre privée, favorisant ainsi les tendances séparatistes de la province et l'intervention des Ouzbeks.

C'est face aux Ottomans que l'anarchie qui régnait dans l'Empire safavide fut la plus dommageable. Après s'être combattus pendant plusieurs décennies, l'Empire ottoman et l'Espagne venaient de conclure une trêve en Méditerranée. Le sultan, délivré du poids considérable que représentait la guerre navale en Méditerranée, pouvait se consacrer aux affaires de l'Anatolie. En 1578, profitant des soulèvements turcomans à la frontière entre les deux empires, des querelles entre les princes géorgiens, des rébellions au Kurdistan et au Shirvan, le sultan Mourad III déclara une guerre à l'Iran qui devait se prolonger jusqu'en 1590. L'Empire ottoman, aidé du khan mongol de Crimée, occupa une nouvelle fois l'Azerbaïdjan, une partie de la

Transcaucasie et du Kurdistan, et s'empara de Tabriz. Les défaites devant l'ennemi, les pertes considérables de territoires et les querelles de clans au sein de la classe dirigeante contribuèrent à ouvrir la succession de chah Muhammad assez tôt, d'autant que ce dernier, rendu aveugle par la maladie, n'était plus qu'un fantoche entre les mains des émirs kizilbach. Ces derniers le forcèrent à écarter ses propres fils au profit de son neveu, le prince Hamza Mirza, fils aîné d'Ismaïl II. Mais, en décembre 1586, un groupe de Kizilbach dissidents assassina l'héritier désigné, alors qu'il se trouvait en Azerbaïdjan pour combattre les forces ottomanes. Dès qu'ils eurent connaissance de la mort d'Hamza Mirza, les gouverneurs des villes de Meched et d'Herat au Khorassan se réconcilièrent et s'entendirent pour proclamer le prince Abbas, le deuxième fils d'Ismaïl II, à la tête de l'empire, alors que chah Muhammad lui préférait ses propres fils. Les deux chefs de guerre profitèrent de l'absence de la cour à Qazvin pour lancer, avec quelques cavaliers, un raid audacieux sur la capitale, pour s'emparer du pouvoir et introniser Abbas en décembre 1587. Muhammad et ses autres fils furent arrêtés quelque temps après et finirent aveuglés.

La situation de l'Empire perse à l'avènement de chah Abbas était sérieusement dégradée. Les luttes de factions faisaient rage, l'autorité du souverain n'était plus respectée et une partie importante du territoire sur lequel s'étendait auparavant l'empire était désormais perdue. Chah Abbas réussit cependant au cours de son long règne (1587-1629) à rétablir l'Empire safavide dans son intégrité territoriale et à lui donner les structures administratives qui lui ont permis de durer. Cette période fut en grande partie consacrée à la reconquête des provinces perdues, et l'on peut considérer chah Abbas comme le nouveau fondateur de l'Iran, au même titre que chah Ismaïl un siècle plus tôt. Bien qu'il ait été porté au pouvoir par des clans turcomans, chah Abbas se rendit compte rapidement que, s'il voulait asseoir solidement son pouvoir, il devait se décharger de cette tutelle encombrante. Sans l'ombre d'un scrupule, il joua les clans turcomans les uns contre les autres. Il fut aidé par son vice-roi *(vakil)* Murshid Quli Khan, le gouverneur de Meched, qui était lui-même un émir turcoman de la tribu des Ustajlu, fidèle à la dynastie. Tous deux s'appliquèrent à éliminer l'influence des Kizilbach. Furent d'abord frappés les émirs responsables de la mort du frère de chah Abbas, Hamza Mirza, puis les autres chefs tribaux accusés de comploter contre le souverain. Quand les Kizilbach eurent été réduits à l'impuissance, chah Abbas se débarrassa de son vice-roi qui avait refusé d'envoyer de l'aide à Ali Quli Khan, gouverneur d'Herat, assiégé dans sa ville par les troupes ouzbekes. Ali Quli Khan appartenait à la tribu des Shamlu, rivale de celle des Ustajlu. Le résultat de cette mésentente avait été désastreux, puisque Herat avait été perdue.

Chah Abbas poursuivit la politique, initiée par chah Tahmasp et interrompue sous ses successeurs, qui consistait à remplacer aux postes de responsabilité les Turcomans par des Iraniens, des Arméniens et des Géorgiens. Cette remise en ordre intérieure fut complétée par une réforme en profondeur de l'armée, jusque-là dominée par les Kizilbach tenus responsables des défaites récentes. Pour limiter l'emprise tribale des Turcomans sur la cavalerie considérée comme l'arme la plus prestigieuse, chah Abbas créa un corps de cavalerie royale, formé d'enfants chrétiens convertis à l'islam, à l'imitation de l'armée ottomane. Ces jeunes garçons, généralement d'origine circassienne, entièrement dévoués à leur souverain, prirent la place des escadrons kizilbach qui avaient fait leur temps et dont le nombre fut réduit. Le premier commandant de cette cavalerie royale fut un Géorgien, Allahvardi Khan, qui, chose inusitée pour un chrétien converti, reçut le titre de sultan. La modernisation de l'armée passait par un usage plus intensif de l'artillerie qui, si elle pouvait faire la différence face aux Ouzbeks qui en étaient dépourvus, ne pouvait encore soutenir la comparaison avec celle de l'armée ottomane. Or, la reconquête des provinces occidentales perdues n'était possible qu'à condition de renforcer la puissance de feu de l'armée safavide. Dans ce domaine, chah Abbas fut aidé par deux Anglais, les frères Robert et Anthony Sharley, mi-aventuriers, mi-ambassadeurs. Au début du XVIIᵉ siècle, chah Abbas disposait enfin d'un instrument de guerre capable de rivaliser avec celui des Ottomans.

En attendant que ces efforts de réorganisation eussent porté leurs effets, il fallait bien tirer les conséquences des défaites. Durant les guerres de succession de 1588-1589, le Khorassan fut perdu et intégré à l'Empire ouzbek. C'est à l'Ouest que les dégâts furent les plus considérables. Chah Abbas fut contraint d'en passer par les conditions fixées par les Ottomans. Le 21 mars 1590, il signait la paix d'Istanbul qui mettait fin à douze années de conflit. L'Iran reconnaissait la perte de l'Azerbaïdjan, du Karabagh, du Shirvan, du Daghestan, de la Géorgie, d'une partie du Luristan et du Kurdistan, sans compter l'abandon, déjà effectif, de Bagdad et de la Mésopotamie. Ces conditions de paix, extrêmement défavorables sur le plan territorial, l'étaient tout autant sur le plan symbolique. Même s'il parvenait à sauver Ardébil, le berceau de la dynastie safavide, Abbas devait renoncer à Tabriz, la première capitale de l'empire, et, plus généralement, à tous les territoires turcomans. La concurrence qui opposait depuis un siècle l'Empire safavide et l'Empire ottoman pour le contrôle de l'espace turc entre la mer Égée et la mer Caspienne avait tourné à l'avantage des Ottomans. Les Safavides en semblaient définitivement exclus et demeuraient confinés aux territoires iraniens. La défaite militaire se doublait d'une humiliation politique. L'islam sunnite des Ottomans l'emportait sur l'islam chiite des Safavides. Abbas devait accepter de ne plus utiliser dans le langage diplomatique les formules d'exécration des trois premiers califes de la tradition sunnite, Abou Bakr, Omar et Othman, dont les chiites ne reconnaissaient pas la légitimité. Même s'il la considérait comme une simple paix de circonstance, Abbas devait admettre que la paix d'Istanbul sanctionnait un affaiblissement considérable de l'Empire safavide, réduit au rang d'une puissance de second ordre.

Dix ans plus tard, après la remise en ordre intérieure, l'Empire safavide pouvait partir à la reconquête des territoires perdus. La première cible, la plus facile à atteindre, était le Khorassan. En 1598, profitant des guerres de succession parmi les clans dirigeants ouzbeks, chah Abbas reprit Meched et Herat et s'avança en Asie centrale pour conquérir Balkh, Merv et Asrarabad. L'intronisation du nouveau khan ouzbek, Maqi Muhammad Khan, mit fin à l'offensive safavide. En 1603, Abbas abandonna Balkh, trop exposée. En Afghanistan, aux confins des empires safavide et moghol, Kandahar restait un point de fixation. La trahison du gouverneur de la ville avait permis à Akbar de s'emparer de la cité en 1594. En 1622, Abbas la reprit. Quand la situation se fut stabilisée sur la frontière orientale, Abbas put repartir à la conquête des territoires perdus au nord et à l'ouest. En 1603-1604, il occupa l'Azerbaïdjan, l'Arménie, le Karabagh, le Shirvan et la Géorgie, conquêtes qui furent confirmées par la nouvelle paix d'Istanbul de 1612. En 1623-1624, des dissensions internes à l'Empire ottoman lui offrirent l'occasion de reprendre Bagdad, la Mésopotamie et les villes saintes de Kerbala et de Najaf. En l'espace de vingt-cinq ans, l'Empire safavide avait retrouvé les frontières de l'époque de chah Ismaïl. Restait un dernier ennemi, les Hispano-Portugais qui, de leurs comptoirs-forteresses de Bahreïn et d'Ormuz dans la péninsule Arabique, contrôlaient le commerce du golfe Persique. En 1601-1602, chah Abbas les chassait de Bahreïn et, en 1622, avec l'aide des Anglais, il leur reprenait Ormuz. À la mort d'Abbas en 1629, jamais l'Empire perse n'avait été aussi puissant. Il occupait solidement l'espace compris entre l'Empire ottoman et l'Empire moghol et résistait victorieusement aux Occidentaux.

5. Islam et Occident

Dans les premières années du XVIIᵉ siècle, les trois grands empires musulmans étaient désormais durablement enracinés, à la différence des empires mongol ou timouride de la fin du Moyen Âge, vite conquis mais vite disparus. Le plus ancien, l'Empire ottoman, avait atteint ses limites optimales comme tend à le prouver la perte de l'Azerbaïdjan et des provinces limitrophes, trop excentrés et indéfendables. Il serait inexact de croire que ce recul ait marqué le début du déclin qui ne s'avéra que bien plus tard, pas avant la seconde moitié du XVIIIᵉ siècle. Bien campé sur l'Europe du Sud-Est, le Proche-Orient et le Maghreb, il restait la puissance militaire la plus redoutable. L'Empire safavide ne fut jamais aussi étendu qu'à la mort de chah Abbas. De l'Azerbaïdjan à l'océan Indien, du golfe Persique aux contreforts du Khorassan surplombant la plaine de l'Amou-Daria, il occupait un vaste espace traversé par les principales routes commerciales reliant l'Orient à la Méditerranée. De ces trois empires, l'Empire moghol avait la plus grande marge de manœuvre et les plus importantes possibilités d'expansion. L'annexion du Deccan était désormais inéluctable, tant les derniers royaumes hindous sombraient dans l'anarchie. Ce fut chose faite dans la seconde moitié du XVIIᵉ siècle, sous le règne de l'empereur Aurangzeb. Le monde musulman s'étend également à l'est, sur toute l'Asie centrale, de la mer Noire à la mer d'Okhotsk, avec les khanats mongols et l'Empire ouzbek, mais aussi à l'ouest au royaume chérifien du Maroc et à l'Afrique sahélienne. De ce point de vue, le cas marocain est très intéressant. Situé à l'extrême pointe occidentale du Maghreb, le Maroc vivait des relations commerciales entre l'Europe et l'Afrique tropicale. Mais les attaques incessantes du Portugal l'affaiblirent. L'installation des comptoirs portugais au Río de Oro, dans l'estuaire de la Gambie et du Sénégal puis dans le golfe de Guinée, coupèrent le royaume de Fès de son arrière-pays. Les Portugais purent ainsi profiter des crises qui secouèrent la dynastie des Mérinides et celle des Wattassides qui lui succéda pour leur arracher des présides sur la côte atlantique. La réaction vint du sud, de la région du Sous, autour de la confrérie musulmane des Beni Saad qui proclama la guerre sainte contre les chrétiens et contre les Wattassides de Fès accusés de les soutenir. Cette confrérie était dirigée par des *chorfa* – pluriel de *chérif* –, qui prétendaient descendre de Mahomet. Les troupes chérifiennes étaient armées d'arquebuses et renforcées de contingents européens, d'aventuriers et de renégats. Elles reprirent ainsi sur les Portugais les forteresses de Cap de Gué en 1541, Safi et Azemmour en 1542, Alcacer-Seguer en 1549 et Arzila en 1550. La dynastie saadienne atteignit son apogée avec Ahmed al-Mançour, double vainqueur du roi Sébastien de Portugal et du roi de Fès à Ksar el-Kébir en 1578. Il installa sa capitale à Marrakech et reconquit Tombouctou et une partie de la boucle du Niger. À sa mort, en 1603, les héritiers se disputèrent la succession, et la dynastie fut remplacée en 1654 par celle des Alaouites. Paradoxalement, la double menace des Ottomans à l'est et des Portugais à l'ouest contribua à forger l'identité du futur État marocain.

Du point de vue religieux, les différences entre les trois empires musulmans étaient profondes. L'Empire ottoman se présentait volontiers comme le défenseur de l'orthodoxie sunnite, ce qu'il manifestait par le contrôle des deux villes les plus prestigieuses de l'islam, La Mecque et Médine, et par la protection apportée aux pèlerinages et aux caravanes qui s'y rendaient. Pour s'imposer face à l'Empire ottoman, l'Iran des Safavides choisit l'hétérodoxie, d'ailleurs à une date relativement tardive. Il faut bien se rendre compte que, dans un contexte musulman, l'adhésion à l'hérésie chiite était tout aussi détestable que l'adhésion à une religion non musulmane. Mais le chiisme fut le ciment de l'identité iranienne et, avec la longue tradition étatique, la clé de sa survie. L'Empire safavide contrôlait les hauts lieux de l'islam chiite : Kerbala, Najaf, Meched et Qom. Quant à l'Empire moghol, s'il avait pris naissance dans ces terres de l'Afghanistan profondément islamisées, il s'était développé dans un environnement majoritairement hindouiste. À cause de cette donnée de fond, mais grâce également à la personnalité hors du commun de chah Akbar, il avait opté pour un islam plus éclectique. Cette option fut temporaire cependant, car les successeurs d'Akbar l'abandonnèrent et recadrèrent l'islam indien dans l'orthodoxie sunnite. Cette évolution, sensible sous Aurangzeb, se fit aux dépens des autres confessions religieuses qui, bien que majoritaires souvent, furent ravalées à un statut juridique discriminatoire.

Ces choix religieux influèrent sur les relations que ces empires entretinrent avec les autres puissances, en particulier les puissances occidentales. L'Empire ottoman ne perdit jamais de vue sa vocation initiale de répandre l'islam dans le reste du monde. Dans l'optique de ses dirigeants, les peuples infidèles devaient être convertis ou, du moins dans un premier temps, soumis en attendant leur conversion ultérieure. Il n'était pas question pour le Grand Seigneur d'entretenir des relations diplomatiques sur un pied d'égalité avec des États infidèles, à l'égard desquels il utilisait volontiers un vocabulaire insultant farci de formules rituelles d'exécration. Quand un État chrétien était vaincu militairement, l'Empire ottoman exigeait de lui le versement d'un tribut qui sanctionnait une situation de soumission. Ce fut le cas des petites principautés balkaniques comme la Moldavie, la Valachie et la Transylvanie, mais aussi des Habsbourg qui payèrent ce tribut jusqu'au début du XVIIe siècle pour la Hongrie royale. Jusqu'au règne d'Ivan III, la principauté russe de Moscou se trouvait dans la même situation face au khanat mongol de la Horde d'Or. Pour l'Empire ottoman, la notion même de relations diplomatiques n'existait pas. Il déclarait la guerre à ses voisins et négociait des trêves, simples intermèdes dans un état de guerre permanent. Quant à l'Occident chrétien, c'était une terre d'infidélité, considérée comme un véritable enfer pour tout bon musulman qui aurait eu le malheur de devoir y séjourner. Il n'était donc pas question d'y envoyer de mission diplomatique, encore moins d'y installer des ambassadeurs.

À l'inverse, les puissances occidentales essayèrent très tôt de nouer des relations diplomatiques avec la Porte, qui n'admit, dans un premier temps, que des négociations à l'échelon commercial. L'Empire ottoman offrait à certains États chrétiens des conditions commerciales privilégiées, sur le modèle de ce qu'on pourrait appeler aujourd'hui « clause de la nation favorisée ». La république de Venise fut la première puissance occidentale à bénéficier de « capitulations », c'est-à-dire de droits de douane avantageux, négociés généralement en compensation des pertes territoriales en mer Égée. En 1536, le royaume de France signa lui aussi des « capitulations » avec le sultan Soliman, et ce traité commercial fut renouvelé à deux reprises, après d'âpres négociations, sous Charles IX puis sous Henri IV. À la fin du siècle, l'Angleterre et les Provinces-Unies s'ouvrirent le marché proche-oriental de la même manière. C'était là une façon pour l'Empire ottoman de jouer habilement des rivalités qui opposaient les principales puissances occidentales. La première visée était l'Espagne, l'ennemi traditionnel à l'ouest, qui ne put jamais obtenir de capitulations. Cependant, l'entente avec la France alla même plus loin, puisque les capitulations commerciales débouchèrent sur une alliance offensive et défensive, dont le but était d'ouvrir un deuxième front contre les Habsbourg, leur ennemi commun. À la fin du règne de François Ier et au début de celui d'Henri II, des opérations navales conjointes eurent lieu en Méditerranée, les flottes française et algéroise guerroyant ensemble contre la marine hispano-génoise. Cette offensive aboutit à l'occupation de la Corse entre 1552 et 1555. Mais, hormis pour Venise qui entretenait un ambassadeur à Istanbul – un baile – et pour la France à partir de 1536, les sultans ne consentirent jamais à accorder aux Occidentaux d'ambassades permanentes. Seules certaines ambassades temporaires furent agréées par le Grand Seigneur, comme celle du sire d'Aramon pour la France ou celle de Guislain de Bousbecq pour le compte des Habsbourg sous le règne de Soliman.

En revanche, l'Empire safavide ne manifesta pas les mêmes réticences à l'égard de l'Occident que l'Empire ottoman. La raison en était simple. Lui aussi avait besoin d'une alliance de revers contre son ennemi de l'Ouest et il lui fallait sortir de son isolement diplomatique. Pour des raisons culturelles et religieuses, il ne nourrissait pas le même dégoût que les Turcs à l'égard des infidèles. Sous le règne de chah Abbas, l'Iran s'ouvrit même largement à l'Occident. C'est avec l'aide des Anglais que l'Iran put s'emparer de Bahreïn et d'Ormuz sur les Hispano-Portugais au début du XVIIe siècle. En 1600, une ambassade perse entreprit même une longue mission diplomatique auprès des principales cours européennes. Elle commença par Moscou, poursuivit avec Prague où elle fut reçue par l'empereur Rodolphe II, s'arrêta à Rome où elle obtint une entrevue avec le pape Clément VIII en avril 1601 et acheva son périple à Valladolid à la cour de Philippe III. Elle obtint un succès d'estime, mais les résultats furent minces. Pourtant, cette ambassade témoigne de la curiosité manifestée par les Safavides à l'égard de l'Occident chrétien. Les grandes puissances chrétiennes, l'empereur, le pape et le roi d'Espagne, espéraient aussi utiliser l'alliance perse contre les Turcs, comme deux siècles plus tôt, quand l'Occident avait pensé retourner Tamerlan contre les Ottomans. L'ouverture de l'Iran à l'Occident traduisait également le climat de tolérance religieuse dont faisaient preuve les Safavides qui interprétèrent de manière très souple le droit islamique à l'égard des religions non musulmanes.

C'est ainsi que chah Abbas fit appel aux juifs et aux chrétiens et les installa en masse dans sa nouvelle capitale d'Ispahan en 1598. Contrairement aux prescriptions de la *charia,* il les autorisa à bâtir les édifices cultuels dont ils avaient besoin. En 1602 – c'était une retombée de l'ambassade perse de l'année précédente à Rome –, le pape Clément VIII obtenait l'autorisation de construire un couvent de moines augustins à Ispahan, que chah Abbas subventionna de ses propres deniers. Dans le jeu diplomatique que les Occidentaux déployaient pour s'attirer les bonnes grâces de l'Iran, l'Espagne fut une nouvelle fois perdante. Depuis 1580, le roi d'Espagne était aussi roi de Portugal, donc puissance colonisatrice dans l'océan Indien et le golfe Persique. Après la chute de Bahreïn en 1602, Philippe III manifesta l'intention d'établir des relations normales avec l'Empire safavide. En 1614, il envoya en Iran comme ambassadeur un noble portugais, don Garcia da Silva y Figueroa, qui fit escale à Goa et Ormuz, avant d'arriver à Ispahan en 1617. Il ne fut reçu par chah Abbas qu'en 1619. Ses prétentions étaient extravagantes. Il ne demandait rien de moins que la restitution de Bahreïn et l'exclusion des marchands anglais du marché persan. Il fut donc congédié sans ménagement par Abbas et il regagna Ormuz, où il mourut. En 1622, Abbas s'emparait d'Ormuz avec l'aide anglaise. L'Empire moghol était bien trop lointain pour que des relations diplomatiques suivies aient pu s'engager avec les puissances occidentales. Seuls les Portugais installés dans les comptoirs du Gujarat et du Bengale pouvaient entretenir des contacts avec les Moghols. Jamais ces derniers n'entravèrent leurs activités commerciales. Mieux même : après la conquête du Gujarat, les pèlerinages à La Mecque furent assurés par les marchands portugais à partir des ports de l'ancien sultanat. Mais il n'y eut aucun échange d'ambassadeur entre l'Inde moghole et l'Occident au XVIe siècle.

Chapitre 3

L'expansion européenne

Pour la commodité de l'exposé, il convient de séparer les conquêtes outre-mer réalisées par les États européens des événements de la politique proprement européenne, mais il faut garder à l'esprit combien cette distinction est factice. Les possessions outre-mer du Portugal et de la Castille ne furent pas uniquement des appendices de la métropole, des exutoires pour des soldats et des marins en mal d'aventure, des marchands véreux à la recherche de profit ou de fonctionnaires désireux d'y faire carrière. Bien au contraire. Elles prirent place au centre du système de domination de ces États, au point que, dès qu'elles en eurent la possibilité, l'Angleterre, la France et les Provinces-Unies suivirent leur exemple. Sans le prestige et la richesse qu'elles leur apportèrent, la Castille n'aurait jamais pu peser sur l'histoire militaire et diplomatique du continent et le Portugal n'aurait été qu'une puissance marginale. Les possessions d'outre-mer ne furent jamais considérées comme des colonies – le mot est récent et son usage au XVIe siècle serait anachronique, il traduirait une situation de dépendance et de soumission à l'égard de la métropole que ces territoires ne connurent pas –, mais comme des « États » ou des « royaumes » avec leurs institutions, leur identité et leur autonomie. Charles Quint fut autant roi de Nouvelle-Espagne qu'il était roi d'Aragon ou roi de Castille. Dans ces grands ensembles composites, sans centre ni périphérie, les royaumes d'outre-mer eurent toute leur place et permirent à l'Espagne, pour ne citer qu'elle, d'atteindre cette « taille critique » qui en fit une puissance prépondérante en Europe. Quand, en 1580-1581, par le jeu des successions, le roi d'Espagne Philippe II devint roi de Portugal et qu'il ajouta l'Empire portugais à l'Empire espagnol il put, à juste titre, présenter la « Monarchie catholique » comme une « Monarchie universelle » et revendiquer, par la voix de ses thuriféraires, le titre de « monarque du monde ».

Un autre problème se pose et touche notre façon d'apprécier l'expansion européenne du XVIe siècle. L'habitude a prévalu pendant longtemps de la présenter comme une page de gloire, digne d'une civilisation qui avait su dominer le monde et, pour sauvegarder notre bonne conscience, tant lui donner. Le courage de ces marins, de ces commerçants, de ces conquistadores et de tous les aventuriers anonymes qui se sont lancés à l'assaut de ces mondes inconnus a suscité, et suscite encore, respect et admiration. Puis notre historiographie a découvert le revers de la médaille, la « zone grise » de notre mémoire, pour reprendre les termes de Primo Levi. On s'est aperçu que tous ces aventuriers n'avaient pas toujours fait preuve de scrupules et que le prix payé a été élevé pour ceux qui ont été les protagonistes de cette histoire, et plus encore pour ceux qui l'ont subie. Il ne s'agit pas de tomber dans le relativisme culturel ni dans l'autoflagellation. En ces temps où la vie humaine ne comptait guère, leur propre vie comme celle des autres, il ne fallait pas demander aux découvreurs et aux conquérants d'être des anges. Au moins peut-on souligner que, dans cette Renaissance où l'esprit critique ne faisait pas défaut, des voix se sont élevées contre les crimes et les dégâts causés, le plus souvent à leur corps défendant, par les Européens.

Ces témoignages qui sont autant de cris de révolte ont contribué à forger la conscience humaine dans le respect de l'autre. Quoi qu'il en soit, il faut avant tout rappeler ce que put représenter l'arrivée des Européens pour les peuples qui la subirent. Beaucoup d'entre eux, comme les Amérindiens qui représentaient un quart de l'humanité en 1500 ou les Africains, n'avaient jamais entendu parler d'eux. Les Asiatiques connaissaient leur existence, mais ces informations étaient vagues et fragmentaires. Aussi les Européens, principalement les Ibériques qui montrèrent la voie, apparurent-ils aux yeux de leurs victimes comme des populations nomades et barbares, des envahisseurs sans foi ni loi, un peu comme le furent les Vikings pour les habitants de l'Empire carolingien. Face à de vieilles civilisations fortement organisées, telles que celles de l'Inde, de la Chine ou du Japon, les Portugais et les Espagnols furent beaucoup plus démunis, sauf au début du XVIe siècle grâce à l'effet de surprise dû aux canons. Les grandes civilisations asiatiques surent tenir les envahisseurs à distance, sur leurs franges maritimes, dans les archipels, et ne les laissèrent pas pénétrer sur le continent. En Afrique et en Amérique, où le niveau technologique des sociétés humaines était beaucoup plus bas, les Ibériques eurent les coudées plus franches. Mais la Conquête ne fut jamais facile, ce qu'illustrent les difficultés rencontrées sur le continent américain ou, mieux encore, l'incapacité de l'homme blanc à fouler l'intérieur du continent africain, considéré comme hostile jusqu'au XIXe siècle.

1. L'ère des découvertes (XIVe-XVe siècle)

L'Atlantique constituait encore au Moyen Âge un monde inconnu et inquiétant. Le souvenir de marins de l'Antiquité qui s'y étaient aventurés s'était effacé des mémoires. Aussi il fallut attendre le XIIIe siècle pour que les Occidentaux réapprennent à apprivoiser l'océan et sortent de la Méditerranée qui leur paraissait si protectrice. Deux événements importants marquèrent cette nouvelle dimension. En 1277, la première liaison maritime entre Gênes et la mer du Nord par Gibraltar et le golfe de Gascogne était ouverte. Elle devait devenir l'une des routes commerciales les plus rémunératrices du commerce européen. En 1291, deux Vénitiens, les frères Vivaldi, franchirent les Colonnes d'Hercule pour se lancer à l'assaut de l'Atlantique à bord de galères. Ils n'en revinrent pas, mais ce fut, semble-t-il, la première tentative attestée. L'exploration de l'Atlantique proche nécessitait l'association des deux pôles les plus développés de l'Europe occidentale, l'Italie et les Pays-Bas, tant du point de vue technologique que du point de vue financier. Cet amalgame se produisit dans la péninsule Ibérique pour des raisons particulières qu'il convient d'analyser.

Au Moyen Âge, la péninsule Ibérique était partagée selon une ligne qui pendant longtemps courut approximativement le long du Tage. Au nord, les royaumes chrétiens, au sud, les royaumes musulmans héritiers de l'ancien califat de Cordoue. Jusqu'à la fin du XIIe siècle, la frontière avait certes avancé au profit du Nord chrétien, mais lentement. Puis tout bascula après la victoire chrétienne de Las Navas de Tolosa en 1212. En un demi-siècle, des territoires considérables furent conquis par les royaumes chrétiens qui ne laissèrent subsister qu'un petit État mauresque autour de Grenade. Cette conquête rapide d'un vaste espace quasiment vidé de sa population musulmane provoqua une redistribution des cartes entre les royaumes chrétiens. Dès 1137, le royaume d'Aragon et le comté de Barcelone s'étaient unis. Au XIIIe siècle, ils annexèrent le royaume musulman de Valence, complété en 1304 par une partie du royaume de Murcie. L'ensemble aragonais avait atteint ses frontières définitives. La *Reconquista* sur les Maures ne l'intéressait plus. Il se tournait désormais vers la Méditerranée occidentale et bâtissait un empire maritime centré sur les Baléares, la Sicile (1282), la Sardaigne (1412) et le royaume de Naples (1443).

Le royaume du Portugal, qui s'était séparé du royaume de León au milieu du XIIe siècle, avait lui aussi atteint ses frontières actuelles par l'annexion des provinces méridionales de l'Alentejo et de l'Algarve. La victoire de Las Navas de Tolosa permit à la Castille, désormais associée au royaume de León, de doubler sa superficie par l'annexion de l'Estrémadure, du royaume de Murcie et de l'Andalousie. L'histoire de la Castille connut un autre tournant en 1369, quand son roi, Pierre le Cruel, engagé dans une politique de conquête en Afrique, fut assassiné par son frère Henri II de Trastamare. L'arrivée au pouvoir de la nouvelle dynastie des Trastamare, dont une branche cadette s'installa sur le trône d'Aragon au début du XVe siècle, constitua davantage qu'une simple révolution de palais. Avec elle, la Castille tourna le dos à ses ambitions de conquête pour plus d'un siècle, se replia sur les problèmes de la péninsule, et laissa les mains libres au Portugal, dont la nouvelle dynastie des Aviz, arrivée au pouvoir en 1383-1385, sensible aux intérêts de la bourgeoisie lisboète et de la petite noblesse, investit massivement dans une politique d'expansion outre-mer. Le royaume de Castille ne revint dans la course aux découvertes qu'à la fin du XVe siècle avec les Rois Catholiques. Même si les modalités et les temps en furent différents, l'esprit de croisade qui anima les Castillans et les Portugais impulsa bel et bien la politique d'expansion outre-mer. La *Conquista* fut la fille de la *Reconquista* et s'inscrivit dans son prolongement.

Mais, pour se lancer dans une telle aventure, il fallait des capitaux, beaucoup de capitaux, même si les moyens mis en œuvre semblent aujourd'hui dérisoires. Le Portugal et la Castille étaient faiblement peuplés, 800 000 habitants pour le premier, moins de 4 millions pour la seconde, et le financement des expéditions de découverte dépassait leurs possibilités. Aussi firent-ils appel à des capitaux privés, ceux de la banque italienne, puis ceux de la banque allemande. Venise et Gênes reculaient en mer Noire et en mer

Égée devant la poussée turque. Leurs comptoirs tombaient les uns après les autres et les deux villes marchandes cherchaient à placer leurs capitaux sur des marchés émergents, Gênes surtout, car Venise restait encore fortement impliquée dans le commerce des épices au Levant. Les banquiers génois s'installèrent très tôt à Lisbonne et à Cadix et investirent dans le commerce atlantique. Ils apportaient avec eux leur savoir-faire financier, mais aussi des modèles d'exploitation expérimentés dans leurs comptoirs du Proche-Orient : la plantation esclavagiste, la factorerie, la gestion centralisée et monopolistique de la *Casa di San Giorgio* qui inspira la *Casa da Guiné* portugaise et la *Casa de la Contratación* castillane. Les grandes familles de la banque génoise furent toujours prépondérantes sur les marchés atlantiques et américains, mais les profits attirèrent aussi la banque vénitienne, quand le commerce des épices du Levant devint moins lucratif avec l'ouverture de la route maritime par les Portugais, et la banque d'Allemagne du Sud (Augsbourg, Nuremberg) qui s'imposa en Castille dans le sillage de Charles Quint. Au XVᵉ siècle, sur la route qui menait d'Italie aux Pays-Bas et à l'Angleterre, Lisbonne, Séville et Cadix devinrent des centres commerciaux et financiers actifs où les grandes banques européennes possédaient des succursales. Ces capitaux contribuèrent à animer tous les ports de la façade atlantique, de l'embouchure du Guadalquivir à la côte cantabrique. Sans l'intérêt porté par la banque européenne en général, mais italienne en particulier, les entreprises de découverte et la mise en exploitation des nouveaux mondes n'auraient pas été possibles.

Sans céder facilement au déterminisme géographique, il est certain que la position de la péninsule Ibérique favorisa les expéditions de découverte. Les alizés, ces vents tropicaux qui soufflent régulièrement dans l'hémisphère Nord du nord-est vers le sud-ouest, remontent très haut en latitude pendant la période estivale, jusqu'au sud de la péninsule

Ibérique. Dans la marine à voile, ces vents sont indispensables pour gagner les côtes de l'Afrique ou de l'Amérique. Au retour, les marins pouvaient, après un large détour par la mer des Sargasses, utiliser les flux réguliers d'ouest qui les poussaient sur le quarantième degré de latitude nord vers l'embouchure du Tage. Autrement dit, de Lisbonne à Cadix, la façade maritime de la péninsule Ibérique se trouve dans une position idéale pour gagner les côtes du Sénégal ou les Antilles et en revenir par vents portants. D'autant que des progrès techniques avaient été réalisés dans l'art nautique. Sur l'Atlantique, il faut disposer d'un navire de haut bord capable de résister à la houle et suffisamment maniable pour tirer des bords en cas de vents contraires.

Pendant longtemps, aucun des deux types de bateaux dont disposait l'Occident ne réunissait ces qualités. La galère méditerranéenne, mue à la rame et accessoirement à la voile, était trop fragile et trop basse sur l'eau pour affronter les eaux rugueuses de l'océan. À l'inverse, le gros bateau rond de l'Europe du Nord, à haut bord et à voile carrée, était beaucoup plus solide mais peu maniable par vent debout. La synthèse s'opéra dans les chantiers navals de la Cantabrique et de l'estuaire du Tage, d'abord sous la forme d'une barque mue à rames et à voiles, puis de la nave galicienne, lourde mais résistante, et enfin de la caravelle. Avec ses trois mâts munis de voiles carrées et de voiles latines qui facilitaient les manœuvres, avec son faible tirant d'eau qui permettait de l'échouer sur le rivage, et avec son gouvernail d'étambot, la caravelle fut le navire idéal pour les voyages de découverte. Il fut mis au point par les Portugais au milieu du XVe siècle. Explorer l'océan voulait dire aussi abandonner les techniques de navigation fondées sur le cabotage et s'aventurer loin en haute mer en perdant de vue les côtes si rassurantes.

Les derniers siècles du Moyen Âge avaient vu des progrès importants dans le domaine de la cartographie. Les portulans décrivaient précisément le contour des côtes, l'emplacement des ports et des mouillages, ainsi que les lignes de rumbs qui les unissaient. Au XVᵉ siècle, l'école lisboète de cartographie était la meilleure d'Europe. Mais pour la navigation hauturière, il fallait des instruments plus fiables, comme la boussole connue en Chine au XIᵉ siècle et attestée en Occident au siècle suivant, l'astrolabe et le quadrant pour faire le point, ainsi que les tables de trigonométrie pour calculer la déclinaison. Une fois de plus, dans ces domaines de recherche impliquant les mathématiques et l'astronomie, la péninsule Ibérique se trouvait depuis longtemps à la pointe de l'innovation. Les savants de l'entourage du roi castillan Alphonse X le Sage, au XIIIᵉ siècle, étaient capables de calculer la durée de l'année solaire, avec une précision inégalée jusque-là. Les Tables Alphonsines furent améliorées par la suite, mais elles ont constitué un pas en avant considérable. Pourtant, il n'y eut pas transposition immédiate des avancées scientifiques dans l'art nautique. Les progrès se firent de manière empirique au prix de lourdes pertes humaines.

Reste à définir les motivations des découvertes. Elles furent multiples et complémentaires. La conquête de terres nouvelles ne pouvait manquer de rejaillir sur le prestige des princes. Elle leur offrait également l'occasion de canaliser vers des terrains d'opération éloignés une petite noblesse remuante et indisciplinée. Mais tous les princes ne furent pas sensibles à ces arguments. Les premiers à en prendre conscience furent les Aviz au Portugal, suivis plus tard par les Rois Catholiques en Castille, et leur politique s'inscrivit dans la continuité de la Reconquête, se nourrissant de l'esprit de croisade qui imprégnait les mentalités ibériques à la fin du Moyen Âge. Les marchands et les banquiers étaient animés par la recherche du profit, soit dans le commerce du blé du Maghreb, soit dans le trafic des produits exotiques comme les épices ou l'ivoire dont les bénéfices étaient considérables. À ces arguments il faut

ajouter la recherche de l'or dans des pays méditerra-
néens où les prix étaient plus élevés qu'ailleurs et où
la soif de numéraire se faisait sentir. Une bonne partie de
l'or qui arrivait en Europe venait du Soudan à travers les
ports du Maghreb et il semblait logique d'aller le chercher
à la source, sur les lieux mêmes de sa production. D'autres
motivations que les intérêts purement matériels pouvaient
aussi jouer, comme la curiosité scientifique ou l'esprit
d'aventure. Mais dans le contexte géopolitique du xve siècle
marqué par la poussée de l'islam en Méditerranée orientale,
l'idée de contourner le monde musulman dans l'espoir de
trouver des alliés chrétiens, comme le royaume légendaire
du Prêtre Jean, et de reconquérir les Lieux saints avec leur
aide s'inscrivait dans une ambiance messianique et escha-
tologique héritée de l'esprit de croisade.

Plusieurs étapes furent nécessaires dans l'ouverture des
grandes routes océaniques. La première fut le repérage des
archipels de l'Atlantique nord qui constituèrent des relais
et des points de chute pour réparer les avaries, faire
aiguade, ou des bases de départ pour des voyages dans
l'hémisphère Sud – ce fut le cas de Madère et des Canaries –, ou des étapes sur la route du retour comme les
Açores. La conquête de ces archipels préfigura ce qui allait
être l'exploitation des territoires américains. Madère fut
probablement découverte dès la fin du xiiie siècle, les Canaries furent repérées dès 1312 par le Génois Lancellotto
Malocello et les Açores vers 1330-1340, à l'occasion certainement d'une expédition de retour des Canaries. Mais la
prise en main de ces îles ne fut réalisée qu'au début du
xve siècle. Les Portugais s'emparèrent de Madère et des
Açores, tandis que les Castillans occupèrent de haute lutte
les Canaries, que convoitaient les Portugais. La conquête
des Canaries fut longue et difficile, non seulement à cause
de l'état d'anarchie qu'y avaient créé les premiers occupants
– des aventuriers normands –, mais aussi à cause de la présence d'une population indigène, les Guanches, qui ne fut

soumise qu'à la suite de longues et coûteuses expéditions militaires.

Dès qu'elles furent saisies, ces îles furent mises en exploitation pour la production de la canne à sucre, ce qui nécessita l'importation d'une main-d'œuvre servile venue d'Afrique. L'exploration des côtes africaines commença simultanément. Elle fut l'œuvre des Portugais, qui voulaient répliquer à la conquête castillane de la côte européenne du détroit de Gibraltar. Le maître d'œuvre en fut le prince Henri le Navigateur, troisième fils du roi de Portugal Jean Iᵉʳ, apanagé de l'Algarve et dont la cour résidait à Sagres. Après avoir obtenu la neutralité de la Castille en 1411 et le soutien du Saint-Siège en 1413, les Portugais occupèrent Ceuta en 1415. Le prince Henri s'était fixé comme objectif la conquête du Maroc, mais un échec devant Tanger en 1437 y mit fin. Désormais, le prince se tourna uniquement vers l'Afrique et finança les entreprises de découverte. En 1434, le Portugais Gil Eanes doublait le cap Bojador, et c'est à cette occasion que la route du retour par les Açores fut établie. En 1441, le cap Blanc était atteint par Nuño Tristão qui parvenait au Sénégal en 1444, tandis que, la même année, Dinis Dias repérait l'archipel du Cap-Vert. Ces expéditions ramenaient à Lisbonne les premières cargaisons d'esclaves noirs.

L'exploration des côtes africaines par le Portugal marqua le pas pendant une quinzaine d'années. Avec la création d'un premier comptoir sur l'île d'Arguin, sur les côtes mauritaniennes juste au sud du cap Blanc, les Portugais avaient atteint leur premier objectif. Ils avaient capté une partie du commerce de l'or du Soudan qui, par Arguin, arrivait directement à Lisbonne. Le comptoir, ainsi que certains lieux de traite au Sénégal, fournissait les esclaves africains nécessaires à la mise en exploitation des champs de canne à sucre de Madère. En outre, les Portugais devaient affronter des difficultés techniques. Au sud du Sénégal et dans le golfe de Guinée, les conditions de navigation se modifiaient, à cause du phénomène de mousson qui s'y manifestait l'été et qui poussait les bateaux vers le fond du golfe. Les Portugais durent apprivoiser cette nouvelle réalité et surtout apprendre à sortir du golfe de Guinée, en attendant l'hiver et ses vents d'est portant les bateaux vers le large. Cette Afrique noire était en outre peu hospitalière à l'homme blanc. Le climat et les épidémies y décimaient les équipages. Il fallait aussi compter avec la concurrence des Castillans qui avaient occupé les Canaries et qui remettaient en cause le monopole que s'étaient octroyé les Portugais.

La mort du prince Henri le Navigateur en 1460 favorisa la centralisation de l'expansion outre-mer à Lisbonne et donna à celle-ci une nouvelle dimension. Désormais, la politique maritime relevait directement du pouvoir royal. Le comptoir d'Arguin, renforcé par la construction d'un fort en 1461, fut affermé à un bourgeois de Lisbonne, Fernão Gomes, puis fut repris en régie directe par le roi en 1474. Après une parenthèse occasionnée par la reprise de la guerre contre le Maroc – conquête d'Alcacer-Seguer en 1458, de Tanger et d'Arzila en 1471 –, les expéditions africaines recommencèrent avec l'appui du pape Nicolas V, qui confirma le monopole portugais sur l'Afrique par la bulle *Romanus Pontifex* (1460), et celui des banquiers génois et vénitiens. À partir de 1470, les expéditions, financées par le pouvoir royal, furent organisées chaque année selon un plan préétabli. En 1470, Soeiro da Costa atteignait le cap des Trois-Pointes au Ghana ; en 1471-1472, João da Santarem et Pero Escobar reconnaissaient la Côte-de-l'Or ; en 1472, les archipels de São Tomé, Ano Bom et Príncipe étaient découverts ; en 1473, c'était au tour de Fernando Poo et, les années suivantes, des côtes du Gabon.

Le règne de Jean II le Parfait (1481-1495) devait ouvrir une nouvelle étape sur la voie des explorations portugaises. Jusqu'ici, la descente le long des côtes de l'Afrique avait apporté son lot d'informations sur le système des

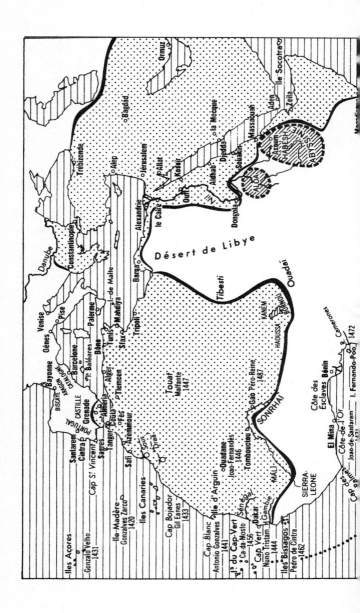

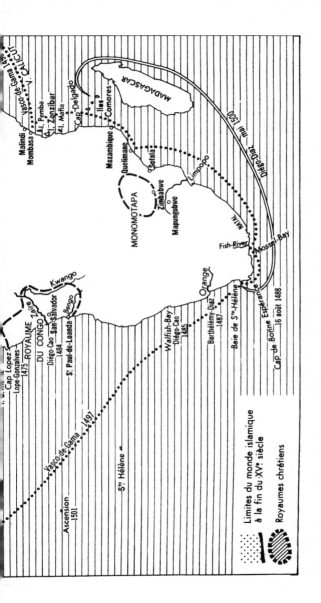

L'AFRIQUE À LA FIN DU XVᵉ SIÈCLE ET LES VOYAGES D'EXPLORATION DES PORTUGAIS

vents et des courants permettant la navigation dans l'Atlantique nord et à l'intérieur du golfe de Guinée. Les côtes de l'Afrique et des archipels proches étaient repérées jusqu'à l'équateur, et des comptoirs plus ou moins stables avaient été installés d'Arguin à la Côte d'Ivoire pour assurer le trafic de l'or et des esclaves. Jean II proposa un nouveau dessein politique au Portugal, celui d'ouvrir une route maritime vers les Indes en contournant le continent africain. Pour le réaliser, il devait s'assurer la neutralité de la Castille et la capture de l'or de Guinée destiné à financer ces expéditions. Son prédécesseur, Alphonse V, avait impliqué le Portugal dans les guerres de succession de Castille, ouvertes à la mort du roi Henri IV en 1474. Alphonse V avait épousé l'une des deux prétendantes, Jeanne dite la Beltraneja, tandis qu'Isabelle de Castille bénéficiait du soutien de l'Aragon dont elle avait épousé le prince héritier Ferdinand. La fortune de la guerre avait tourné au profit des Rois Catholiques, et Alphonse V avait dû renoncer à son projet d'union dynastique entre le Portugal et la Castille.

Les questions maritimes faisaient partie du contentieux. En effet, les marins et les marchands de la Niebla, la province castillane voisine de l'Algarve, contestaient de plus en plus ouvertement le monopole portugais sur le commerce atlantique. Des expéditions de découverte, puissamment armées, étaient envoyées depuis 1476 vers le golfe de Guinée, et la souveraineté de la Castille s'affirmait sur l'archipel des Canaries. Le traité d'Alcaçovas-Toledo (septembre 1479-mars 1480), qui mit fin au conflit entre le Portugal et la Castille, départageait les zones d'influence. Le Portugal reconnaissait à la Castille la souveraineté sur les Canaries et aux navires castillans un droit de passage dans cette région, mais la Castille admettait en échange le monopole portugais sur les côtes africaines. Pour faire respecter ses droits, Jean II fit construire, entre 1482 et 1484, un fort sur la Côte-de-l'Or, qui prit le nom de Saint-Georges-de-la-Mine. Les Portugais allaient y acheter

l'or du Soudan qui, jusque-là, remontait par les routes
caravanières à travers le Sahara pour aboutir dans les ports
du Maghreb, une partie seulement étant déroutée vers le
comptoir portugais d'Arguin. Désormais, les zones de production aurifère de l'Afrique occidentale étaient captées
par les Portugais et placées sous leur contrôle. Dans les dix
années suivantes, les marins portugais, qui s'avançaient
toujours plus loin dans l'hémisphère Sud, apprirent le système des vents et des courants de l'Atlantique sud, simi-
laire à celui de l'Atlantique nord mais en sens inverse.
C'est ainsi que le contournement du continent fut élaboré :
les bateaux profiteraient des alizés de l'hémisphère Nord
pour descendre jusqu'à la hauteur des Canaries ou des îles
du Cap-Vert, puis piqueraient plein ouest jusqu'à frôler les
côtes du Brésil pour contourner les alizés de l'hémisphère
Sud, avant de descendre plein sud dans l'Atlantique sud
et de se rabattre vers l'est en profitant des flux d'ouest.
C'est ainsi que Diogo Cão atteignit la Namibie en 1485.
Désormais, se rendre en Inde par la voie maritime de l'est
devenait réalisable.

Ce fut le grand projet de Jean II, poursuivi par son fils
Manuel Ier l'Aventureux (ou le Fortuné), qui lui succéda en
1495. La route vers l'Inde fut repérée à la fois par terre et
par mer. Jean II envoya un ambassadeur qui devait gagner
l'Inde secrètement et en rapporter des informations. Pero
da Covilha partit en 1487, gagna le Levant puis Calicut et
Goa et revint par Ormuz. Là, plutôt que de regagner sa
patrie, il descendit jusqu'en Éthiopie, se lia d'amitié avec
le souverain et y fit souche. Il y accueillit certains de ses
compatriotes venus demander l'aide de l'empereur chrétien d'Éthiopie contre les musulmans en 1522. Bartolomeu
Dias repéra la voie par mer. En mars 1488, il doublait le
cap de Bonne-Espérance (cap des Tempêtes) et abordait au
Natal, sur la façade orientale du continent africain. L'ouverture de cette voie avait été longue, difficile et coûteuse.
Alors qu'il était près de toucher au but, le Portugal était

menacé de se faire doubler par la Castille qui, en 1492, découvrait les Antilles, puis, dans les années suivantes, le continent américain. N'oublions pas que, pendant longtemps – en fait, jusqu'en 1513 –, ces nouveaux territoires passaient pour constituer la pointe la plus orientale du continent asiatique. Il devenait donc urgent d'ouvrir la route maritime vers les Indes. L'expédition de Vasco de Gama appareilla de Lisbonne en juillet 1497 avec quatre navires et cent cinquante hommes d'équipage. En janvier 1498, elle était au Zambèze. À Malindi, Gama s'offrit les services d'un pilote arabe qui le conduisit jusqu'à Calicut où il entra le 20 mai 1498. À la fin du mois d'août 1499, il était de retour à Lisbonne. Il avait perdu deux bateaux et la moitié de ses hommes, mais les cales étaient pleines de poivre. La nouvelle route des épices était ouverte.

La Castille entra assez tard dans la course aux découvertes, car ce n'était pas là son objectif premier. La monarchie castillane, soutenue par la grande noblesse, n'avait aucun attrait pour la mer. Mais les guerres de succession de 1474-1475, le changement dynastique, l'arrivée au pouvoir d'une reine soutenue par la petite et la moyenne noblesse ainsi que par le patriciat urbain, la guerre avec le Portugal et la reprise de la guerre de Reconquête contre le royaume de Grenade furent autant d'événements qui contribuèrent à modifier l'attitude de la Castille à l'égard de l'outre-mer. Les Castillans n'étaient pas absents de l'Atlantique, puisque les marchands et les marins de Palos et de Moguer allaient volontiers trafiquer dans le golfe de Guinée où ils pratiquaient à l'occasion la piraterie aux dépens des bateaux portugais, tandis que les marins galiciens fréquentaient les bancs de morue de l'Atlantique nord et y chassaient la baleine. Mais le monopole portugais sur les côtes de l'Afrique, reconnu internationalement même par la Castille, constituait une contrainte dont il était difficile de se dégager. En ouvrant la route des Indes par l'ouest, Christophe Colomb apporta la solution.

Ne retenons de sa vie que les éléments les plus significatifs. L'origine génoise du navigateur d'abord qui souligne l'implication des Italiens dans les projets de découverte dans l'Atlantique dès le troisième quart du XVe siècle ; son expérience nautique acquise sur les routes commerciales de la Méditerranée orientale ; son séjour à Lisbonne dans l'atelier de cartographie de son frère Bartolomeo où il recueille toutes les informations sur les voyages déjà entrepris ; son mariage avec une fille de la famille Perestrelo, les découvreurs de Madère ; ses voyages à Saint-Georges-de-la-Mine où il commence à échafauder sa théorie de rejoindre la Chine par l'ouest. Colomb présenta son projet au roi de Portugal, Jean II, qui refusa, effrayé par les exigences financières du navigateur et par le côté aventureux et aléatoire de sa démarche. Jean II était par ailleurs engagé dans le projet de circumnavigation de l'Afrique et ne pouvait se permettre de jouer sur les deux tableaux. Colomb passa en Castille qui sortait à peine des guerres civiles et qui s'apprêtait à se lancer à l'assaut du dernier bastion musulman de Grenade. Bartolomeo Colomb partit donc présenter le projet de son frère à la cour d'Angleterre et à la cour de France, sans aucun succès. Enfin, en mars 1492, dans le camp de Santa Fe aux portes de Grenade, Colomb était reçu par Isabelle la Catholique qui se déclara prête à participer aux frais de l'expédition. Les capitulations de Santa Fe lui accordaient des privilèges considérables : l'anoblissement pour lui et ses descendants, les titres d'amiral des mers océanes, de vice-roi et de gouverneur des îles et des terres découvertes, le droit d'y présenter les candidats à tous les offices qui y seraient créés, dix pour cent des bénéfices tous frais déduits.

L'expédition partit le 3 août 1492 de Palos avec trois bateaux et quatre-vingt-sept hommes d'équipage, une nave galicienne, la *Santa María,* navire amiral, et deux caravelles, la *Pinta,* propriété des Pinzón, armateurs de Palos, et la *Niña,* propriété des Niño, armateurs de Moguer. Après

une étape aux Canaries pour réparer les avaries et se réap-
provisionner, la flottille se dirigea plein ouest. Elle toucha
terre aux Bahamas le 12 octobre après un mois de voyage.
Pendant l'hiver, Christophe Colomb repéra l'île de Cibao
(Hispaniola, aujourd'hui Saint-Domingue), très densément
peuplée, se lia d'amitié avec le cacique Guacanagari, établit un petit fort et décida de rentrer en métropole à la fin
de l'hiver dans l'intention de recruter des colons qui vien-
draient exploiter les ressources minières de l'île. Le retour
fut difficile. La *Santa María* avait coulé dans la nuit de
Noël, victime d'un ouragan, et les deux caravelles res-
tantes étaient en piteux état. Elles se perdirent de vue dans
la tempête. Sur la *Niña,* Christophe Colomb fit escale aux
Açores puis entra dans l'estuaire du Tage le 5 mars 1493,
tandis que la *Pinta,* qui avait manqué les Açores, aborda
à bout de souffle à Bayona en Galice. Martín Alonso Pinzón
mourut quelques jours plus tard, première victime européenne de la syphilis, qu'il avait contractée aux Antilles.
À Lisbonne, Jean II revendiqua la découverte. L'irruption
soudaine des Antilles dans la géopolitique posait un
problème diplomatique. Le traité d'Alcaçovas-Toledo,
confirmé par la bulle pontificale *Aeterni Patris* du 21 juin
1481, attribuait au Portugal l'Afrique au sud des Canaries.
Les Portugais estimaient qu'en vertu de ces textes ils
avaient le monopole sur tout l'océan sauf les Canaries,
alors que désormais la Castille revendiquait une part de cet
espace. Isabelle demanda l'arbitrage du pape Alexandre VI,
Rodrigo Borgia, un vassal de Ferdinand le Catholique.
L'arbitrage fut évidemment favorable à la Castille. Par la
bulle *Inter Coetera* (juin 1493), le pape définissait un
méridien qui partageait l'océan à cent lieues à l'ouest
des Açores et des îles du Cap-Vert. À l'est de ce méridien,
les nouvelles terres appartenaient au Portugal, à l'ouest
elles revenaient à la Castille. Un an plus tard, au traité de
Tordesillas (7 juin 1494), le Portugal obtenait un aménagement qui portait la frontière à trois cent soixante-dix lieues

à l'ouest du Cap-Vert avec droit de passage pour les Castillans comme compensation.

La route des Antilles était désormais ouverte et les expéditions se multiplièrent. Pour Christophe Colomb, ces nouveaux territoires appartenaient bien au continent asiatique, même si les doutes ne tardèrent pas à se manifester. À l'automne 1493, Christophe Colomb prit le commandement d'une flotte de dix-sept navires et de mille cinq cents hommes, pour la plupart des colons chargés d'exploiter les placers aurifères d'Hispaniola. Christophe Colomb explora Cuba au printemps 1494. Mais les Espagnols se heurtèrent rapidement à l'hostilité des populations caraïbes et aux difficultés de ravitaillement. Pour financer les nouvelles expéditions, Colomb expédia en métropole un chargement d'Indiens à vendre comme esclaves. La réaction d'Isabelle la Catholique fut déterminante pour la politique castillane à l'égard des nouveaux territoires. La souveraine fut scandalisée par le procédé et interdit qu'à l'avenir ses sujets américains soient réduits en esclavage et vendus. Mais la conquête d'Hispaniola avait commencé, marquée par la terreur, les massacres, les épidémies et la famine. La population de l'île, qui comptait probablement 3 millions d'habitants avant l'arrivée des Européens, fondit dans des proportions catastrophiques. Un climat de guerre civile s'y instaura entre les partisans de Colomb qui défendait ses privilèges reconnus par les capitulations de Santa Fe et les partisans du conseiller de Castille, Juan Rodriguez de Fonseca, favorables à la prérogative royale. En 1500, Christophe Colomb fut ramené en Castille, enchaîné en fond de cale et, en 1502, Nicolas de Ovando fut nommé gouverneur royal d'Hispaniola. Entre-temps, Christophe Colomb avait repéré les côtes de l'Amérique du Sud en 1498 et, lors de son quatrième voyage en 1502-1504, il longea les côtes du golfe de Darién, du cap Honduras à la Colombie. Mais les voyages d'exploration se multipliaient à partir de Cuba et d'Hispaniola et les aventuriers castillans allaient déjà troquer l'or et les perles sur les côtes de la Colombie et du Venezuela.

En 1500, les grandes voies océaniques vers les Indes orientales par le contournement de l'Afrique et vers les Indes occidentales étaient ouvertes. Sous l'impulsion de Manuel Ier le Fortuné au Portugal et des Rois Catholiques en Espagne, les empires commençaient à se construire : un empire commercial fait d'une ligne continue de comptoirs de la Mauritanie au Japon pour le Portugal, un empire territorial centré sur les Antilles et les hauts plateaux de l'Amérique le long d'une dorsale qui court de la vallée de Mexico au Chili pour la Castille.

2. L'Empire portugais

L'administration de l'Empire portugais était centralisée au moyen d'un organisme chargé d'assurer le monopole royal. Ce fut d'abord la *Casa da Guiné,* qui devint la *Casa da Guiné e Mina* pour l'Afrique jusqu'à la fin du XVe siècle, subdivisée en *Casa da Mina* pour l'Afrique et *Casa da India* pour l'Asie quand la route de l'Inde fut ouverte. Si la monarchie portugaise garda le monopole de l'exploitation des ressources impériales, elle dut souvent compter avec des aventuriers qui travaillaient pour leur propre compte, *tangomãos* qui recrutaient des esclaves au profit des marchands négriers, *pombeiros* noirs ou métis, anciens esclaves eux-mêmes, qui se livraient au trafic de main-d'œuvre servile, *lançados* blancs qui vivaient au milieu des sociétés africaines ou asiatiques. En Afrique, le Portugal disposait de comptoirs qui servaient de lieux de traite et d'entrepôts. Pour leur sécurité, ils étaient installés sur des îles, généralement non loin de la côte. Les plus importants étaient Arguin qui tomba vite en désuétude, Santiago au Cap-Vert, Saint-Georges-de-la-Mine, Axim,

Shama, Accra sur la côte du Ghana, Fernando Poo au fond du golfe de Guinée face aux côtes du Gabon, Luanda en Angola. Leurs principales activités étaient le trafic de l'or au Soudan et le commerce des esclaves dont les Portugais se firent une spécialité. Ces esclaves africains alimentaient les marchés européens, comme celui de Lisbonne, mais ils étaient aussi revendus aux propriétaires de plantations de canne à sucre à Madère, aux Canaries, aux îles du Cap-Vert, aux Antilles puis sur le continent américain, en Nouvelle-Espagne et au Brésil. Les Portugais ne se livraient pas directement à l'extraction de l'or et à la cueillette des épices ou à la chasse aux esclaves. Ils se contentaient de les acheter aux populations locales au moyen du troc.

Pendant longtemps, l'or d'Arguin et de La Mina fut la seule source d'approvisionnement de l'Europe en métal jaune, avant d'être relayé par l'or du Monomotapa dans la région du Zambèze. Les Portugais ne tentèrent pas de contrôler l'espace africain, beaucoup trop hostile à l'homme blanc. Le Portugal, petit pays à la faible population, n'en avait guère les moyens, mais la présence portugaise bouleversa profondément les sociétés africaines, détournant les routes du commerce traditionnel et perturbant les équilibres politiques. L'Empire songhaï, centré sur la boucle du Niger, subit le contrecoup de la capture de l'or du Soudan par La Mina. Après la mort de l'Askia Mohammed en 1538, il s'affaiblit et devint la proie du royaume marocain. À la bataille de Tondibi, près de Gao, en 1591, le dernier empereur songhaï, Ishaq II, fut vaincu par une armée marocaine qui disposait de canons et de mousquets. La chute de l'Empire songhaï provoqua l'anarchie dans cette région, d'autant que les Marocains se contentèrent de contrôler les grands marchés de Gao, Tombouctou et Djenné. Après 1618, le Maroc perdit le contrôle de Tombouctou dont les pachas devinrent indépendants. Sur la côte, certaines ethnies profitèrent du commerce des esclaves avec les Portugais, comme les Fanti qui se constituèrent un État sur le delta du Niger.

C'est au Congo et en Angola que les Portugais avancè-
rent le plus loin sur la route de la colonisation. Lorsqu'ils
entrèrent en contact avec les populations congolaises à partir de 1482, ils trouvèrent un État déjà constitué et une aristocratie prête à s'ouvrir aux influences européennes. En
1490, une flotte de trois navires emportant des soldats, des
paysans, des artisans et des membres de congrégations religieuses, sous le commandement de Gonsalves da Souza,
partit de Lisbonne et parvint au Congo à Pâques 1491. Ces
colons débarquèrent au royaume de Soyo et convertirent le
chef local qui prit le nom de don Manuel. Dans la capitale
du Congo, ils entrèrent en contact avec le roi qu'ils convertirent aussi au christianisme, en même temps que plusieurs
membres de sa cour. Mais le roi, qui avait pris le nom de
João Ier, se heurta à l'opposition de ses sujets qui n'étaient
pas disposés à abandonner leurs croyances ancestrales. Ils
se révoltèrent devant la destruction des statues de leurs
divinités et l'obligation imposée par les missionnaires de
renoncer à la polygamie. Aussi, João Ier fut-il contraint
d'apostasier le christianisme et de refouler les Européens.
À sa mort en 1506, Affonso Ier, qui était un fervent chrétien, fut intronisé et Manuel Ier lui proposa un plan d'organisation de son royaume sur le modèle européen, avec une
cour, un code de lois, une organisation religieuse et un système d'enseignement. Le fils du roi, don Henrique, fut le
premier évêque africain. En échange de ce protectorat,
Manuel exigea d'être payé en cuivre dont le royaume était
déjà un gros producteur et, surtout, en esclaves.

Ce monopole conjoint du trafic d'esclaves, partagé par le
roi du Portugal et le roi du Congo, fut mis à mal par les trafiquants de São Tomé, ce qui incita Affonso Ier à se détourner du protectorat portugais et à chercher une alliance
directe avec le Saint-Siège. À la mort d'Affonso Ier en
1543, Diogo Ier poursuivit cette politique d'indépendance.
Il fit appel aux jésuites qui assurèrent la christianisation du
pays et établirent un réseau d'écoles au profit de la popula-

tion noire, et il lutta contre les trafiquants d'esclaves qui, établis désormais plus au sud dans l'île de Luanda, bénéficiaient du soutien du *ngola* du Ndongo – le royaume de l'Angola –, pour assurer la contrebande avec São Tomé. Il échoua et, en 1557, le Congo fut envahi par les guerriers du Ndongo renforcés par des aventuriers portugais. Les souverains congolais durent affronter des réactions xénophobes de leurs sujets contre l'immunité dont jouissaient les étrangers et des invasions de populations Jaga venues de l'intérieur du continent. Les Portugais saisirent cette occasion pour intervenir à nouveau au Congo, qu'ils libérèrent des invasions Jaga en 1575. Alvaro Ier chercha à nouveau à soustraire le Congo à l'influence portugaise et à le placer directement sous l'obédience de Rome. En 1608, Alvaro II envoya la première ambassade congolaise à la cour pontificale et, en 1613, des relations diplomatiques directes furent établies entre le royaume du Congo et le Saint-Siège.

Le royaume du Congo au XVIe siècle offre ce cas particulier d'un État africain, ouvert aux influences occidentales mais qui parvient à maintenir, certes difficilement, son indépendance. En 1596, San Salvador, sa capitale, fut érigée en siège épiscopal, le premier d'Afrique, même si son premier évêque fut portugais. Le royaume voisin du Ndongo se constitua probablement aux alentours de 1500. Il fut visité par les Portugais vers 1520, mais des relations diplomatiques suivies ne furent instaurées qu'en 1557, après la victoire obtenue par le *ngola* sur le Congo avec l'aide des traitants de São Tomé. La conquête de l'Angola par les Portugais ne commença véritablement qu'en 1575, lorsque le pouvoir royal essaya d'instaurer son autorité sur les bandes d'aventuriers qui y cherchaient fortune. Luanda, qui n'était encore qu'un lieu de traite sauvage, devint le point d'appui du Portugal dans la région en 1576. Les Portugais s'établirent à Masangano en 1583, fondèrent Benguela en 1617, mais s'enfoncèrent plus difficilement dans l'arrière-pays. La colonie de l'Angola naquit au XVIIᵉ siècle seulement, mais le Ndongo était détruit et ruiné, ce qui permit au Congo de retrouver un espace d'autonomie.

Sur la côte orientale de l'Afrique, les Portugais rencontrèrent des civilisations maritimes dominées par des sultanats indépendants, aux mains de populations métissées d'Arabes et de Noirs africains. Ces sultanats, dont le plus puissant était celui de Zanzibar, pratiquaient le commerce du fer sur la côte du Kenya actuel, à Malindi et à Mombasa, celui de l'or et de l'ivoire à Sofala sur les côtes du Mozambique et à Kiloa, au sud de Zanzibar. L'île assurait par ailleurs la réexpédition de ces produits vers le golfe Persique et vers l'Inde. Tout au long de ces côtes, une civilisation originale avait vu le jour, mi-arabe mi-africaine, parlant le swahili, c'est-à-dire la langue de la côte. Le but des Portugais était de s'emparer des routes commerciales, d'assurer en partie l'ancien commerce triangulaire avec le monde arabe et l'Inde et de réexpédier vers l'Europe une part de ces produits à haute valeur ajoutée. Ils procédèrent de manière brutale, mettant la main sur Sofala au débouché des mines d'or du Zambèze et sur Kiloa dès 1505. Mais cette dernière ville fut abandonnée en 1512 quand elle fut ruinée par les nouvelles conditions du commerce international. Plus au nord, les Portugais s'installèrent à Malindi après avoir fait cause commune avec le sultan local contre le sultan de Mombasa. À la fin du siècle, les Portugais et leurs alliés durent affronter une réaction de l'Empire ottoman qui s'appuya sur le sultanat de Mogadiscio. Une expédition turque s'empara de Mombasa et y construisit un fort. Tomé da Souza, frère du viceroi portugais de Goa, prit la tête d'une flotte de vingt vaisseaux, bloqua la flotte turque et la détruisit, puis incendia la ville. Les Portugais livrèrent Mombasa au sultan de Malindi qui y installa sa capitale, en échange de la cession d'une forteresse, le Fort-Jésus, construite en 1593. En moins d'un siècle, les Portugais avaient détruit la civilisation swahilie, qui avait prospéré depuis le Xe siècle, et occupé sa place.

Entre Zambèze et Limpopo, sur le plateau rhodésien, le sous-sol riche en cuivre et en or avait anciennement donné naissance à une activité métallurgique. Dès le Xe siècle, la production était exportée vers l'Inde par l'intermédiaire des Arabes installés à Sofala et Kiloa. Mais, sur place, un État s'était construit dès le XIe siècle, un État de bâtisseurs qui a laissé des ruines imposantes comme marque de son empreinte. Au XVe siècle, cet empire du Zimbabwe était encore puissant et centralisé. Il était connu sous le nom de son prince, le Monomotapa. Les Portugais gardèrent cette appellation. Les populations cafres qui extrayaient l'or procédaient soit par la méthode de l'orpaillage dans les rivières, soit en creusant des mines peu profondes. La main-d'œuvre était recrutée selon un système de corvées, obligatoires et réglementées, mais l'empereur pouvait également faire extraire de l'or à son propre compte en recrutant les mineurs par un système de cadeaux. Quoi qu'il en soit, l'autorisation de l'empereur était nécessaire pour travailler dans les mines. Après sa période de prospérité au XVe siècle, l'empire du Monomotapa sombra dans les guerres civiles aux alentours de 1500, au moment même où les Portugais arrivaient dans la région. Le potentat vainqueur qui avait déplacé sa capitale Zimbaoé plus au nord, vers le cours du Zambèze, au centre de la zone d'extraction, s'entendit avec les Portugais qui avaient chassé les Arabes de Sofala, pour leur vendre l'or.

Au XVIe siècle, l'empire se désagrégea en plusieurs principautés sans que le trafic de l'or en fût pour autant perturbé. Dans un premier temps, les Portugais cherchèrent à s'emparer du pays de l'or, mais leurs tentatives en 1513 et 1518 pour pénétrer vers l'intérieur le long du cours du Cuama se soldèrent par un échec. Ils abandonnèrent donc l'idée de contrôler directement le pays et misèrent plutôt sur le protectorat. Ils se contentèrent d'installer des comptoirs le long du Zambèze, à Sena et à Tete puis à Quelimane, où ils pratiquèrent le troc. Un capitaine portugais installé à Massapa avait autorité sur tous les Blancs et sur les Noirs aux environs du comptoir. Il percevait les taxes au nom du Monomotapa sur toutes les transactions entre les Européens et les Africains. À la fin du siècle, voyant son autorité contestée, le Monomotapa appela à l'aide les Portugais qui lui fournirent une unité de trente hommes. Pour les remercier, il leur céda en 1607 toutes les mines d'or, de cuivre, de fer et de plomb de son royaume. Mais, incapables de les exploiter par eux-mêmes, les Portugais laissèrent la situation en l'état, se contentant d'acheter le minerai avec des cotonnades importées des Indes.

Plus au nord, dans la corne de l'Afrique, une Église copte se maintenait dans des conditions difficiles au Soudan et dans le royaume d'Éthiopie. Au Moyen Âge, les Européens n'avaient que de vagues informations sur cette Église africaine, qu'ils assimilaient au royaume mythique du Prêtre Jean. Après avoir connu une période de grandeur et d'expansion au XVe siècle, le royaume d'Éthiopie se retrouva à la merci de raids venus des sultanats musulmans installés sur la côte. Signe de la violence de ces affrontements, le sultan Mahfuz de Zeyla, l'État musulman le plus puissant de la côte Issa, fut tué au combat en 1516. Des contacts avaient été établis entre le Portugal et l'Éthiopie grâce à l'ambassade de Pero da Covilha, qui avait été envoyé en Inde par le roi Jean II. Après un long périple aventureux, Pero da Covilha avait rejoint l'Éthiopie, mais il ne fut pas autorisé à quitter le pays. Il fut bien traité cependant, recevant de vastes domaines en dédommagement et une riche épouse autochtone. Il était encore vivant quand une grande ambassade portugaise menée par don Rodrigo de Lima aborda en Éthiopie venant des Indes. Cette ambassade, qui dura de 1520 à 1526 et qui donna l'occasion au père Francisco Alvares de rédiger la première description européenne du pays, fut décevante.

Manuel le Fortuné désirait entraîner l'Éthiopie dans une grande alliance chrétienne contre les musulmans, mais il ne réussit pas à convaincre le négus. Cependant, l'Éthiopie s'ouvrait progressivement à l'influence occidentale. Après 1526, elle fut à nouveau soumise aux attaques conjuguées du sultanat de Zeyla, dont les troupes ravagèrent le pays et détruisirent la cathédrale d'Aksoum dans le Tigré en 1535, et des envahisseurs Galla provenant de la région du lac Rodolphe au sud. L'empereur Gelawdewos (1540-1559) obtint l'aide des Portugais dans sa lutte contre ses voisins musulmans. Le roi Jean III demanda à son vice-roi de Goa, Garcia de Noronha, d'intervenir en Éthiopie contre les forces du sultan de Zeyla, Ahmed ibn-Ibrahim al Ghazi, surnommé Gragne (le Gaucher). En 1542, les forces conjuguées de l'Éthiopie et du Portugal le défirent à Anatsa dans le nord du pays. L'année suivante, le sultan fut une nouvelle fois battu à Wayna Daga, à l'est du lac Tana. Gelawdewos fut tué en 1559 par l'émir de Harar, Nour ibn Moudjahid, qui s'imposa comme la principale puissance musulmane de la région. Les Portugais cherchèrent à convertir les Éthiopiens, de confession copte donc monophysites, au catholicisme romain. Ils n'y parvinrent pas, mais à la fin du règne, les jésuites s'implantèrent durablement dans le pays.

Après la mort de Gelawdewos, l'Empire éthiopien sombra dans l'anarchie consécutive aux luttes de succession. Les Turcs profitèrent de cette période de faiblesse pour s'installer à Massaoua, sur la côte érythréenne. Au début du XVIIe siècle, l'Éthiopie connut un renouveau sous le règne du roi Sousneyos (1606-1632) qui se convertit au catholicisme et qui signa un traité d'allégeance au pape. Mais ses sujets, conduits par le clergé copte, ne le suivirent pas. L'empereur prit comme conseiller le jésuite Pero Paez, qui était par ailleurs architecte et qui construisit pour le souverain un nouveau palais à Gondar. Au Soudan voisin, le christianisme se désintégra au XVIᵉ siècle sous les coups des populations arabes transplantées par le sultan ottoman Sélim Iᵉʳ. Plus que jamais, l'Éthiopie chrétienne constituait l'ultime bastion chrétien de la région, face à un islam conquérant.

En Afrique, l'Empire portugais s'appuyait donc sur un chapelet de comptoirs créés de toutes pièces sur la côte occidentale ou conquis sur les sultanats musulmans sur la côte orientale. L'or du Soudan et le commerce des esclaves de Guinée ou d'Angola profitaient directement à la métropole et à Lisbonne, qui devint une plaque tournante du commerce européen. Sur la façade orientale du continent africain, le commerce portugais entrait dans un ensemble commercial gouverné par l'Inde et, hormis une partie de la production d'or du Monomotapa qui retournait à Lisbonne, les produits locaux étaient destinés au commerce d'Inde en Inde. En fait, pour les Portugais, le commerce d'Inde recouvrait une série de voies commerciales extrêmement longues qui sillonnaient un vaste espace maritime, de la côte orientale de l'Afrique jusqu'au Japon, du golfe Persique à l'Indonésie. Au centre de ce dispositif, la monarchie portugaise contrôlait des comptoirs avec des factoreries et des forteresses placées sous l'autorité de facteurs et de capitaines qu'elle nommait, le tout étant gouverné de Goa par un vice-roi d'un royaume qui allait porter le nom d'État de l'Inde. Mais l'expansion portugaise s'opéra aussi au travers d'une multitude d'aventuriers travaillant pour leur propre compte dans les ports dont le roi de Portugal ne se rendit pas maître, se mettant au service des potentats locaux, musulmans ou hindous, n'hésitant pas à renier leur foi catholique quand il en allait de leur intérêt, se fondant en quelque sorte dans les populations locales. Cette grande souplesse culturelle des Portugais loin de leur terre d'origine constitue la caractéristique de l'histoire coloniale portugaise et la distingue de son homologue espagnole. Elle permit aux Portugais de s'insérer dans les circuits commerciaux, sans attendre la protection d'un souverain qui était lointain et incapable d'imposer son autorité à des princes orientaux qui ne l'auraient de toute manière pas acceptée.

Le premier contact entre le Portugal et l'Inde fut manqué. Vasco de Gama arriva à Calicut avec l'expérience de l'Afrique. Au *samorin* de Calicut qui lui demandait ce qu'il venait chercher il répondit : « Des chrétiens et des épices. » En fait de chrétiens, il trouva des marchands musulmans, qui avaient voyagé en Afrique du Nord et en Méditerranée, qui étaient parfaitement au courant des affaires de l'Europe et qui parlaient italien. Mal préparé à la richesse de l'Asie, Gama ne proposa au souverain que des cadeaux de faible valeur, dont se gaussèrent les marchands musulmans et qui furent reçus avec mépris par le prince. Gama ne comprit rien à la civilisation du Deccan, pensa que les hindouistes étaient des chrétiens et que leurs temples étaient des églises. Il se rendit compte cependant de l'hostilité des autorités locales et des marchands musulmans. En 1500, Manuel Iᵉʳ le Fortuné forma une puissante escadre de treize navires et de mille cinq cents hommes, commandée par Pedro Álvares Cabral. Celle-ci entra dans le port de Calicut en septembre 1500, après un long périple au cours duquel elle découvrit le Brésil. Les tempêtes de l'hémisphère austral l'avaient réduite de moitié. Cette fois-ci, les cadeaux étaient royaux et le *samorin* en fut satisfait. Il installa les nouveaux venus dans une maison forte autrefois occupée par des marchands chinois. Mais les Arabes firent de leur mieux pour éloigner ces concurrents. Après l'attaque d'un navire musulman et le massacre de son équipage par les Portugais, ils provoquèrent une émeute à la suite de laquelle les Portugais durent fuir la ville qu'ils bombardèrent violemment. Le voyage de Cabral permit une meilleure analyse de la situation locale que le voyage de Gama. Les rois de Malabar étaient des païens ; les chrétiens – par ailleurs nestoriens, donc hérétiques aux yeux des catholiques – ne représentaient qu'une très faible minorité ; les princes favorisaient les marchands musulmans. Mais l'Inde regorgeait de richesses.

Les informations furent analysées en conseil royal et la politique à tenir fut définie. Elle devait s'inscrire dans le projet messianique élaboré par Jean II et repris à son compte par Manuel le Fortuné : prendre les Turcs à revers pour libérer les Lieux saints, faire le blocus de la mer Rouge et détourner le trafic des épices vers l'Europe, financer la construction d'un empire chrétien universel. Dès 1499, Manuel avait pris le titre de « Seigneur de la conquête, de la navigation et du commerce d'Éthiopie, d'Arabie, de Perse et d'Inde ». Pour le moment, il s'agissait de décider de la conduite à suivre en Inde. L'alternative était simple : ou les Portugais s'inséraient dans les réseaux commerciaux locaux au même titre que les autres marchands – ce qui ne présentait aucune difficulté – ou ils employaient la force pour se réserver le monopole du commerce des épices. La seconde solution fut choisie et Vasco de Gama fut envoyé avec une armada de vingt bateaux pour détruire la présence musulmane dans l'océan Indien, y organiser la flotte chrétienne et construire des forts sur la côte de Malabar. Vasco de Gama désirait venger les humiliations subies au cours de son premier voyage et celles qu'avait dû affronter Cabral. Il appliqua les directives royales avec une extrême brutalité. Sur la côte orientale de l'Afrique, il détruisit Kiloa qui se soumit, coula systématiquement tous les bateaux musulmans qu'il rencontra et massacra leurs équipages. Sur la côte de Malabar, il signa des traités de commerce avec les rois de Cochin et de Cannanore, bombarda Calicut et détruisit les flottes locales, soit plusieurs centaines de bateaux. L'Empire portugais des Indes pouvait désormais se bâtir sur les ruines du commerce traditionnel.

La domination portugaise dans l'océan Indien s'opéra selon trois modalités. Dans les villes sous souveraineté royale, les officiers prélevaient les droits de douane au nom du roi. Ces villes pouvaient avoir été obtenues par la conquête militaire ou par un traité conclu avec un prince local. Ailleurs, le Portugal respectait l'indépendance des États en place, mais instaurait une sorte de protectorat sanctionné par des traités de commerce favorables. Ce fut le cas de Cochin et de Cannanore. Dans les États demeurés indépendants, comme l'empire de Vijayanagar ou les royaumes hindous de Sumatra, les Portugais étaient soumis aux usages locaux comme les autres marchands. L'État portugais des Indes prit naissance grâce à l'action des deux premiers vice-rois : Francisco de Almeida (1505-1509) et Afonso de Albuquerque (1509-1515). Après une période d'apprentissage au cours de laquelle ils se contentèrent de commercer à partir de leurs factoreries de Cochin et de Cannanore, où ils obtinrent le droit de construire un fort, respectivement en 1503 et en 1505, les Portugais partirent à la conquête de points d'appui. Le premier, Goa, fut saisi en 1510 aux dépens du sultan de Bijapur. De là, ils purent contrôler le commerce de Malabar, et la ville devint, en 1530, la capitale de l'État de l'Inde et la résidence du vice-roi.

En 1511, les Portugais s'emparaient de Malacca, dont le rôle stratégique était considérable. La ville était le grand entrepôt de l'Asie du Sud-Est et elle contrôlait les voies de commerce entre l'Inde, l'Indonésie et la Chine. La prise d'Ormuz en 1515 eut le même effet dans le golfe Persique. Dans cette région, les Portugais subirent pourtant leur premier gros échec à Aden d'où ils furent repoussés en 1513. En 1518, ils s'installaient à Colombo, point de départ d'un contrôle progressif des côtes de Ceylan, puis, profitant des difficultés du sultanat du Gujarat, ils obtinrent par traité les villes de Chaul en 1521, de Bassein en 1534 et de Diu en 1535. La cession de Daman en 1539 compléta leur dispositif dans ce golfe de Cambay si important du point de vue commercial. De Malacca, les

Portugais gagnèrent les Moluques. En 1525, ils s'ouvrirent
le Pacifique à l'est de l'Indonésie et arrivèrent au Japon en
1543 au sud de l'île de Kyushu. En 1557, Macao – la Ville
du Saint-Nom de Dieu en Chine – était fondée. En tout,
l'Empire portugais disposait d'une cinquantaine de forts
situés le long des côtes orientales de l'Afrique, à l'embouchure du golfe Persique, sur les côtes du Gujarat et de
Malabar à l'ouest de l'Inde, sur la côte de Coromandel et
dans le golfe du Bengale, dans l'archipel indonésien et aux
Moluques, en Chine et au Japon. À partir de ces points
d'appui, ils s'immiscèrent dans les affaires politiques des
États de la région, cherchant à contrôler les routes commerciales dans l'océan Indien et l'océan Pacifique.

Les conquêtes portugaises dans l'océan Indien ont été
réalisées avec des effectifs limités. Du Mozambique à
Macao, les forces portugaises ne disposèrent jamais de plus
de dix mille hommes, métis compris. À chaque expédition,
ils ne purent aligner que mille à trois mille soldats. Leur
flotte et leur artillerie firent la différence. Mais la force
seule ne pouvait venir à bout d'adversaires qui prirent la
mesure du défi militaire et qui comblèrent leur retard grâce
aux transferts de technologie rendus possibles par la défec-
tion de renégats. Les Portugais profitèrent de leurs divisions
et s'appuyèrent sur des alliés locaux. De Malindi à Calicut,
Vasco de Gama avait reçu l'aide d'un pilote musulman, Ibn
Majid, Cabral fut guidé par deux Gujarati. Sur place, ils
furent aidés par des juifs. C'est aussi un aventurier hindou,
Timayya (Timoja), qui conseilla Albuquerque et qui l'encouragea à s'emparer de Goa. La ville, qui constituait un
carrefour de communication entre le monde hindou et le
monde musulman, était disputée entre le sultan de Bijapur
et le rajah de Vijayanagar. Ses alliés apprirent à Albuquerque comment les villes côtières devaient être attaquées
à la période de la mousson pour empêcher l'arrivée de renforts par voie de mer. Albuquerque s'allia aux hindous, en
particulier aux Nayaks d'Honavar qui l'assistèrent dans le

siège de la ville mené de la terre. Quand Goa fut prise, les Portugais massacrèrent les musulmans et livrèrent la place aux brahmanes qui devinrent dès lors leur principal soutien. Généralement, les Portugais s'allièrent aux hindous contre les marchands musulmans, qu'ils aient été arabes (Pardeshi) ou indigènes (Mappilla). À Cochin et à Cannanore, les comptoirs étaient placés sous la protection de Nayaks, une caste de guerriers. Des alliances matrimoniales avec des Indiennes baptisées créèrent un fond de population métissée, les *casados,* qui facilitèrent l'insertion des Portugais dans les réalités indiennes. Dans les expéditions vers les Moluques, principale terre de production des épices, les pilotes étaient javanais et les équipages composites. Les Portugais utilisèrent tout au long du siècle les services d'ambassadeurs d'origine indienne dans les cours princières de la région. À l'inverse, leurs principaux adversaires furent les Vénitiens, alliés aux Mamelouks d'Égypte, puis les Turcs ottomans et, enfin, les renégats portugais qui jouaient leur propre carte.

L'ouverture de la route maritime vers l'Inde par le contournement de l'Afrique frappa de plein fouet l'économie de Venise qui détenait jusque-là le monopole de l'importation des épices en Europe et, par contrecoup, l'Égypte qui était son fournisseur exclusif. Les premiers retours de bateaux portugais aux cales bourrées de poivre firent chuter les prix en Europe et asséchèrent la place vénitienne, qui sombra dans le marasme. Aussi, les Vénitiens réagirent-ils vivement après un premier moment de stupeur en soutenant la résistance égyptienne. Quand les Portugais bloquèrent en 1502 l'entrée de la mer Rouge en s'emparant de l'île de Socotora, pour empêcher l'importation des épices en Égypte, le sultan mamelouk d'Égypte s'adressa directement au pape Alexandre VI pour qu'il fît pression sur les Portugais. Il menaça de représailles les chrétiens d'Égypte et de destruction les Lieux saints chrétiens de Palestine. Avec l'aide conjuguée des Ottomans et des

Vénitiens, il fit passer en 1507 dans l'océan Indien une
flotte de galères sous le commandement d'Amir Husain,
qui battit les Portugais à Chaul (1508) et nettoya la côte du
Gujarat de leur présence. Mais les équipages égyptiens qui
faisaient relâche dans les ports du golfe de Cambay y
provoquèrent des troubles qui exaspérèrent le gouverneur
gujarati de Diu, Malik Ayaz. Les forces conjuguées des
Portugais et des Gujarati eurent raison de la flotte égyptienne qu'elles écrasèrent à Diu en 1509. Cette défaite
égyptienne jeta la consternation à Venise et élimina les
Égyptiens de l'océan Indien. Il fallut attendre la prise
de contrôle de l'Égypte par l'Empire ottoman et l'annexion
de l'Irak pour voir à nouveau les puissances du Proche-
Orient intervenir dans la région. Après la prise de Bagdad,
le sultan ottoman Soliman se tourna vers le sud, la mer
Rouge et le golfe Persique. En 1538, une flotte turque
descendit la mer Rouge, s'empara d'Aden et poursuivit
jusqu'à Diu, qui se défendit victorieusement. En 1546,
les Ottomans se saisirent de Bassora au débouché du Chatt
al-Arab et imposèrent leur hégémonie sur le Golfe. Mais
si, en 1551-1552, l'amiral Piri Reis saccageait Mascate, il
échouait devant Ormuz.

Dans la seconde moitié du XVIe siècle, la politique turque
se tourna vers les côtes de l'Afrique orientale où les Ottomans tentèrent sans grand effet de coaliser les petits émirats locaux contre les Portugais. Paradoxalement, l'arrivée
des Moghols sur la scène indienne favorisa le maintien des
Portugais. Le sultanat du Gujarat, essentiel pour le contrôle
des routes commerciales entre le Moyen-Orient et la côte
de Malabar, se trouvait au centre de toutes les convoitises.
Jusqu'à sa mort en 1522, le gouverneur de Diu, Malik
Ayaz, fut l'adversaire le plus acharné des Portugais, malgré
l'alliance de circonstance de 1509 ayant amené la victoire
navale sur les Égyptiens. Le sultan du Gujarat ne manifestait pas la même prévention à l'égard des Européens que
son gouverneur. Aussi, quand le Gujarat se retrouva sous

la menace directe des Moghols, chah Bahadur se tourna-t-il vers les Portugais. En 1535, il leur remit Diu avec le droit d'y construire une forteresse en échange de leur soutien contre le Moghol Humayun. Il chercha bien à reprendre sa promesse en 1538 et en 1546, mais les Portugais étaient dans la place et ils ne la lâchèrent plus. Quand Akbar absorba le sultanat du Gujarat, il passa un compromis avec les Portugais qui contrôlaient désormais l'ensemble du commerce du golfe de Cambay et il leur donna le monopole du pèlerinage à La Mecque. Finalement, le plus grand danger pour les Portugais résidait dans les aventuriers portugais eux-mêmes, ces capitaines qui travaillaient pour leur propre compte et qui faillirent compromettre leur position aux Moluques, par exemple, quand l'un d'eux y assassina un roitelet local.

La stratégie commerciale des Portugais dans l'océan Indien et dans le Pacifique évolua avec le temps. Lorsqu'ils arrivèrent dans cette région, les Portugais visaient le commerce européen des épices. En 1500, la consommation du poivre en Europe représentait environ le quart de la production mondiale, tandis que le marché chinois absorbait les trois quarts de la production du marché de l'Asie du Sud-Est. Le poivre indien coûtait cher sur le marché vénitien, à cause des multiples ruptures de charge qu'impliquait la route de la mer Rouge : un kilogramme de poivre valait 1 gramme d'argent à la production, était revendu de 10 à 14 grammes à Alexandrie, de 14 à 18 grammes à Venise pour arriver sur les tables européennes au prix de 20 à 30 grammes. Par la route maritime directe, les Portugais purent faire baisser les prix à 20 grammes d'argent le kilo à la consommation. Ce fut suffisant dans un premier temps pour s'emparer d'une partie du marché vénitien. Les profits furent alors gigantesques pour le roi de Portugal qui jouissait du monopole. Un calcul a démontré qu'au début du XVIe siècle ils s'élevaient à 260 %. Ils baissèrent régulièrement par la suite pour plusieurs raisons. La consom-

mation mondiale explosa et fit casser les prix. La concurrence s'aiguisa et les voies d'approvisionnement se multiplièrent. C'est ainsi que le sultanat d'Atjeh, à la pointe
nord-occidentale de Sumatra, devint une zone de production importante entre les mains des marchands musulmans
qui, par l'intermédiaire des Maldives, exportaient la production vers la mer Rouge et ranimèrent ainsi la vieille
route commerciale des Échelles du Levant, redonnant des
couleurs aux affaires de Venise à partir de 1560. Avec les
conquêtes mogholes, tout le nord de l'Inde forma une unité
politique suffisamment solide pour que les routes commerciales à l'intérieur du sous-continent fussent revivifiées et
sécurisées. Ce fut autant qui échappa au contrôle portugais.

D'autre part, le commerce portugais officiel des épices
souffrait de certaines faiblesses d'organisation. L'argent
qui servait à acheter le poivre arrivait directement du Portugal. Il parvenait en Inde tard dans l'année, à un moment
où la récolte était terminée et où le meilleur poivre était
déjà vendu. Les Portugais ne pouvaient plus acheter que
les rebuts, le poivre de seconde qualité, chargé d'humidité,
qui devait en outre faire le voyage par mer jusqu'à Lisbonne, long périple au cours duquel il se dégradait encore.
Il était notoire sur le marché européen que le poivre portugais était de moins bonne qualité que le poivre vénitien et
qu'il s'adressait à une clientèle moins exigeante. C'est
pourquoi, afin de ne pas manquer la saison, les Portugais
prirent l'habitude d'échanger le poivre contre des produits
locaux ou du cuivre venant d'Europe ou d'Afrique orientale, nécessaire pour la fonte des canons et donc apprécié
par les États de la région. La dernière raison pour laquelle
les profits du commerce des épices baissèrent à la fin du
siècle provenait des frais occasionnés par l'entretien de
l'empire, les salaires versés aux officiers, marins et
hommes de troupe, le renouvellement de la flotte et de l'artillerie détériorées par le climat, la construction des forteresses. Aussi, à la fin du siècle, les profits baissèrent-ils

jusqu'à 90 %. Ils devenaient insuffisants pour assurer la rentabilité des opérations.

Les Portugais se rendirent compte très rapidement que le commerce local, le commerce dit d'Inde en Inde, offrait des possibilités beaucoup plus lucratives. Il prit d'abord la forme de la contrebande des épices, réalisée par les officiers royaux, les clercs et les marchands aventuriers aux dépens du monopole royal. Puis les Portugais s'insérèrent dans les circuits commerciaux locaux. L'exemple le mieux connu est celui du commerce des chevaux à partir de Goa. On sait que l'élevage des chevaux en Inde, dans les conditions de l'époque, était impossible pour des raisons climatiques. Les chevaux appréciés par les classes dirigeantes musulmanes et hindouistes et nécessaires pour la remonte de leurs armées étaient achetés à Ormuz dans le golfe Persique et revendus dans les ports du Konkan (Dabhol, Chaul ou Goa). Après s'être emparé de Goa en 1510, Albuquerque entreprit de concentrer le commerce des chevaux dans ce port, admirablement situé à la jonction de l'Inde musulmane et de l'Inde hindouiste, une région politiquement déchirée, où la guerre était endémique et où les armées avaient besoin de montures pour leur cavalerie. Les profits générés par ce trafic étaient énormes, mais malsains selon les normes chrétiennes qui interdisaient la vente des chevaux aux infidèles. Une bulle pontificale avait d'ailleurs été formulée en ce sens. Afin de ne pas perdre le marché, le gouvernement portugais tourna la difficulté. En 1574, il prit un décret aux termes duquel les Portugais n'étaient pas autorisés à vendre des chevaux aux marchands musulmans de Bijapur, le sultanat dans lequel Goa était enclavé, mais qui autorisait ces mêmes marchands à venir les acheter à Goa. Le marché des chevaux de Goa resta florissant pendant tout le siècle, tant que l'empire hindou du Vijayanagar et les cinq sultanats bahmanides se firent la guerre.

Le commerce d'Inde en Inde, en fait d'Afrique jusqu'au Japon, adopta de multiples facettes. Il eut tout d'abord un visage officiel, dans la mesure où la monarchie portugaise se rendit compte rapidement qu'elle n'avait pas les moyens d'imposer son monopole sur un espace aussi vaste. Très tôt, elle accepta que des marchands portugais trafiquent dans l'océan Indien contre l'achat d'autorisations spéciales, mais elle étendit cette liberté aux marchands locaux, même musulmans, comme les marchands gujarati ou mappilla du Deccan. L'intrusion des Portugais dans la région avait contribué à y briser la liberté de commerce. Aussi les Portugais proposèrent-ils aux marchands indiens une protection armée. Ce contrôle du commerce s'opérait par un système de licences ou de passeports *(cartaz)*, accordés aux marchands qui acceptaient de travailler avec eux. Les Portugais organisaient alors des convois de bateaux de commerce indigènes encadrés par des navires de guerre portugais. Ces convois *(cafilas)* pouvaient compter jusqu'à plusieurs centaines de navires. De Goa, deux ou trois fois par an, des convois allaient chercher le riz, plus au sud sur la côte de Malabar, dans la zone de Kanara, puis remontaient jusqu'au Gujarat qui en manquait. D'autres convois partaient des côtes occidentales de l'Inde, doublaient le cap Comorin et filaient vers la côte de Coromandel, le golfe du Bengale ou le royaume de Pegu, ou, plus loin, par Malacca vers Macao et le Japon. Le système des *cartaz* fut aussi imposé au Gujarat. Tout bateau quittant la baie de Cambay devait passer à la douane de Diu, y payer les taxes et obtenir une *carta*.

Ce système se maintint après l'annexion du Gujarat par l'Empire moghol, contre l'obtention par l'empereur moghol d'une *carta* libre, c'est-à-dire la possibilité d'envoyer tous les ans un bateau en mer Rouge sans payer les droits de douane, une sorte de « vaisseau de permission » avant la lettre. La raison de cette soumission était d'ordre militaire. L'artillerie embarquée des Portugais était irrésistible pour les États et les marchands de la région. Malgré leurs efforts, les hindous n'ont jamais pu combler leur retard sur la marine portugaise. Leurs bateaux n'étaient pas assez solides pour résister aux projectiles ou au recul des gros canons. Mieux valait encore acheter des *cartaz* plutôt que d'investir des sommes considérables dans la construction d'une flotte de guerre, d'autant que les princes indiens n'étaient guère portés vers les affaires de la mer. Chah Bahadur, sultan du Gujarat, ne prétendait-il pas que « les guerres sur mer sont une affaire de marchands et sans importance pour le prestige des rois » ?

Goa était la capitale de l'État des Indes. Ce port du Konkan, conquis en 1510, était situé sur des îles à l'embouchure de deux fleuves côtiers – le Mandovi et le Zuari –, bien protégé des moussons et des vents de l'intérieur par la chaîne des Ghats occidentaux. Ce petit territoire couvrait cent soixante-six kilomètres carrés et comprenait Goa proprement dite, deux faubourgs bientôt annexés, Bardes au nord, Salcette au sud, et une périphérie appelée Ilhas. La ville commença petitement mais se développa rapidement pour atteindre 250 000 habitants vers 1630, ce qui en faisait une agglomération de taille moyenne à l'échelle de l'Inde. Comme de nombreux ports asiatiques, Goa était remarquable pour son aspect cosmopolite, ce qui était inconcevable pour une ville européenne. Transplantés dans un milieu où ils n'étaient pas majoritaires, les Portugais durent s'adapter aux habitudes locales. Les Portugais de souche, soldats de la garnison compris, étaient peu nombreux, guère plus de quelques milliers. Mais très tôt leur présence donna naissance à une forte communauté de métis, et la prospérité de la ville attira des chrétiens de l'Inde, mais aussi de nombreux hindous dont beaucoup se convertirent à la foi chrétienne, des esclaves africains et des musulmans. Du point de vue racial, culturel et religieux, la ville était bigarrée. Après 1515, Goa fut la ville de résidence habituelle du vice-roi portugais et le siège des institutions centrales : un conseil, un tribunal royal, une garnison avec son capitaine, un responsable des intérêts de la couronne (le *vedor da fazenda*), un évêché créé en 1534, transformé rapidement en archevêché dont la province ecclésiastique s'étendait de l'Afrique de l'Est à Macao, et un tribunal de l'Inquisition à partir de 1560.

Dans le contexte messianique de la conquête, l'accent fut mis très tôt sur l'évangélisation. Les Portugais cherchaient des chrétiens, ils trouvèrent des nestoriens monophysites et des chrétiens de l'Église de saint Thomas, l'une des premières communautés chrétiennes attestées, dont l'évangélisation avait été attribuée à cet apôtre. Dès 1507, le vice-roi Francisco de Almeida avait envoyé une expédition sur la côte de Coromandel pour rechercher sa tombe. Elle fut trouvée en 1517 dans la ville de Meliapur, rebaptisée São Tomé en 1545. Ces chrétiens de saint Thomas dépendirent du patriarche de Chaldée jusqu'en 1599, puis relevèrent du patronage royal. Mais les autorités ecclésiastiques portugaises se méfiaient des chrétiens locaux, qu'elles soupçonnaient d'être influencés par l'hindouisme. Elles firent plutôt appel à des missionnaires mendiants ou jésuites. La relative tolérance qui prévalait à la création de la ville se changea en une pression soutenue à partir des années 1540. En 1542, François Xavier fit un passage à Goa et convertit ses habitants en masse. Les jésuites installèrent un collège qui fut le plus grand d'Asie et qui accueillit jusqu'à deux mille élèves. Ils en fondèrent un autre à Cochin. Mais il ne faut pas se leurrer, la communauté chrétienne en Inde resta toujours très marginale. Elle était handicapée par un prosélytisme dirigé vers les basses castes de la société indienne. Vers 1600, les chrétiens n'étaient guère plus de 175 000 pour une population totale de 140 millions d'habitants. Mais les Portugais étaient partout dans les ports, sous forme de petites communautés entreprenantes, généralement métissées. Cette souplesse d'adaptation étonnante se conçoit aisément si l'on envisage les capacités d'absorption de la société indienne. Un gouverneur de la Compagnie néerlandaise des Indes orientales notait dans un rapport de 1642 : « La plupart des Portugais en Inde regardent cette région comme leur patrie et ne pensent plus au Portugal. Ils font peu ou pas de commerce avec ce pays, mais se contentent d'un commerce de cabotage en Asie, comme s'ils étaient natifs d'ici et n'avaient aucune autre patrie. »

Officiellement, le Brésil a été découvert accidentellement en avril-mai 1500 par la grande armada de Cabral en route vers l'Inde. L'amiral aurait pris une route très occidentale pour contourner le « pot au noir » centré sur l'équateur et aurait ainsi touché le Brésil. Il est probable cependant que les marins portugais connaissaient cette terre et qu'ils en gardèrent le secret. Ce n'est peut-être pas l'effet du hasard si, lors des négociations ouvertes après la découverte de Christophe Colomb, cette partie du continent sud-américain leur fut attribuée et qu'ils obtinrent au traité de Tordesillas des conditions meilleures que celles qui leur furent accordées par la bulle pontificale de 1493, *Inter Coetera*. Les Portugais n'ont pas saisi tout de suite l'intérêt de cette nouvelle terre qu'ils baptisèrent la « Terre de la Sainte-Croix ». Pour deux raisons : la politique portugaise était à cette époque centrée sur l'ouverture de la route des Indes orientales et la prise de possession du Brésil ne se fit que de manière conservatoire. En outre, si les Espagnols trouvèrent des métaux précieux immédiatement aux Indes occidentales et justifièrent ainsi leur colonisation, le Brésil n'offrit aucune découverte équivalente au XVIe siècle. Sa valeur semblait très limitée.

Aussi, pendant longtemps, le Brésil ne fut qu'une terre d'escale pour les convois en route vers l'Inde, et les Portugais crurent qu'il n'était qu'un archipel. C'est pour contrer la concurrence française active en baie de Rio que les Portugais furent contraints de l'occuper et de la mettre en valeur. Le sucre donna aux Portugais les moyens de leur ambition. Pour allécher les entrepreneurs, l'État portugais leur accorda des privilèges considérables. En 1534, Jean III divisa la côte en douze secteurs délimités par les parallèles et concéda ces capitaineries à des donataires auxquels il octroya le privilège de transmettre leur fonction à leurs descendants et de larges droits de souveraineté (droits de justice, pouvoir militaire et politique). Mais cette politique n'obtint pas les résultats escomptés, et un gouvernement royal direct fut finalement installé. En 1549, Salvador de Bahia fut promue capitale et un gouverneur du Brésil fut nommé en la personne de Tomé da Sousa. Les donataires perdirent l'exercice des droits régaliens et ils furent progressivement remplacés par des gouverneurs. La présence portugaise s'étendit au Brésil et, en 1622, l'État du Pará et du Maranhão, trop éloigné de Bahia, fut érigé en province avec son propre gouverneur. Le bois brasil – du nom de sa couleur de braise – fut la première denrée exploitée. Elle donna son nom au pays. Ce bois était utilisé comme plante tinctoriale et médicinale. Mais l'essor du Brésil date du dernier tiers du XVIe siècle, grâce aux plantations de canne à sucre. La main-d'œuvre fut fournie par les esclaves importés d'Afrique noire. Entre 1570 et 1629, le nombre de moulins à sucre passa de 60 à 346. Le bois brasil ne fut plus exploité dès lors qu'à la morte-saison de la culture de la canne et utilisé comme lest pour les navires.

3. L'Empire castillan

Pendant une génération, le premier empire américain de la Castille se limita aux Grandes Antilles, Hispaniola, Cuba et Puerto Rico. Les Castillans s'y livrèrent à une économie de prédation, raflant l'or accumulé par les indigènes et exploitant les gisements aurifères de Saint-Domingue. Sous les coups de la Conquête, des épidémies et de la mise au travail forcé, les populations caraïbes qui étaient denses

– plusieurs millions d'hommes – furent décimées et disparurent. En 1520, les îles étaient vides, détruites et livrées aux troupeaux sauvages de porcs et de bovins importés par les Européens. Les Castillans résidaient dans les villes côtières qui servaient de relais avec l'Europe et de bases de départ pour les expéditions de razzia vers le continent américain. Dès 1498, ils exploraient les côtes de l'isthme de Panamá, de la Colombie et du Venezuela. À partir de 1511, ils écumaient les côtes du Yucatán pour y chasser l'esclave afin de repeupler les Grandes Antilles. Restait le problème du statut géographique de ces nouvelles terres : appartenaient-elles au continent asiatique ou constituaient-elles un nouveau continent situé entre l'Europe et l'Asie ? La question fut tranchée en 1513 quand Vasco Nuñez de Balboa traversa l'isthme de Panamá et déboucha sur la mer du Sud (plus tard océan Pacifique), à l'emplacement de la future ville de Panamá. Le premier contact des Castillans avec l'humanité amérindienne s'établit à travers des populations de culture arawak ou caribe, au faible niveau technologique, organisées en chefferies, mais très nombreuses sur les grandes îles, grâce, notamment, à la culture du manioc et de la patate douce aux rendements élevés. Sur les côtes de l'isthme, ils retrouvèrent ces mêmes populations, mais sur les contreforts des Andes de Colombie, ils entrèrent en contact avec des populations Chibcha qui avaient atteint un stade de développement supérieur. Elles exploitaient l'or et le transformaient avec une grande habileté technique et artistique qui impressionna les Espagnols, au point de donner naissance au mythe de l'Eldorado. Mais, tout compte fait, ces premiers contacts furent décevants. Les Castillans avaient du mal à reconnaître dans ces peuples relativement frustes les brillantes civilisations de la Chine ou du Japon qu'ils recherchaient. C'est au cours de la deuxième génération de la Conquête, à partir des années 1520, quand les Grandes Antilles eurent été anéanties, que les Espagnols partirent à l'assaut du conti-

nent américain et qu'ils découvrirent les grandes cultures
amérindiennes.

Trois principaux foyers de civilisation se partageaient le
continent américain au début du XVIᵉ siècle. Dans la presqu'île du Yucatán, l'isthme de Tehuantepec, le Guatemala
et le Honduras actuels vivaient des populations mayas.
Leur empire avait atteint son apogée aux alentours de l'an
mille et, bien qu'ils aient été en décadence et soumis à la
pression de plus en plus forte des Aztèques, leurs voisins
du Nord, les Mayas possédaient encore des restes de leur
éclat antérieur. Ils étaient organisés en puissantes cités-
États, à la population si nombreuse que les premiers
Espagnols qui pénétrèrent dans le pays en furent effrayés.
L'Empire mexicain dominait les hauts plateaux de l'Amérique centrale. À la différence de la confédération maya, il
était de formation récente. En 1428, Tenochtitlán s'était
associé à deux autres cités-États, Texcoco et Tlacopan,
pour constituer une Triple-Alliance qui étendit son pouvoir
du nord du Mexique actuel à l'isthme de Tehuantepec. Au
début du XVIᵉ siècle, la classe dirigeante de Tenochtitlán,
les Aztèques, avait confisqué le pouvoir aux dépens des
villes associées, et le *tlatoani* (le grand seigneur) de la
ville, Moctezuma II, régnait en maître quasi absolu. En
moins d'un siècle, les Aztèques avaient soumis les principaux peuples de la région, les Mixtèques du sud (Oaxaca),
les Totonaques de l'est (Cempoala), les Otomis du nord et
les Tarasques du Michoacán au nord-ouest.

Mais cet empire était encore fragile car il ne constituait
pas une entité homogène. Il présentait l'aspect d'une peau
de léopard : c'était un réseau de routes, de garnisons, de
villes soumises au milieu de régions qui lui étaient encore
hostiles comme la seigneurie de Tlaxcala à mi-chemin
entre Tenochtitlán et le golfe du Mexique. La domination
aztèque reposait sur le paiement du tribut, cette récolte de
produits précieux sans lesquels la classe dirigeante de la
Triple-Alliance ne pouvait survivre : l'or, le coton, les

fèves de cacao, les plumes de perroquet et les esclaves. En outre, bien qu'il ait été densément peuplé – environ 20 millions d'habitants –, l'Empire aztèque manifestait de graves faiblesses au moment d'affronter les invasions européennes. Du point de vue technologique, ces sociétés méso-américaines en étaient encore au stade du néolithique. Elles ne connaissaient ni les animaux de trait – tous les transports se faisaient à dos d'homme –, ni la roue, ni le fer, pas même le bronze. La domination de Tenochtitlán était contestée par les villes et les seigneuries qui lui résistaient et par les classes dirigeantes des villes de la lagune de Mexico, autrefois associées au pouvoir de Tenochtitlán mais désormais écartées, comme la noblesse de Texcoco. Pendant longtemps, les Espagnols ignorèrent tout de ce qui se passait sur les hauts plateaux de l'Amérique centrale, mais leurs bateaux qui commencèrent à longer la côte à partir des années 1510 furent vite repérés par les dirigeants aztèques et suscitèrent la crainte et l'étonnement.

Le troisième grand empire continental se situait plus au sud sur les hauts plateaux des Andes. Lui aussi était de formation récente, depuis que le lignage royal de Cuzco, les Incas, avait entrepris de fédérer sous son autorité les populations de la Cordillère. L'Empire inca se constitua en l'espace de quelques décennies et, sous les règnes de Túpac Yupanqui (1471-1493) et de Huayna Cápac (1493-1528), il atteignit son apogée, couvrant un ensemble territorial considérable qui correspondait au Pérou, à la Bolivie, au nord-ouest de l'Argentine, au Chili et à l'Équateur actuels. Mais cet empire souffrait, comme l'Empire aztèque, d'un manque d'homogénéité. Il se composait d'une mosaïque de chefferies que les Incas avaient gardées en place, elles-mêmes fragmentées en plusieurs sous-groupes disposés selon les étages écologiques, pour assurer l'approvisionnement du groupe en produits diversifiés : la pomme de terre et l'élevage des lamas sur les terres hautes, le maïs sur les terres plus chaudes et le coton et la coca sur les basses terres tropicales. À cette série de pouvoirs emboîtés l'Inca avait surajouté le sien, qui reposait sur des échanges de services plus ou moins forcés, en fait un véritable tribut qui consistait en versements de produits alimentaires, de produits précieux et exotiques comme les plumes d'oiseau et l'or, de femmes, de produits industriels comme les haches de cuivre, de tissus. En échange, l'Inca gratifiait de cadeaux, comme les splendides tissus de laine de vigogne (les *cumbis*) tissés dans les ateliers impériaux, ses serviteurs les plus fidèles ou les seigneurs qu'il voulait attacher à son service. Mais il faut bien reconnaître que cet échange de services était déséquilibré. Comme dans l'Empire aztèque, les peuples soumis supportaient parfois difficilement le joug inca, et, comme les Cañari établis au nord du Pérou ou les Mapuche du sud du Chili, ils se révoltaient régulièrement. Les grandes civilisations amérindiennes s'étaient développées à l'écart du reste de l'humanité depuis plusieurs dizaines de milliers d'années. Leur découverte par les Européens provoqua un choc culturel chez ces derniers, qui remit en cause leur conception du monde. Mais la violence du contact et de l'affrontement militaire eut des conséquences bien plus néfastes auprès des États méso-américains et andins, mal préparés du point de vue technique et intellectuel à une agression extérieure. L'irruption des envahisseurs ne pouvait que désarticuler ces ensembles politiques encore mal intégrés.

La conquête de l'Empire mexicain s'opéra à partir de Cuba. Si des expéditions privées allaient depuis plusieurs années écumer les côtes du Yucatán pour y chasser l'esclave, il fallut attendre la fin des années 1510 pour que des expéditions officielles fussent organisées par le gouverneur de Cuba, Diego Velázquez. En 1517 et 1518, deux expéditions exploratoires sur les côtes du Yucatán furent malmenées par les Mayas, dont la supériorité numérique suffit à repousser des envahisseurs peu nombreux mais solidement armés. Finalement, en 1519, une troisième expédition de onze navires et de quatre cent cinquante hommes équipés de quelques chevaux et d'une imposante artillerie fut placée sous le commandement du secrétaire du gouverneur, Hernán Cortés. Désireux de travailler pour son propre compte et fâché avec son supérieur, Cortés quitta l'île secrètement le 19 février 1519 et fit route vers le Yucatán, région sur laquelle les expéditions antérieures avaient fourni des renseignements. Cortés eut l'intelligence de comprendre immédiatement que, dans ce monde méso-américain extrêmement peuplé, il n'avait aucune chance de réussir à se tailler une conquête avec ses pauvres forces, même en considérant la supériorité technologique dont bénéficiait son armée.

Il devait donc chercher des alliés et veiller à ce que ses lignes de communication ne fussent jamais coupées. Il eut la chance avec lui quand il délivra une princesse aztèque qui avait été livrée en otage à la ville maya de Potonchan. La Malintzin lui révéla les subtilités de la politique aztèque et les faiblesses dont souffrait l'empire. Elle fut, tout au long de sa campagne, le meilleur conseiller du conquistador. Hernán Cortés décida d'accoster en pays totonaque sur l'île de San Juan de Ulloa où il fonda le premier établissement espagnol de Nouvelle-Espagne (21 avril 1519). Il savait que les Totonaques s'étaient révoltés contre Tenochtitlán et il leur proposa son alliance. Il inaugurait ainsi ce qui devait être le noyau de sa stratégie, s'appuyer sur les populations locales. La conquête du Mexique fut avant tout une insurrection généralisée des peuples soumis à la Triple-Alliance avec l'aide d'une petite troupe d'envahisseurs. Avec l'appui de la cité totonaque de Cempoala, Cortés put fonder la ville de Veracruz, où il construisit un fortin défendu par une puissante garnison et les dix bombardes qu'il avait emportées. C'est à partir de cette tête de pont qu'il s'enfonça dans l'intérieur du continent. Il gagna d'abord Tlaxcala, une seigneurie qui défendait son indépendance face aux pressions de la Triple-Alliance, puis il partit pour Tenochtitlán par une route difficile qui passait au sud de la vallée de Mexico entre les deux volcans qui la dominent, le Popocatépetl et l'Ixtaccíhuatl. Il y trouva encore une fois l'appui de deux cités hostiles à la Triple-Alliance et qui étaient prêtes à se rallier aux Espagnols, Amecameca et Chalco. C'est ainsi qu'avec une poignée de soldats et d'importants contingents d'auxiliaires indiens il entra dans la ville de Tenochtitlán, le 8 novembre 1519, accueilli par Moctezuma.

À plusieurs reprises, l'expédition de Cortés fut menacée d'être écrasée, d'abord par une réaction des armées de la Triple-Alliance qui rétablirent leur autorité sur les Totonaques et menacèrent le poste de Veracruz, ensuite par l'arrivée d'une armada de dix-neuf bateaux et de huit cents hommes envoyée par Diego Velázquez pour châtier son officier félon mais qui finalement se rallia à lui, enfin par une insurrection de la population de Tenochtitlán contre la présence des étrangers. Incapable de tenir la ville, Hernán Cortés fit exécuter Moctezuma qu'il avait capturé et donna l'ordre de la retraite. Tenochtitlán était une ville amphibie, construite sur une lagune, parcourue de canaux et reliée à la terre ferme par trois chaussées. Pour les Espagnols et leurs alliés, elle constituait une nasse dont il était difficile de sortir. La retraite s'opéra le 30 juin 1520, dans la nuit et sous une pluie battante. Les forces espagnoles durent s'ouvrir la route le long de la chaussée menant à Tlacopan, sous le harcèlement des forces de la Triple-Alliance. La « Noche triste » fut une lourde défaite pour Cortés qui perdit nombre de ses hommes (huit cents Espagnols, mille guerriers tlaxcaltèques), toute son artillerie lourde et une bonne partie de sa cavalerie. Mais en cinq jours, il rejoignait Tlaxcala grâce aux quelques chevaux qui lui restaient, aux arquebuses et aux arbalètes.

Dans les mois qui suivirent, il reconstitua ses forces, pendant que l'Empire mexicain était dévasté par une épidémie de variole. Cette maladie inconnue des Amérindiens et importée par les Espagnols causa des dégâts considérables dans la population et la désorganisa en tuant une bonne partie de ses cadres dirigeants. Plus de 40 % de la population des hauts plateaux disparurent en quelques mois. Ce fut le moment choisi par Cortés pour nettoyer la région du golfe de toute présence aztèque et constituer une principauté espagnole adossée à la ville de Veracruz où les renforts d'aventuriers venus des Antilles accostaient en grand nombre. Pendant l'hiver 1520 et le printemps 1521, Cortés s'employa à couper Tenochtitlán de son arrière-pays. En décembre 1520, il s'emparait de Texcoco, puis des villes de la lagune. Avec quelques bateaux armés de canons, il prit le contrôle de la lagune et, à partir du 22 mai 1521, il lança ses troupes à l'assaut des trois chaussées. Le long siège de Tenochtitlán avait commencé, puisque les dernières résistances ne furent matées que le 13 août 1521. Les 200 000 guerriers indigènes de l'armée de Cortés mirent la ville à sac et massacrèrent ses habitants, vengeant ainsi des décennies de soumission et d'humiliation. La Nouvelle-Espagne venait de naître dans le sang.

Il fallut plus de quinze ans avant qu'un semblant d'ordre fût rétabli dans ce qui avait été l'Empire aztèque. Avec la chute de Tenochtitlán, les Indiens virent s'effondrer leurs cadres politiques et leurs repères culturels. L'espace mexicain était considérable, aussi étendu que l'Europe occidentale, et une poignée d'aventuriers ne pouvait s'en rendre maître facilement. Hernán Cortés choisit la politique du protectorat et gouverna par l'intermédiaire du dernier empereur aztèque, Cuauhtémoc, réduit à l'état de fantoche. Dans un premier temps, le conquistador pensa poursuivre le rêve des premiers conquérants, celui de rejoindre l'Orient. Une expédition malheureuse en Basse-Californie le ramena à la réalité. Il s'établit dans son palais-forteresse de Mexico, l'ancienne Tenochtitlán, désormais en ruine et dont il commença à redessiner les plans. Mais, parmi les

Espagnols isolés au milieu d'une humanité indienne dense, effrayés de se sentir à la merci d'une insurrection, la zizanie s'instaura. L'autorité de Cortés fut contestée, des mutineries éclatèrent, comme celle de Cristóbal de Olid parti à la conquête des pays mayas pour son propre compte. Entre 1524 et 1526, Cortés dut se lancer dans une grande expédition au Guatemala et au Honduras pour rétablir l'ordre dans la région. C'est au cours de cette campagne qu'il fit exécuter Cuauhtémoc qu'il accusa de monter les Indiens contre lui.

Pour Cortés, le danger principal venait d'Espagne où Charles Quint, vainqueur de l'insurrection des *Comunidades* de Castille, n'avait pas l'intention de laisser se constituer une principauté autonome en Nouvelle-Espagne, sous l'autorité d'un général vainqueur et ambitieux qui s'y comportait en proconsul. En 1524, lors de la remise en ordre entreprise en Espagne, un Conseil des Indes fut créé. La vieille garde, nommée au temps de Ferdinand le Catholique, fut écartée. En 1527, une audience fut établie à Mexico. L'année suivante, Hernán Cortés fut appelé en Espagne. Il fut reçu par Charles Quint qui lui accorda le titre de marquis de la vallée d'Oaxaca et la charge de capitaine général, en échange de sa mise à l'écart. À son retour, il s'installa dans son nouveau domaine et fit construire sa résidence de Cuernavaca. Dans les années qui suivirent, la Nouvelle-Espagne sortit peu à peu du chaos originel. Les éléments les plus turbulents partaient pour d'autres théâtres d'opération, au Pérou ou dans les vastes étendues du nord du Mexique, tandis que les ordres religieux commençaient à quadriller les campagnes. En 1535, la Nouvelle-Espagne fut érigée en royaume et le premier vice-roi fut nommé. Ce fut Antonio de Mendoza, de la famille des comtes de Tendilla. Avec lui, la Nouvelle-Espagne entra dans l'ère coloniale.

En 1519, les Espagnols avaient fondé la ville de Panamá sur la côte du Pacifique. C'est là que se rencontrèrent les trois protagonistes de la conquête de l'Empire inca : Francisco Pizarro, un petit hidalgo d'Estrémadure, et Diego de Almagro, lui aussi estrémègne mais de naissance obscure, deux hommes qui avaient roulé leur bosse d'aventuriers dans de multiples expéditions de razzia sur les côtes du Darién auxquels s'associa un prêtre, Hernando de Luque, agent d'un marchand, Gaspar de Espinoza, qui apporta les fonds nécessaires. Les trois associés avaient commencé à écumer les côtes du Pacifique au sud de l'isthme de Panamá depuis 1524. En 1527, ils avaient atteint Tumbes et avaient introduit, sans le savoir, le virus du typhus qui ravagea immédiatement les populations de l'Équateur. En 1529, Pizarro obtenait de Charles Quint l'autorisation officielle de conquérir le Pérou et amenait d'Espagne une troupe de cent quatre-vingts aventuriers avec lesquels il partit à la conquête de l'Empire inca. Celui-ci connaissait en ces années décisives une crise terrible qui devait l'affaiblir face aux envahisseurs.

L'épidémie de 1527 avait emporté l'Inca Huayna Cápac, et deux de ses fils se disputaient son héritage : Atahualpa occupait le nord de l'empire, la région de l'Équateur et du nord du Pérou, tandis que Huáscar s'était établi au Cuzco et tenait le cœur de l'empire. Mais dans la lutte fratricide qui les opposa, Atahualpa parvint à vaincre son frère et à le capturer en 1532. Les Espagnols ignoraient ces événements, mais ils en profitèrent indirectement. Avec sa petite troupe fortement armée de chevaux et d'artillerie et des auxiliaires Cañari favorables à Huáscar, Pizarro s'enfonça dans la cordillère à la rencontre d'Atahualpa qui l'attendait à Cajamarca. Le 16 novembre 1532 eut lieu le guet-apens au cours duquel Pizarro captura l'Inca et massacra une bonne partie de ses troupes. Une fois de plus, comme au Mexique, les Espagnols avaient su profiter de l'effet de surprise et des divisions de leurs adversaires. La nouvelle de la chute de l'Inca arriva rapidement à Panamá et provoqua un afflux de plusieurs milliers de soldats

espagnols décidés à tenter la fortune et qui vinrent renforcer les maigres troupes de Pizarro. En janvier 1533, Quito
était occupé et Le Cuzco subit le même sort en novembre
de la même année après un siège long et difficile. La ville
fut mise à sac. Francisco Pizarro avait promis à Atahualpa
de le libérer après le versement d'une rançon considérable
en objets d'or. On a pu estimer le montant de cette rançon
fabuleuse à cinquante ans de production d'or de toute l'Europe. La rançon d'Atahualpa et le sac du Cuzco contribuèrent à accréditer l'idée que le Pérou était bien l'Eldorado
que recherchaient les conquistadores et provoquèrent une
véritable ruée vers l'or.

Il avait fallu une quinzaine d'années pour qu'un semblant
d'ordre fût rétabli en Nouvelle-Espagne après la chute de
Tenochtitlán, il en fallut bien davantage au Pérou. Les raisons en étaient multiples. Les hordes d'aventuriers qui
déferlèrent sur le Pérou étaient incontrôlables et les rivalités entre les chefs de guerre s'exacerbèrent au point de
dégénérer en guerre civile. Francisco Pizarro, qui n'était
pas dépourvu de courage, n'avait pour autant ni le flair ni
l'autorité politiques d'un Hernán Cortés. Il fut vite débordé
par ses lieutenants. Il ne comprit pas le rôle symbolique
joué par Le Cuzco dans les représentations andines. Il
abandonna la ville que les Indiens considéraient comme
l'ombilic de leur monde et alla installer sa capitale à Lima,
au bord du Pacifique. Il perdait ainsi le contrôle du monde
indigène. Le chaos s'installa au sein des sociétés indiennes.
Francisco Pizarro crut pouvoir gouverner par l'intermédiaire d'un Inca fantoche. Il jeta son dévolu sur un frère de
Huáscar, Manco Cápac, qui, dans un premier temps, joua
le jeu de la collaboration puis qui se réfugia dans la forêt, à
Vilcabamba, d'où il dirigea la résistance indigène contre
l'occupation espagnole. Les luttes de factions déchirèrent
le camp des conquistadores. En 1538, Diego de Almagro
qui revenait d'une expédition malheureuse au sud du lac
Titicaca fut assassiné par la famille Pizarro. Trois ans plus

tard, il était vengé par son fils, Diego de Almagro el Mozo, qui commandita le meurtre de Francisco Pizarro et se proclama empereur du Pérou après avoir noué une alliance avec Manco Cápac.

Sa victoire fut de courte durée, car le clan des « pizarristes » et les forces légalistes se regroupèrent contre le félon et le défirent à la bataille de Chupas, près de Huamanga entre Lima et Le Cuzco. Diego el Mozo fut capturé et sommairement exécuté. Le Pérou sombra définitivement dans l'anarchie quand Charles Quint proclama en 1542 les « nouvelles lois de Burgos » qui supprimaient l'*encomienda,* un système de répartition de la main-d'œuvre indienne employée sur les grands domaines des colons. Ainsi privés de leurs moyens d'existence, les colons se révoltèrent et prirent pour chef Gonzalo Pizarro, un frère de Francisco. Ils le poussèrent à se proclamer roi. Gonzalo ne franchit jamais officiellement le pas, mais se comporta comme un véritable souverain, frappant sa propre monnaie et refusant de verser l'impôt à Charles Quint. Les rebelles affrontèrent à Anaquito, dans l'Équateur actuel, le dernier carré des loyalistes et les vainquirent (18 janvier 1546). Le vice-roi Blasco Nuñez de Vela fut capturé et exécuté. Ce crime de lèse-majesté était inouï. Pour la première fois, un vice-roi espagnol était exécuté par des insurgés. Le royaume du Pérou devenait quasiment indépendant. Il n'était pas question pour Charles Quint d'envoyer un corps expéditionnaire pour châtier les rebelles, à cause de la distance. Il confia la mission de rétablir l'ordre à Pedro de La Gasca, un inquisiteur qui avait fait ses preuves contre les morisques du royaume de Valence. Pedro de La Gasca procéda habilement en dissociant les *encomenderos*. Il promit le pardon à ceux qui accepteraient de rentrer dans le rang, d'autant que Charles Quint avait suspendu en 1545 l'application des nouvelles lois de Burgos. Bientôt, il créa le vide autour de Gonzalo Pizarro et battit ses forces en avril 1548 à la bataille de Xaquixaguana, près du Cuzco. Gonzalo

Pizarro se rendit à son vainqueur qui le fit décapiter. Le Pérou retournait définitivement dans le giron impérial.

La conquête du Pérou ne marqua pas le point d'aboutissement de la poussée espagnole sur le continent américain, qui se poursuivit inexorablement dans le désordre. Dès qu'il eut acquis la maîtrise du centre de l'Empire inca, Francisco Pizarro s'était débarrassé de ses lieutenants encombrants. Pedro de Alvarado, le conquistador du Nicaragua, retourna sur ses terres pour en achever la conquête, tandis qu'Hernando de Soto reçut l'autorisation royale d'aller conquérir la Floride. Diego de Almagro avait reçu de Charles Quint le titre d'*adelantado* de la province de Nouvelle-Tolède, située au sud de la Bolivie actuelle et qui s'ouvrait sur le Chili. Mais son expédition réalisée dans des conditions inhumaines – son armée de mille cinq cents hommes franchit la cordillère des Andes en plein hiver – fut sans succès. Les Espagnols connurent d'ailleurs beaucoup de difficultés à asseoir leur autorité sur cette région que les Incas n'étaient pas parvenus à soumettre. En 1553, l'armée de Pedro de Valdivia fut écrasée à Tucapel, dans le centre du Chili, par les Indiens Mapuche – appelés aussi Araucan –, et ce revers marqua la fin de la progression espagnole en Amérique du Sud.

Peu à peu, une administration de droit commun s'installa. Tous les territoires situés au sud du Nicaragua constituèrent le royaume de Nouvelle-Castille, gouverné depuis 1543 par un vice-roi résidant à Lima. Des audiences furent installées à Panamá, Lima, Santa Fé de Bogotá, Los Charcas, Quito et Santiago du Chili. Mais ce qui contribua par-dessus tout à stabiliser la situation politique, ce fut la découverte du fabuleux filon argentifère du Cerro de Potosí en 1545. L'exploitation en commença immédiatement, donnant naissance à la Villa Imperial de Potosí, qui fut la plus grande et la plus brillante agglomération urbaine de toutes les Amériques ibériques à la fin du XVIᵉ siècle. Mais c'est avec la découverte des mines de mercure de

Huancavelica au Pérou en 1572, nécessaire pour produire l'amalgame, que l'exploitation de l'argent du Potosí atteignit ses plus hauts rendements. Les lingots étaient acheminés par le port d'El Callao vers Panamá, puis reprenaient la mer à Porto Belo vers Saint-Domingue ou Cuba et arrivaient à Cadix par la flotte des galions. L'argent du Potosí finança la politique impériale de Philippe II d'Espagne. Sans lui, l'Espagne n'aurait pu imposer sa prépondérance sur l'Europe jusqu'au milieu du XVIIe siècle. L'essor de la production minière eut des effets politiques immédiats. La présence espagnole se renforça et la résistance indienne s'affaiblit. Cette même année 1572, le dernier Inca de Vilcabamba, Titu Cusi, fut livré par les siens et le vice-roi Francisco de Toledo le fit décapiter sur la place centrale du Cuzco. Avec la mort de Titu Cusi s'éteignait la splendeur des Incas.

Au moment où Hernán Cortés mettait les pieds sur le continent américain et se lançait à l'assaut des hautes terres du Mexique, les Castillans réalisaient un autre exploit retentissant. Fernand de Magellan, un Portugais qui avait participé à la conquête des Moluques sous les ordres d'Albuquerque, avait proposé à Charles Quint de parvenir aux îles à épices en empruntant la route de l'Ouest par le contournement du continent américain. Il partit avec une petite escadre de cinq vaisseaux en 1519, longea les côtes de l'Amérique du Sud et s'engagea dans l'océan Pacifique en se faufilant dans l'étroit bras de mer qui sépare le continent de la Terre de Feu. Après une navigation de plus de trois mois à travers le Pacifique, il atteignait l'île de Guam le 6 mars 1521. Il poursuivit jusqu'aux Philippines, aborda à Cebu, mais périt ainsi qu'une bonne partie de ses équipages dans un combat avec les indigènes dans l'île voisine de Mactan. Un seul bateau, sous le commandement de Juan Sebastián Elcano, parvint à rejoindre Lisbonne à l'automne 1522, après avoir chargé ses cales d'épices aux Moluques. L'expédition venait d'accomplir le premier tour du monde, de prouver la rotondité de la terre, l'existence du continent américain et la possibilité d'atteindre l'Indonésie par la route de l'Ouest. D'un point de vue pratique, l'expédition n'eut pas de suite, car cette route maritime, qui allait à l'inverse du sens des vents dominants et des courants, était bien trop difficile pour devenir une route normale, d'autant que le contournement du continent américain à des latitudes aussi basses par le canal de Beagle ou le cap Horn était presque impraticable avec les moyens techniques de l'époque. D'ailleurs, une seconde expédition espagnole pour les Moluques, commandée par Jofre de Loaisa, partit de La Corogne en juin 1525 mais ne revint pas.

Mais sur le plan politique, ses conséquences furent considérables. Les Espagnols pouvaient revendiquer le partage des îles du Pacifique au nom de l'application du traité de Tordesillas. Ils demandèrent que fût fixé le méridien dans l'océan Pacifique. Magellan avait situé les Moluques à la longitude de 2° 30' à l'est du méridien de Tordesillas, soit dans l'hémisphère espagnol. Il se trompait, car elles sont à 4° à l'ouest de ce méridien, mais le Portugal était encore incapable de le prouver. Les négociations furent ouvertes entre le Portugal et l'Espagne à Badajoz, mais elles n'aboutirent pas. De nouvelles négociations se déroulèrent en 1529 et se conclurent par la signature du traité de Saragosse. L'Espagne recevait les Philippines et les Moluques, mais Charles Quint, à court d'argent, cédait les Moluques aux Portugais contre le versement d'une somme de deux cent cinquante mille ducats et la possibilité de les racheter par la suite. C'est ainsi que furent définies les aires d'influence respectives de l'Espagne et du Portugal. Ce compromis souleva les protestations des autorités de la Nouvelle-Espagne et de Cortès en particulier, qui comptaient poursuivre la conquête de l'Amérique vers l'Asie en traversant la mer du Sud (le Pacifique). En 1537, un survivant de l'expédition de

Loaisa, Andrès de Urdaneta, parvenait à rentrer miraculeusement en Espagne et allait donner à Charles Quint des informations sur les îles Moluques et les moyens d'y parvenir.

Désormais, l'exploration de l'Asie par les Espagnols devait être réalisée à partir de la Nouvelle-Espagne. En 1542, une expédition sous le commandement de Ruy Lopez de Villalobos partit pour les Philippines où elle obtint, par l'intermédiaire d'aventuriers espagnols et portugais qui écumaient ces régions, des informations sur la Chine et le Japon. Incapables de retrouver le chemin du retour, les Espagnols furent contraints de demander le passage à travers les territoires portugais de l'océan Indien. Le problème scientifique consistait à trouver la route du retour qui ne pouvait se faire qu'en remontant des Philippines vers le nord, jusque dans les eaux de la mer du Japon, avant de repiquer plein est en direction de la Basse-Californie, un périple épuisant de six mois, mais rentable compte tenu de la haute valeur ajoutée des produits asiatiques. Cette route fut ouverte en 1564 par l'expédition de Miguel López de Legazpi qui partit de Navidad, un havre de la côte pacifique du Mexique près de Colima. Le pilote de l'expédition était Urdaneta, qui s'était fait entre-temps moine augustin mais qui reprit du service pour l'occasion. La flotte atteignit Cebu en juin 1565, puis remonta en longeant Taïwan, les îles Ryukyu et le Japon en profitant de la mousson du sud-est, se dirigea à l'est vers la Californie, avant de redescendre jusqu'à Acapulco qui devint ainsi la plaque tournante du commerce avec Manille. La conquête difficile des Philippines commençait. Le but initial de parvenir aux îles à épices fut abandonné pour le commerce plus lucratif avec la Chine. En mai 1571, Manille devenait le siège du gouvernement des Philippines et, dix ans plus tard, la ville était érigée en évêché.

4. Les autres puissances européennes

Pendant très longtemps, le Portugal et la Castille assurèrent seuls la responsabilité de l'expansion outre-mer et en
retirèrent les profits politiques. Les autres puissances européennes assistèrent en spectatrices à ce partage du monde
pour différentes raisons : manque d'ambition, de capitaux
et de savoir-faire. Il fallut attendre la fin du XVIᵉ siècle pour
que des conditions plus favorables les autorisent à remettre
en cause le monopole des Ibériques. Le sac du port d'Anvers par les *tercios* espagnols révoltés en 1576 avait désta-
bilisé le grand commerce des pays du Nord, mais l'Union
des deux Couronnes d'Espagne et du Portugal en 1580-
1581 fermait le marché de Lisbonne aux autres puissances
européennes. Le désastre de l'Invincible Armada en 1588
qui porta un coup terrible au prestige de l'Espagne offrit
une opportunité à ces pays d'Europe du Nord d'aller s'approvisionner directement aux îles à épices.

Dès la fin du XVᵉ siècle, les marins français, basques,
bretons ou normands trafiquaient sur les eaux revendi-
quées par les Portugais et les Castillans. Les rois de France
ne reconnurent jamais le partage du monde sanctionné
par le traité de Tordesillas. Les pêcheurs de morue et les
chasseurs de baleine fréquentaient les bancs de Terre-
Neuve. Des marins de Honfleur allaient chercher le bois
brasil, le coton, les singes et les perroquets sur les côtes du
Brésil et se livraient à la piraterie contre les bateaux portugais et espagnols. L'armateur de Dieppe, Jean Ango, était
à la tête d'une flotte de vingt à trente vaisseaux qui faisaient le commerce de Guinée. En 1529, deux de ses
navires commandés par les frères Parmentier allèrent jusqu'à Sumatra, mais les résultats commerciaux furent décevants. La guerre de course rapportait davantage. En 1522,
Jean Fleury, de Honfleur, s'empara de trois caravelles qui
transportaient les trésors confisqués aux Aztèques par

Hernán Cortés. Mais ces entreprises étaient individuelles et n'avaient pas le soutien de l'État. Des comptoirs plus ou moins stables avaient été créés sur les côtes du Brésil où les aventuriers normands se livraient au troc avec les indigènes. Ils furent systématiquement détruits par les Portugais en 1527. Les premières expéditions de découverte furent lancées sous le règne de François Ier. Il s'agissait de concurrencer les Espagnols sur la route maritime de l'Ouest pour atteindre les Indes. C'est pourquoi en 1523 et 1524, le Florentin Giovanni da Verrazzano partit à la découverte des côtes de l'Amérique du Nord, avec le soutien du roi de France et des financements de la banque italienne de Lyon. Il prospecta la côte de la Caroline du Sud, remonta vers le New Jersey à la recherche du passage du Nord-Ouest, poursuivit jusqu'à Terre-Neuve et revint en France sans avoir trouvé ce qu'il cherchait. Sur les mêmes bases, le Malouin Jacques Cartier, bientôt associé à Jean-François de La Roque de Roberval, tenta d'établir des colonies de peuplement le long du fleuve Saint-Laurent au Québec entre 1534 et 1543. Pour la première fois, ces expéditions furent financées par le roi de France. Leur échec s'explique à la fois par la modestie des moyens mis en œuvre et par la pauvreté des résultats. Pour avoir des chances de concurrencer les puissances ibériques et enclencher un mouvement de conquête des territoires outre-mer, il fallait que l'opération fût rentable soit par la découverte de gisements de métaux précieux, soit par l'accès au marché rémunérateur des épices. Créer des colonies de peuplement dans des régions aussi hostiles que le Canada n'avait aucun intérêt sur le plan commercial et stratégique.

La situation se modifia sous le règne du roi Henri II. Avec le développement des luttes confessionnelles, les projets de conquête outre-mer prirent une autre dimension. Les dirigeants français, protestants et catholiques, virent en eux l'occasion de réaliser une sorte d'union sacrée en coalisant les énergies contre l'ennemi espagnol. D'autre part, la fondation de colonies de peuplement aurait permis de régler le problème protestant en favorisant l'émigration des huguenots vers les territoires conquis. L'amiral de Coligny, un protestant, fut le concepteur de cette politique, qu'il put mettre en œuvre à deux reprises sous le règne d'Henri II puis sous celui de Charles IX. En 1555, il s'associa avec un baroudeur érasmisant, ancien condisciple de Calvin, Villegaignon, devenu chevalier de l'Ordre de Malte. Plusieurs expéditions permirent d'occuper une île dans la baie de Rio de Janeiro dont Villegaignon voulait faire une Malte brésilienne. Calvin y envoya des protestants genevois, mais la zizanie ne tarda pas à s'installer dans la petite colonie, attisée par le caractère tyrannique de Villegaignon. En mars 1560, les Portugais finirent par s'emparer de Fort-Coligny sur l'île de Villegaignon et en massacrèrent les défenseurs. Les survivants s'enfuirent sur le continent et se mêlèrent aux populations indigènes dans lesquelles ils se fondirent. En 1567, les Portugais nettoyèrent la baie de Rio de la présence française et fondèrent la ville de São Sebastião – du nom du roi de Portugal, Sébastien –, qui prit par la suite le nom de Rio de Janeiro. La politique coloniale française reprit en 1562, mais cette fois-ci plus au nord. Elle visait les intérêts espagnols en Floride. Une première expédition conduite par le huguenot dieppois Jean Ribault et le gentilhomme breton Goulaine de Laudonnière, lui aussi protestant, aboutit à la fondation de Charlesfort, qui périclita après avoir été abandonnée par la métropole plongée dans les guerres civiles. En 1564, Laudonnière repartit en Floride, fonda Fort-Caroline au nord de la position espagnole de San Agustín, mais sans plus de succès. L'année suivante, Jean Ribault amena d'importants renforts en hommes, ce qui provoqua la réaction des Espagnols. Philippe II ne put supporter la présence d'un foyer hérétique en Floride, si près des possessions espagnoles. En 1566, une expédition militaire s'empara de Fort-Caroline et égorgea tous les défenseurs, dont Jean Ribault. En représailles, Dominique de Gourgues, un gentilhomme gascon, vint anéantir la colonie espagnole de San Agustín l'année suivante.

Ce fut le dernier exploit guerrier des Français en Amérique avant longtemps. Le royaume s'enfonça dans les guerres intérieures et disparut de la scène politique mondiale pendant près de trente ans. Le retour de la paix civile et la réorganisation du pays par Henri IV favorisèrent la reprise des expéditions outre-mer. Mais le royaume de France ne disposait plus que de modestes moyens et ne pouvait concurrencer les Ibériques et les nouveaux venus qu'étaient les Anglais et les Hollandais sur les marchés les plus rémunérateurs. C'est pourquoi l'attention des découvreurs français se porta à nouveau vers les territoires de l'Amérique du Nord. Après un premier voyage en 1603 au cours duquel il remonta le Saint-Laurent, Samuel de Champlain repartit en 1604, reconnut les côtes de l'Acadie et s'installa à Port-Royal. En 1608, il fonda Québec et parcourut la région des grands lacs. Il organisa la province de Nouvelle-France dont il devint lieutenant général en 1619 et reçut l'appui de Richelieu qui créa à dessein la Compagnie des Cent-Associés, une compagnie qui reçut le monopole des relations commerciales avec l'Amérique du Nord. Mais les Français n'étaient déjà plus seuls sous ces latitudes. Les Anglais commençaient à s'installer au Massachusetts en 1620 et virent d'un mauvais œil ces concurrents. En 1629, ils occupèrent Québec mais le rendirent au traité de Saint-Germain-en-Laye en 1632.

Les débuts de l'Angleterre dans la course outre-mer furent modestes. Les marins de Bristol couraient l'Atlantique nord sur les lignes régulières vers l'Islande et pêchaient sur les bancs de Terre-Neuve. Mais, après la guerre civile des Deux-Roses, la monarchie anglaise était trop pauvre pour financer les expéditions de découverte. En 1497, un marin d'origine vénitienne, John Cabot, reconnut les côtes de Terre-Neuve, de la Nouvelle-Écosse et du Labrador.

L'année suivante, il repartit sur un bateau fourni par le roi Henri VII, mais il disparut. Puis plus rien. La création de la Compagnie anglaise des Marchands Aventuriers de Londres et de la Compagnie de la Moscovie relança les tentatives anglaises, sur la base d'un projet pour rejoindre la Chine par un hypothétique passage du Nord-Est. En 1553, Richard Chancellor doublait le cap Nord, atteignait Arkhangelsk, puis redescendait les grands fleuves russes jusqu'à Moscou. La Compagnie de la Moscovie, spécialisée dans le trafic des produits de Sibérie, comme l'ambre et les fourrures, fixa sa base à Rose Island, à l'embouchure de la Dvina, et ouvrit des routes commerciales à travers la Russie jusqu'en Asie centrale et en Iran. À la fin du siècle, les aventuriers anglais, comme les frères Sharley, aidèrent chah Abbas à construire l'État iranien et à chasser les Portugais de Bahreïn et d'Ormuz. À partir de leurs positions sur le golfe Persique, ils pouvaient espérer rejoindre les marchés à épices du Sud-Est asiatique où ils entrèrent rapidement en concurrence avec les Hollandais.

Parallèlement, la reprise du projet du passage du Nord-Ouest vers la Chine refit surface dans les années 1570 avec l'appui du gouvernement anglais, engagé dans une lutte sans merci contre l'Espagne. Entre 1576 et 1578, Martin Frobisher naviogua dans les eaux du Labrador et de la baie d'Hudson et dut renoncer à découvrir le passage vers la Chine. L'Amérique du Nord était certes située en dehors de la zone d'influence de l'Espagne, mais ses possibilités d'exploitation restaient limitées. Le gouvernement anglais fut donc tenté par l'affrontement direct avec l'Espagne sur son propre terrain. Les premiers raids de reconnaissance furent accomplis par les corsaires John Hawkins et Francis Drake. Ce dernier commença par une expédition contre Veracruz en 1568, puis fut le premier navigateur anglais à accomplir le tour du monde, entre 1577 et 1580, détruisant sur son passage les possessions espagnoles. En 1585, il ravagea une nouvelle fois les Caraïbes. Mais ce n'étaient là que des actes de guerre, destinés à porter le doute au cœur du système de domination espagnol. L'empire outre-mer de l'Angleterre naquit avec la volonté d'Humphrey Gilbert et de son demi-frère Walter Raleigh de fonder un établissement sur la côte est de l'Amérique du Nord, suffisamment éloigné des possessions espagnoles pour lui éviter le sort des établissements français de Caroline quelques années auparavant, mais dans une région au climat encore assez chaud pour autoriser la culture de plantes à haute valeur ajoutée comme le tabac et le coton. La région qui fut choisie était située autour du cap Hatteras. Après plusieurs tentatives commencées dans les années 1580, la Virginie – du nom de la reine « vierge » Élisabeth Ire – ne prit vraiment son essor qu'au début du XVIIe siècle.

En 1620, les immigrants du *Mayflower* fondaient un autre établissement anglais, plus au nord vers le cap Cod. Cette colonie égalitaire, puritaine, reproduisant en somme une société anglaise dont les modèles étaient paysans et bourgeois, n'avait rien de commun avec la Virginie aristocratique et esclavagiste. Dans les premières années du XVIIe siècle, l'Angleterre parvenait donc à remettre en cause le monopole commercial des Ibériques qui s'était renforcé avec l'union des deux couronnes d'Espagne et du Portugal en 1580. Par la route de la mer Blanche, des fleuves russes et du golfe Persique, les marchands anglais s'ouvraient le chemin des épices de l'Extrême-Orient ; grâce à la Virginie, elle produisait pour son propre compte certains produits tropicaux comme le tabac et participait à la traite négrière.

S'immiscer dans le commerce oriental, si rémunérateur, tout en affaiblissant l'Espagne dont elles cherchaient à s'émanciper, telle était aussi la politique des Provinces-Unies. Les Pays-Bas espagnols avaient pris part très tôt à la conquête américaine, grâce à leurs marchands et à leurs missionnaires, mais dans les rangs des sujets des Habsbourg. À partir des années 1530, Anvers s'imposa comme l'une des capitales du commerce mondial, en tout cas comme la capitale européenne des trafics avec l'outre-mer. Les produits que la Castille et le Portugal drainaient de leurs possessions jusqu'à Cadix et Lisbonne aboutissaient à Anvers, qui les redistribuait. Mais dans les années 1560, le port flamand commença à subir les contrecoups d'un retournement de tendance dans lequel les événements politiques eurent leur part. Des conflits avec la Compagnie anglaise des Marchands Aventuriers de Londres poussèrent la nation anglaise à quitter temporairement Anvers pour aller s'installer à Emden, au plus près des routes commerciales pour l'Allemagne et l'Italie (1564). La guerre du Nord entre le Danemark, la Suède et la Pologne entre 1563 et 1570 perturba les trafics dans la Baltique. Mais ce sont les problèmes intérieurs aux Pays-Bas qui signèrent le déclin d'Anvers. La crise iconoclaste de 1566, la reconquête de la Zélande et de la Hollande à partir de 1572 par les rebelles protestants, le sac de la ville en 1576 par les soldats espagnols mutinés contribuèrent à créer autour du port un climat peu propice aux affaires. La nation portugaise le quitta en 1578 pour Cologne, suivie en 1584 par les Marchands Aventuriers de Londres qui s'installèrent à Middelburg en Zélande. La reconquête d'une grande partie des Pays-Bas par Alexandre Farnèse, puis le siège de la ville et sa chute en août 1585 achevèrent de détruire les capacités commerciales du port brabançon. Dès lors, les flux se dirigèrent plus au nord, vers la Hollande.

Les marins hollandais et zélandais firent leurs premières armes sur les bancs de hareng de la mer du Nord, avant de forcer le détroit du Sund et de s'aventurer en Baltique où ils entrèrent en concurrence avec les villes de la Hanse pour le commerce des produits du Nord, les blés polonais et baltes, les bois des forêts, l'ambre et les fourrures. À l'instar des Anglais et des marins protestants français de La Rochelle et de Normandie, ils comprirent qu'ils ne pourraient vaincre l'Espagne et acquérir leur indépendance qu'en allant frapper l'adversaire au cœur de son système impérial, là où il puisait ses ressources, dans ses possessions outre-mer. L'union dynastique de 1580 entre l'Espagne et le Portugal lança le conflit sur mer, mais il fallut attendre l'extrême fin du XVIᵉ siècle pour que les Provinces-Unies, désormais organisées en une république indépendante, entreprissent une politique raisonnée et volontariste d'expansion coloniale. Alors que, dans le modèle ibérique, l'initiative des découvertes et de la conquête revenait à l'État qui se réservait en outre le monopole de l'exploitation de ces nouvelles possessions, dans le modèle hollandais, les entreprises outre-mer relevaient des grandes compagnies de commerce à actions, en concertation avec les états généraux et le grand pensionnaire de Hollande. Des marins hollandais travaillaient dans l'océan Indien sur des bateaux portugais. Jan Huygen Van Linschoten était employé dans la succursale des Fugger à Goa. En 1584, il quitta sa place, revint en Europe et publia un *Itinéraire,* un manuel de commerce en Orient qui inspira les marins hollandais (1596).

Dans les dernières années du siècle, les compagnies de commerce se multiplièrent et, en 1601, quatorze flottes des Provinces-Unies, regroupant soixante-cinq navires, trafiquaient dans les Indes. Ce n'est pas un hasard si l'Empire portugais fut visé par les Hollandais. Depuis l'union dynastique de 1580, le Portugal apparaissait comme le partenaire fragile de l'Espagne. Son empire dispersé et mal contrôlé était le plus difficile à défendre et donc suscitait le plus de convoitise. En décidant de s'en prendre à lui, les Provinces-Unies s'attaquaient au maillon faible de l'Espagne. Les autorités politiques des Provinces-Unies incitèrent les marchands à regrouper leurs forces et, en 1602, ils favorisèrent la création de la VOC, la Compagnie des Indes orientales. Un décret des états généraux lui donna le monopole pour dix ans du commerce dans l'océan Indien et l'océan Pacifique. La VOC était une entreprise capitaliste, une société par actions, mais qui, avec le soutien des états généraux, fut le bras armé de la politique étrangère des Provinces-Unies dans la région. En 1605, Ternate, Tidore et Amboine furent conquises, suivies par les îles de Banda. Un comptoir fut établi à Bantam sur la côte nord de Java, bientôt transplanté à Batavia (Djakarta) en 1619, où fut installé le siège de la compagnie. Les Provinces-Unies tentèrent de suivre la même politique en Amérique, mais les conditions furent plus difficiles. Un Anglais, Henry Hudson, travaillant pour le compte de la VOC, chercha encore une fois le passage du Nord-Ouest vers l'Asie en 1609. Il reconnut les rives de la baie à laquelle il donna son nom. Ce n'est qu'en 1614 que, sur l'initiative des états généraux, une Compagnie des Nouveaux Pays-Bas fut fondée avec le monopole du commerce pour l'Amérique. Elle préfigura la WIC, la Compagnie des Indes occidentales, créée en 1621 sur le modèle de la VOC. Le premier coup d'éclat de la WIC eut lieu en 1630 seulement avec l'occupation de Recife au Brésil. En Afrique, par contre, les Hollandais connurent des succès plus rentables, toujours aux dépens du Portugal. Dès 1598, ils dépassaient les Portugais dans le trafic de l'or et de l'ivoire dans le golfe de Guinée. En 1611, ils fondaient Fort-Nassau sur la Côte-de-l'Or, qui fut leur base de départ pour le commerce des esclaves.

Par son côté spectaculaire, la conquête des nouveaux mondes par le Portugal et la Castille a toujours connu les faveurs de l'historiographie européenne. Elle avait pour but l'accès aux métaux précieux, aux produits exotiques à forte valeur ajoutée sur les marchés européens, et à la main-d'œuvre servile africaine. Jusqu'au début du XVIIᵉ siècle, elle fut le monopole des nations ibériques, et les nouveaux venus, Anglais, Hollandais et Français, ne cherchèrent qu'à s'emparer des richesses que les Espagnols et les Portugais retiraient de leurs empires. Pourtant, un autre État européen, la Russie, se lança à peu près à la même époque dans une entreprise de conquête, plus silencieuse mais non moins efficace. La différence tient dans le fait que la Russie a étendu son territoire par contiguïté et sans solution de continuité entre la métropole, c'est-à-dire le noyau d'origine des terres russes, et les nouvelles terres conquises, tandis que les autres puissances européennes ont exporté leur dynamisme sous d'autres latitudes, ce qui exigeait de leur part des efforts technologiques considérables et spectaculaires. L'expansion russe est, par comparaison, celle d'un pays pauvre. Mais ses conséquences furent considérables sur le plan stratégique et elles bouleversèrent les équilibres politiques dans le Vieux Monde. Traditionnellement, les terres russes se situaient entre la Baltique et l'Oural. L'accès à la Sibérie était bloqué par la présence des khanats mongols. Aussi la chute de deux d'entre eux, le khanat de Kazan en 1552 et celui d'Astrakhan en 1554, fit-elle sauter ce verrou qui bloquait les Russes vers l'est, en particulier le long de cette voie méridionale des terres noires du Kazakhstan aux confins de l'Iran et de la Chine. Elle mit les Moscovites en contact direct avec le khanat mongol de Sibir, qui donna son nom à la région au-delà de l'Oural. Les marchands russes allèrent y chercher les fourrures (le vison, la zibeline, l'hermine, le castor, le renard) si appréciées sur les marchés occidentaux et asiatiques, avant d'atteindre les mines d'or de la Kolyma dans l'Extrême-Orient.

La conquête de la Sibérie occidentale fut entreprise dès la chute du khanat de Kazan, sous le règne d'Ivan IV le Terrible, et fut impulsée par une famille de grands marchands, les Stroganov, qui exploitaient les salines et les pêcheries du nord-ouest dans la région d'Oustioug et qui avaient obtenu la concession de terres sur le cours supérieur de la Kama, où ils entretenaient des garnisons et implantaient des colonies de peuplement. À partir de 1579, les Stroganov montèrent des expéditions de conquête contre le khanat de Sibérie. Leurs forces étaient peu nombreuses – mille six cent cinquante Cosaques commandés par leur

chef Yermak – mais bien équipées de fusils et déterminées.
En 1582, la capitale du khanat, Koutchoun, tombait et Ivan
le Terrible envoya des troupes régulières qui y implantèrent des garnisons. La mort au combat de Yermak en 1585
pouvait remettre en question la conquête, mais dès 1586
les Russes fondèrent la ville de Tioumen et l'année suivante
celle de Tobolsk qui devint la capitale de la Sibérie occidentale. Les révoltes de la fin du règne d'Ivan IV et le « Temps
des troubles » au début du XVIIᵉ siècle mirent temporairement fin à la conquête, mais, dès que la paix revint, la
progression reprit. En 1639, le Cosaque Ivan Moskvita-
nine atteignait le Pacifique à la tête d'un petit détachement
d'aventuriers. En 1648, d'autres Cosaques franchirent le
détroit de Béring et s'installèrent en Alaska. À la fin du
XVIIᵉ siècle, la frontière avec la Chine était fixée. Le territoire fut administré à partir de Moscou par le *prikaz* de
Sibérie, mais en 1621 la région fut érigée en archevêché.
La conquête des populations indigènes de Sibérie ne fut
guère moins cruelle que celle des populations amérindiennes par les Castillans. Pourtant, là aussi, peu à peu, le
métissage prévalut.

L'expansion européenne du XVIᵉ siècle doit être appré-
ciée indépendamment de toute considération affective et
uniquement sous l'angle géopolitique. Elle fut un moment
de l'histoire de l'Europe dont elle n'a pas à rougir. Il
convient tout d'abord de constater que le XVIᵉ siècle ne fut
que la première étape d'un long processus de domination
du monde par l'Europe, qui connut probablement son apogée au XIXᵉ siècle et qui est en train de disparaître sous nos
yeux. À cet égard, la concurrence entre les puissances
occidentales à partir de la fin du XVIᵉ siècle contribua à
remettre en cause le monopole outre-mer de la Castille et
du Portugal et fit franchir au continent un palier technologique qui lui permit de dépasser les sociétés asiatiques.
Ce n'était pas encore le cas un siècle plus tôt. D'autre part,
la carte mondiale de l'expansion européenne est instructive.

Elle s'opéra dans l'espace qui n'était contrôlé ni par l'islam ni par le monde chinois. L'Afrique trop difficile d'accès ne fut éraflée que sur ses marges. Les Européens laissèrent aux Africains le soin de récolter l'or et d'organiser la traite des esclaves, qu'ils se contentèrent d'acheter à partir de leurs places côtières fortifiées. La capture de l'Afrique noire par l'Europe n'eut lieu qu'au XIXe siècle. Les terres d'islam furent épargnées par l'expansion européenne. Seules les conquêtes russes en Sibérie peuvent sanctionner un recul de l'islam, mais nous pourrions qualifier d'« extensif » l'islam des khanats mongols de Kazan, d'Astrakhan et de Sibérie. Dès qu'il s'appuie sur un État fortement constitué, cet islam est capable de bloquer les initiatives russes. Ce fut le cas avec les Tatars de Crimée qui, vassaux de l'Empire ottoman, empêchèrent pendant longtemps l'accès de la mer Noire aux Russes.

Les Occidentaux se heurtèrent à l'islam sans jamais parvenir à l'entamer. Bien au contraire, ils assistèrent à la construction de l'Empire moghol en Inde, se faisant d'ailleurs beaucoup d'illusions sur son ouverture éventuelle aux idées de l'Occident. Ce contournement de l'islam pour rejoindre l'Extrême-Orient était donc nécessaire et fut à l'origine de la conquête de l'Amérique, le seul territoire dans lequel les Européens aient eu une influence déterminante sur le plan démographique, environnemental et politique, certainement parce qu'il était aussi le seul hors de portée de l'islam. À la fin du XVIe siècle, le continent américain est d'ailleurs en ruine. Les Espagnols y avaient pratiqué une économie de cueillette, celle des produits tropicaux et des métaux précieux, sans aucun souci des populations et des sociétés locales qui disparurent au rythme des épidémies. Au début du XVIIe siècle, on estime que 90 % des populations amérindiennes avaient disparu, 100 % même aux Antilles. Avec l'apport de l'immigration européenne et des Africains déportés, une nouvelle population métissée se reconstitua, une nouvelle société se mit en place, tandis que les Anglais et les Français prenaient pied dans l'Amérique du Nord. Mais l'Asie restait en grande partie encore protégée de l'influence européenne, même si, dans les bouleversements internes dont elle était l'objet, la pression européenne jouait un rôle non négligeable. C'est cependant en Europe même que l'expansion outre-mer fit sentir son influence. Elle contribua à une redéfinition des équilibres et à une redistribution des cartes.

Chapitre 4

L'impossible unification de l'Europe

Le morcellement politique est une des constantes de l'Europe moderne. Sur ce canton de l'Eurasie, à la superficie restreinte et à la population dense, aucune force n'a été capable d'imposer son autorité depuis l'Empire carolingien. Les pouvoirs supranationaux y sont en déliquescence et purement nominaux. L'Empire, bien que revigoré par les intellectuels de la Renaissance qui redécouvrent les grands textes de l'Antiquité classique, n'est plus qu'une chimère. La papauté n'a d'autorité que sur une partie de la chrétienté qui, d'ailleurs, dès les premières années du XVIe siècle, se divise. La confessionalisation de l'Europe dans le courant du siècle n'a fait que renforcer la constitution des entités nationales. Pourtant, ce même XVIe siècle connut l'une des rares tentatives pour réaliser l'unification de l'Europe avec l'empereur Charles Quint et ses successeurs, les Habsbourg d'Espagne. On peut s'interroger pour savoir si l'entreprise impériale de Charles Quint répondait à un projet politique consciemment élaboré ou si elle fut réalisée sous le coup des circonstances. En tout cas, elle proposa une organisation du pouvoir originale qui allait à l'encontre de l'évolution qui se manifestait en Europe depuis plusieurs siècles. Le XVIe siècle marque la fin de cette période de transition, qui a commencé au XIIIe siècle, et qui a vu naître la notion d'un État, indépendant de l'intérêt du prince. Les choses se jouent, quelque part entre Machiavel et Bodin, quand l'idée du prince qui mène sa politique selon ses caprices ou ses propres intérêts est remplacée par celle d'un ordre légal et constitué, séparé de la personne même du souverain qui l'incarne et qui est chargé de le défendre. Au début du XVIIᵉ siècle, la « raison d'État » est sur toutes les lèvres et sous toutes les plumes. L'État, qui n'est pas encore national mais qui ne va pas tarder à le devenir, est décidément une création de cette Europe de la Renaissance. Refusant toute autorité supérieure à la sienne, il favorise l'émiettement politique et la concurrence entre les puissances territoriales. Cette concurrence acharnée s'est traduite en particulier par la multiplication des conflits européens. Si la conséquence la plus évidente en a été l'augmentation des capacités militaires de l'Europe face au reste du monde, cette émulation a favorisé la recherche de formes de régulation entre les États par l'élaboration de règles diplomatiques formalisées et adoptées par tous comme l'échange des ambassadeurs, le respect de leur extraterritorialité, l'invention des congrès de paix, soit un ensemble de règles d'une convivialité minimale qui a abouti à la création du « droit des gens » au début du XVIIᵉ siècle.

1. La rivalité entre la maison de Valois et la maison de Habsbourg

À la fin du XVᵉ siècle, le royaume de France était la puissance remuante et volontiers agressive de l'Europe. Il disposait d'un réservoir démographique imposant – 15 millions d'habitants – et donc de soldats et de ressources fiscales. Après avoir remis de l'ordre dans son royaume et réduit à l'obéissance ses féodaux les plus dangereux, le roi de France se lança dans l'aventure italienne. Charles VIII revendiqua l'héritage italien de la maison d'Anjou, dont le dernier représentant, René d'Anjou, mort sans enfant en

1480, avait légué ses biens et ses titres à la maison royale de France. Dans cet héritage, il y avait le royaume de Naples, dont le roi René avait été chassé en 1443 par Alphonse d'Aragon. La conquête du royaume de Naples sur la dynastie aragonaise s'inscrivait, dans l'esprit de Charles VIII, dans un vaste plan messianique qui devait aboutir à la reconquête des Lieux saints sur les infidèles. Mais le roi de France ne pouvait compter en Italie sur aucun allié fiable. Ludovic Sforza, qui gouvernait le Milanais au nom de son neveu, ne pensait qu'à tirer profit de la présence française pour s'emparer du titre ducal, tandis que Venise, l'alliée traditionnelle de la France, n'était cependant pas disposée à la laisser imposer sa prépondérance sur la péninsule. En revanche, le pape Alexandre VI, valencien et donc favorable à la maison d'Aragon, comptait parmi les ennemis irréductibles de Charles VIII. Celui-ci disposait de quelques appuis dans le parti guelfe de Florence et dans certains lignages aristocratiques du royaume de Naples en révolte contre la dynastie aragonaise. Seuls le duché de Savoie et la république de Gênes se trouvaient dans la zone d'influence de la France et étaient placés sous son protectorat. Mais si la Savoie contrôlait les cols alpestres et les débouchés sur la vallée du Pô, elle ne pouvait constituer un allié de poids. Quant à Gênes, déchirée par des luttes de factions continuelles, il fallait la surveiller de près et subir ses sautes d'humeur. Charles VIII devait se méfier également des Suisses parmi lesquels il recrutait la plus grande partie de son infanterie mais qui avaient aussi des vues sur les riches terres de Lombardie. Dans de telles circonstances, il n'est pas étonnant que la campagne d'Italie ait tourné au traquenard pour le roi de France.

Après avoir franchi les Alpes en septembre 1494, Charles VIII se dirigea vers Florence où la faction populaire dirigée par le dominicain Jérôme Savonarole renversa le gouvernement des Médicis, puis vers Rome où il entra en décembre. Le temps d'imposer ses conditions au pape

Alexandre VI, le roi de France reprit sa marche vers Naples où il entra en février 1495 après avoir renversé les dernières défenses du royaume. Mais la puissance de Charles VIII suscita l'inquiétude des États italiens qui se coalisèrent dans une Sainte-Ligue associant Venise, le pape Alexandre VI, le nouveau duc de Milan, Ludovic le More, avec l'appui de l'empereur Maximilien Iᵉʳ et de Ferdinand d'Aragon (31 mars 1495). Charles VIII décida de retourner sur ses bases de départ en Lombardie pour échapper à la tenaille de ses adversaires et pour organiser une armée de secours. Il était attendu au passage des Apennins par l'armée de la Sainte-Ligue qu'il bouscula à Fornoue le 6 juillet. Mais le corps expéditionnaire français était abandonné à lui-même en royaume de Naples et, après des succès initiaux en Calabre, les forces françaises poursuivies par les armées aragonaise, napolitaine et vénitienne capitulèrent à Atella en Basilicate le 23 juillet 1496. Il ne restait plus à Charles VIII qu'à liquider son aventure italienne. En octobre 1495, il avait déjà conclu la paix avec Ludovic le More à Verceil et délivré son cousin Louis d'Orléans, qui s'était sottement laissé enfermer dans Novare ; en février 1497, il décrétait la fin des hostilités à Naples après la capitulation de Gaète en novembre 1496, la dernière place tenue par les Français dans le royaume. En avril de la même année, il concluait une trêve avec Venise.

La mort de Charles VIII modifia les données diplomatiques en Italie. Le nouveau roi, Louis XII, reprit à son compte les revendications de la Couronne de France sur le royaume de Naples, mais ajouta celles de la maison d'Orléans sur le duché de Milan. Les Orléans, alliés par mariage à la famille Visconti des anciens ducs de Milan, considéraient les Sforza, les ducs en place, comme des usurpateurs. Il semblait toujours plus évident que le véritable adversaire des rois de France en Italie était le roi d'Aragon, Ferdinand le Catholique. Il avait sauvé la dynastie aragonaise de Naples, mais il était décidé à l'évincer à son profit. Il disposait pour cela de la Sicile comme base d'opération et d'une excellente armée commandée par le grand capitaine Gonzalve de Cordoue, le meilleur stratège de l'époque. Mais il prit son temps. Dès son accession au trône de France, Louis XII s'intitula duc de Milan et, en 1499-1500, il occupa le duché avec le soutien de Venise qui participa au partage des dépouilles. En novembre 1500, Ferdinand le Catholique et Louis XII démembrèrent le royaume de Naples par le traité de Grenade : Naples et la partie septentrionale allaient à la France, la Calabre, la Basilicate et les Pouilles revenaient à l'Aragon, tandis que la partie centrale devait servir de zone tampon. Ce traité boiteux était lourd des contentieux à venir. Si les forces conjointes franco-aragonaises parvinrent à déloger facilement le dernier roi de Naples, Frédéric Ier, et se partagèrent le royaume, elles ne tardèrent pas à s'affronter pour le contrôle des Abruzzes. Après une période d'observation, Gonzalve de Cordoue passa à l'offensive. En avril 1503, il mit en déroute l'armée française à Cerignola, dans les Pouilles, et occupa Naples le mois suivant. Les hostilités se concentrèrent à la frontière septentrionale du royaume, autour de Gaète au passage du Garigliano. Cette bataille du Garigliano tourna à l'avantage de Gonzalve de Cordoue dans les derniers jours de décembre 1503 et, le 1er janvier 1504, Gaète capitulait. La présence française en Italie méridionale était définitivement balayée.

Le verdict des armes avait abouti à un partage de l'Italie en zones d'influence : Ferdinand d'Aragon était maître de l'Italie du Sud, tandis que Louis XII renforçait sa prépondérance sur la Lombardie. En avril 1505, il obtenait de l'empereur Maximilien Ier l'investiture du duché de Milan. Pourtant, l'Italie était en train de devenir le champ d'affrontement entre des ambitions contraires, et ces premières années du xvie siècle furent les plus confuses et les plus dévastatrices du conflit. Pour le roi de France, il s'agissait de renforcer l'extension du royaume vers la plaine lombarde en soumettant les États qui se trouvaient à sa portée : le duché de Savoie et de Piémont, la principauté d'Asti, possession des Orléans, la république de Gênes et le duché de Milan. Il devait fatalement se heurter à Venise qui n'était pas disposée à accepter la présence d'un voisin aussi puissant, et à l'empereur Maximilien Iᵉʳ dans la mesure où tous ces territoires faisaient encore partie nominalement du Saint Empire et que toute investiture nouvelle devait recueillir son agrément. D'autre part, depuis qu'il avait succédé à Alexandre VI sur le trône pontifical en 1503, le pape Jules II avait l'ambition d'unifier l'Italie sous l'autorité du Saint-Siège, en chassant les étrangers après les avoir joués les uns contre les autres. Mais avec habileté, Ferdinand d'Aragon commençait à faire sentir son influence auprès des princes italiens. Toute solution politique devait passer par lui.

Ces incessants retournements d'alliance soulignent l'instabilité des équilibres politiques. En février 1507, Gênes se révolta contre le protectorat français et Louis XII dut venir en personne châtier la ville. L'année suivante, le roi de France, l'empereur, le pape et Ferdinand d'Aragon s'associèrent dans la ligue de Cambrai contre Venise. Louis XII fut chargé de l'exécution militaire. En mai 1509, l'armée vénitienne fut écrasée à Agnadello. La république de Saint-Marc faillit disparaître dans la tourmente. Les villes du *contado* se révoltèrent, tandis que Maximilien Iᵉʳ occupait les territoires vénitiens frontaliers de l'Autriche. Mais Venise se ressaisit dans un sursaut patriotique et parvint à dissocier ses adversaires. En 1510, Jules II rompit la ligue de Cambrai et appela les Italiens à chasser les barbares d'Italie, c'est-à-dire les Français. En 1511, il regroupait dans une vaste coalition contre la France l'Espagne, Venise, l'empereur, mais aussi les Suisses et l'Angleterre. Le conflit militaire se doublait aussi d'un conflit religieux. En 1512, Louis XII convoquait à Pise un concile destiné officiellement à réformer l'Église, mais qui visait en fait à mettre Jules II en accusation et éventuellement à le remplacer. Le spectre du Grand Schisme renaissait. Les positions françaises en Lombardie étaient menacées et la campagne de Gaston de Foix en 1512 ne put que reculer l'échéance. Quand, le 11 avril 1512, il affronta l'armée des coalisés à Ravenne, l'avenir de l'Italie était suspendu à l'issue du combat. La victoire fut française, mais Gaston de Foix mourut dans cette bataille qui sanctionna la supériorité des piquiers espagnols sur la cavalerie lourde française. En quelques mois, la présence française en Lombardie fut balayée et les Sforza furent rétablis à Milan. Une ultime tentative de reconquête du duché de Milan échoua en 1513 devant une puissante armée suisse à Novare, tandis que d'autres détachements suisses lançaient des raids en Bourgogne jusque sous les murs de Dijon. Pendant ce temps, Henri VIII d'Angleterre débarquait à Calais, était rejoint par Maximilien Ier, et leur armée infligea une sérieuse défaite à la cavalerie française à Guinegatte en août. La fin du règne de Louis XII fut plus calme. Le vieux roi – il avait cinquante-deux ans – cherchait une jeune princesse susceptible de lui donner un héritier, lui qui n'avait que des filles. Mais il mourut le 1er janvier 1515, abandonnant le trône à son gendre, François d'Angoulême.

Un quart de siècle d'aventures italiennes n'avait apporté au royaume de France aucun résultat tangible, sauf une réputation d'État agité, prêt à semer le trouble dans la chrétienté. Mais, coup sur coup, deux des protagonistes disparaissaient et laissaient la place à de jeunes princes ambitieux. François Ier montait sur le trône de France en 1515, tandis que la mort de Ferdinand d'Aragon en janvier 1516 favorisait l'ascension de Charles de Bourgogne. Ce dernier bénéficiait d'une succession incroyable de circonstances qui lui permit de réunir sous son autorité un ensemble de territoires qui firent de lui le prince le plus puissant d'Europe occidentale. À sa majorité, en 1515, Charles de Luxembourg recueillait le duché de Bourgogne ou du moins ce qu'il en restait après la défaite de son arrière-grand-père, Charles le Téméraire : les Pays-Bas, c'est-à-dire un conglomérat de provinces comprenant le duché de Luxembourg, les comtés de Flandre, d'Artois, de Brabant, de Namur et de Hainaut, la Hollande et la Zélande, auxquelles s'ajoutaient les comtés de Bourgogne (la Franche-Comté) et de Charolais. En 1516, sa mère, Jeanne la Folle, fille survivante des Rois Catholiques, Isabelle de Castille et Ferdinand d'Aragon, devenait nominalement reine des deux royaumes espagnols, mais son instabilité psychologique permit à son fils Charles de l'écarter du pouvoir et de s'approprier le titre royal. En janvier 1519, c'était au tour de son deuxième grand-père, l'empereur Maximilien Ier, de disparaître. En tant qu'aîné des petits-enfants, Charles héritait des possessions des Habsbourg en Allemagne du Sud, un chapelet de territoires qui s'étendaient de l'Alsace à l'Autriche. Après une dure campagne électorale, il accédait à la dignité impériale en juin 1519 sous le nom de Charles Quint.

C'est dans ce contexte que les hostilités reprirent en Italie. Dès qu'il hérita de la couronne de France, François Ier réaffirma ses ambitions sur l'Italie, en premier lieu sur le duché de Milan, occupé par les armées suisses qui le mettaient en coupe réglée. À la tête d'une puissante armée, il vint défier à Melignano (Marignan), dans la banlieue de Milan, l'infanterie suisse, dont l'invincibilité n'était plus contestée depuis près de deux siècles. Marignan fut un combat farouche qui dura deux jours au terme desquels, grâce à des renforts vénitiens, François Ier vint à bout de la plus grande puissance militaire européenne. Cette victoire accrut son prestige et lui donna la maîtrise de l'Italie du Nord, grâce à quoi il put se positionner comme un éventuel candidat à la succession de Maximilien à l'empire. En outre, il avait les mains libres, puisque Charles de Bourgogne était empêtré au même moment dans les affaires d'Espagne. Au lendemain de la mort de Ferdinand, il s'était assuré la neutralité de François Ier par le traité de Noyon, aux termes duquel le roi de France renonçait au royaume de Naples tandis que Charles renonçait au duché de Bourgogne. Le traité de Noyon fut renouvelé l'année suivante à Cambrai. Maximilien Ier se joignait alors aux deux signataires pour parrainer leur nouvelle amitié. Fort de cette protection diplomatique, Charles de Bourgogne partit en septembre 1517 prendre possession de ses royaumes espagnols. Mais, après l'élection de Charles à l'empire face à François Ier et son couronnement comme roi de Germanie à Aix-la-Chapelle en mai 1520, le rapport des forces en Europe se trouvait bouleversé.

Le royaume de France n'était plus la puissance dominante, du moins plus la seule. L'accumulation des quatre héritages – bourguignon, allemand, castillan et aragonais – entre les mains de Charles Quint faisait de ce dernier le maître d'un ensemble d'États, certes hétéroclites et dispersés, mais qui l'autorisait désormais à faire jeu égal sur le plan démographique et fiscal avec le royaume de France. Il disposait également du prestige lié à la dignité impériale, qui était tombé quelque peu en désuétude mais qu'il contribua à rehausser. Disposait-il d'un véritable projet politique ? Il ne semble pas. Charles procéda de manière empirique et fit même preuve d'une absence totale de scrupules lorsqu'il s'agit d'écarter sa mère de la succession espagnole. C'est plus tard, autour de son chancelier Mercurino da Gattinara et des humanistes de son entourage, que prit forme l'idée impériale, celle d'un empire chrétien dirigé par Charles Quint dont tous les princes reconnaîtraient la prééminence. Dès lors, la méfiance entre Charles Quint et François Ier, muée en rivalité au moment de l'élection impériale, se transforma en franche hostilité. La Lombardie constitua le premier champ clos de leur affrontement. Charles Quint intervint à double titre en Italie. Comme héritier de la maison d'Aragon, en tant que roi de Sicile et de Naples, il y poursuivit la politique de Ferdinand le Catholique. Comme empereur, il était suzerain de l'Italie du Nord et détenait le pouvoir d'investiture au duché de Milan occupé par François Iᵉʳ. Mais, compte tenu de leurs frontières communes aux Pays-Bas et sur les Pyrénées, Charles Quint et François Iᵉʳ multiplièrent les théâtres d'opérations. En 1521, le conflit était généralisé en Navarre, en Champagne et en Lombardie. Les troupes françaises durent évacuer le duché de Milan devant la pression impériale. En 1522, François Iᵉʳ envoya une armée envahir à nouveau le Milanais. Elle fut taillée en pièces le 29 avril au lieu-dit La Bicoque près de Milan par le feu roulant des arquebuses impériales. En 1524, une nouvelle tentative connut le même sort. L'armée franco-suisse fut dispersée par les impériaux au moment où elle traversait la Sesia, un affluent du Pô. François Iᵉʳ, qui avait perdu confiance en ses chefs de guerre, prit la tête d'un corps expéditionnaire pour reconquérir sa province perdue. Il repoussa l'armée impériale qui avait envahi la Provence durant l'été 1524, la poursuivit jusque dans la plaine du Pô et mit le siège devant la ville de Pavie. À la suite d'une incroyable succession d'erreurs tactiques, son armée fut décimée au cours de la bataille du 24 février 1525. Le roi de France était capturé et emmené à Madrid auprès de son vainqueur.

En à peine quatre ans, le rapport des forces en Europe avait été retourné. Désormais, Charles Quint apparaissait bien comme le maître de l'Europe chrétienne. Il tenait le roi de France à sa merci, une situation qui ne s'était plus produite depuis la capture de Jean le Bon par les Anglais en 1356. Dès que François Iᵉʳ fut arrivé en Espagne, d'âpres négociations furent entamées pour fixer les conditions de sa remise en liberté. Elles aboutirent à la signature du traité de Madrid, le 14 janvier 1526. François Iᵉʳ abandonnait toute revendication sur l'Italie, renonçait à la suzeraineté sur les comtés de Flandre et d'Artois détenus désormais par Charles Quint en pleine souveraineté et, surtout, cédait le duché de Bourgogne. Il s'engageait à verser une rançon considérable – l'équivalent de quatre tonnes d'or – et livrait ses deux fils comme otages en garantie de son versement. Dès qu'il fut libéré, le roi de France s'empressa de renier les termes du traité au prétexte qu'ils lui avaient été extorqués. Sur la route qui le ramenait à Paris, il conclut avec le pape Clément VII et la république de Venise la ligue de Cognac dirigée contre Charles Quint. La guerre se ralluma presque immédiatement en Italie et les années 1527 et 1528 furent probablement les plus tragiques que connut la péninsule durant ce siècle.

Deux raids particulièrement meurtriers la traversèrent de part en part presque simultanément. Une armée impériale commandée par le Connétable de Bourbon et renforcée par les lansquenets allemands de Fründsberg quitta le Milanais à la fin de l'hiver 1527, se dirigea vers le sud, franchit les Apennins et hésita un temps à aller réprimer la révolution antimédicéenne de Florence sur l'incitation du pape Clément VII. Finalement, affamés et sans solde, les lansquenets allemands, déjà largement gagnés par la Réforme luthérienne, forcèrent leurs chefs à s'emparer de Rome, la nouvelle Babylone. La ville, mal défendue, fut prise d'assaut le 5 mai 1527 et la soldatesque déchaînée mit la ville à sac jusqu'à la fin de l'année. Les lansquenets ne consentirent à abandonner la capitale de la chrétienté que sous la menace de l'armée de Lautrec, qui avait pris le même chemin que celle du Connétable de Bourbon, mais cette fois-ci pour le compte du roi de France. Lautrec passa l'hiver 1527-1528 dans les Pouilles, où il fut accueilli favorablement par les populations locales et, en avril 1528, il mit le siège devant Naples, bloqué du côté de la mer par la flotte génoise. La ville fut près de tomber entre les mains du roi de France, mais deux événements changèrent le cours des choses. À Gênes, Andrea Doria s'empara du pouvoir, rompit avec la France et passa dans le camp impérial. La conséquence immédiate fut la levée du blocus maritime de

Naples par la flotte génoise. Le typhus acheva de transformer le revers diplomatique en déroute militaire. L'armée de Lautrec fondit, son chef périt de la maladie et, le 15 août 1528, les restes de l'expédition capitulèrent à Caserte. En 1529, François Ier subit un nouvel échec militaire en Lombardie, à Landriano, ce qui l'incita à négocier avec son rival. Les pourparlers se tinrent à Cambrai, ville libre d'empire aux confins des Pays-Bas, et eurent pour principaux protagonistes Louise de Savoie, la mère de François Ier, et Marguerite d'Autriche, la tante de Charles Quint, gouvernante des Pays-Bas.

Le traité de Cambrai ou « paix des Dames », conclu le 3 août 1529, mit fin à ce long conflit et ouvrit une période de paix de sept années. Charles Quint renonçait au duché de Bourgogne, François Ier à l'Italie et aux comtés de Flandre et d'Artois. La rançon du roi de France ayant été payée, les « enfants de France » gardés en otages à la cour d'Espagne furent autorisés à revenir auprès de leur père. Enfin, comme il n'y avait pas de bonne paix sans mariage, François Ier se vit contraint de prendre pour épouse Éléonore, la sœur aînée de Charles Quint, pour laquelle il n'éprouvait aucune attirance. Le traité de Cambrai marqua l'apogée de la puissance militaire de Charles Quint. Sur le plan politique, il doit être mis en perspective avec le couronnement impérial de 1530. La coutume voulait que le roi des Romains fît le voyage de Rome pour recevoir ses pouvoirs impériaux des mains du pape. En fait, pour des raisons politiques – la tension entre le pape et l'empereur – et de sécurité – le refus des États italiens de laisser passer une armée impériale sur leur territoire –, les empereurs ne satisfaisaient plus que rarement à cette pratique. Le dernier empereur à avoir été couronné à Rome avait été Frédéric III en 1452. Prenant acte de cette situation nouvelle, Maximilien Ier s'était intitulé « empereur romain élu » en 1508. Mais en 1530, Charles Quint était au faîte de sa puissance et ses deux rivaux, le roi de France et le pape, avaient été humiliés. Il pouvait exiger d'être couronné par le pape. La cérémonie eut lieu à Bologne, et non pas à Rome, au cours d'un voyage qui devait mener Charles Quint d'Espagne en Allemagne. Elle se déroula le 24 février 1530 en deux temps : un premier couronnement comme roi d'Italie, un second couronnement comme empereur.

En 1530, Charles Quint était le prince le plus puissant d'Europe. Mais a-t-il cherché véritablement à la dominer ? Ses États étaient dispersés et sans communication entre eux. Il fallait plus d'un mois pour qu'un courrier aille d'Espagne en Autriche, mais plus d'un an pour qu'une lettre et sa réponse parcourent les immenses étendues de l'Atlantique et de l'Amérique. Cet empire était également bâti de bric et de broc. Il était constitué d'États juxtaposés et dont le seul point commun était la fidélité au même prince. On a pu parler à ce propos d'un empire « composite ». Ces territoires gardèrent leur langue, leurs institutions, leurs systèmes judiciaires et fiscaux, et seuls les Conseils centraux créés par l'empereur permettaient de les gouverner selon les intérêts du prince et de définir une politique commune. Jaloux de leur autonomie, ils n'hésitaient pas à se révolter dès qu'ils la sentaient menacée. Ce fut le cas de la Castille avec la révolte des *Comunidades* de 1520-1522, de l'Aragon avec la révolte des *Germanias* dans ces mêmes années, de Gand soulevée en 1539-1540, du Pérou en 1545 et de Naples en 1547, sans compter une grande partie de l'Allemagne qui, à partir de 1531, vécut en état de rébellion ouverte. Pour contrôler cet ensemble disparate, Charles Quint fut contraint de passer le plus clair de son règne à voyager à travers ses États, afin d'entretenir par sa présence le sens de la loyauté chez ses sujets.

Ces conditions particulières ne freinèrent pourtant pas le dynamisme de cet empire, qui continua à se développer. En 1530, la conquête des plateaux d'Amérique centrale était bien entamée, mais loin d'être terminée. Les conquérants espagnols s'aventuraient vers le nord, dans les vastes étendues désertiques où ils commençaient à trouver des mines d'argent. De même, la conquête du Pérou ne débuta qu'en 1532 et elle devait durer encore des décennies. Or, l'Amérique fut déterminante dans la survie de l'empire de Charles Quint, surtout à partir des années 1540 quand l'exploitation des mines d'argent du Mexique et du Pérou apporta à son budget les ressources financières nécessaires à la poursuite de sa politique impériale en Europe. Mais Charles Quint désirait-il conquérir l'Europe, comme on se plut à le croire à la cour de France ? Certainement pas. L'idéologie impériale, telle qu'elle fut exprimée par l'entourage de l'empereur dès le couronnement d'Aix-la-Chapelle en 1520, reposait sur l'idée d'une prééminence morale sur les princes européens, sommés de reconnaître l'empereur comme le guide de la chrétienté romaine contre ses ennemis, l'islam et l'hérésie. En brisant la résistance de François Ier, Charles Quint désirait montrer à son ennemi héréditaire et aux autres princes qui auraient pu s'inspirer de l'exemple français, que les intérêts généraux de la chrétienté prévalaient sur les intérêts « nationaux » revendiqués par la Couronne de France. Avec le pape, son attitude fut plus ambiguë. Il fut pris de court par le raid de Bourbon sur Rome en 1527 et par la mise à sac de la ville par ses troupes. Il eut vraiment l'impression d'avoir commis un sacrilège, et il finit par en assumer la responsabilité. Mais il n'osa pas saisir l'opportunité de déposer Clément VII, ce pape qu'il estimait peu, et de prendre la tête de la chrétienté en faisant élire un nouveau pape à sa dévotion. Cette réticence montre à quel point sa volonté d'hégémonie sur l'Europe fut limitée par le respect des pouvoirs existants et par des scrupules légalistes. Charles Quint ne fut pas un conquérant.

Des deux grands ennemis de la chrétienté, le musulman était le plus redoutable. Sur les frontières orientales de l'Europe et dans la Méditerranée, l'Empire ottoman continuait à pousser ses pions. En 1520, Soliman devint sultan.

La conquête de l'Égypte achevée, il put se consacrer aux Balkans et à l'Anatolie. En Europe centrale, le dernier verrou face à l'islam ottoman était représenté par la Hongrie. Il sauta rapidement. Dès 1521, Soliman prenait Belgrade et contrôlait la vallée du Danube. Désormais, le royaume de Hongrie constituait le dernier rempart de l'Europe chrétienne contre l'islam. Mais la dynastie des Jagellon y était faible, minée par les dissensions entre Magyars et Allemands et systématiquement contrée par l'aristocratie. En 1515, les Jagellon et les Habsbourg avaient conclu des mariages croisés : Louis, le fils héritier du roi Ladislas, épousait Marie, la sœur de Charles Quint, tandis qu'Anne, la sœur de Louis, épousait l'archiduc Ferdinand, frère de Charles Quint. Ces mariages concluaient une alliance aux termes de laquelle les Habsbourg et les Jagellon se promettaient d'échanger leurs héritages. La mort de Louis II de Hongrie à la bataille de Mohács le 29 août 1526 ouvrait les conditions d'application de ce pacte. Les Habsbourg y étaient favorables, tandis qu'une partie de l'aristocratie, méfiante à l'égard des Allemands, préférait élire un prince indigène. C'est ainsi que dans la partie sous domination ottomane, le voïvode de Transylvanie Jean Szapolyai fut élu par une diète magyare, alors que simultanément une diète réunie à Bratislava (Presbourg), dans la Hongrie royale, reconnut comme roi l'archiduc Ferdinand. Avec l'effondrement de la Hongrie, Vienne et l'Autriche devinrent brutalement des marches chrétiennes face à l'islam menaçant. En 1529 et en 1532, Vienne fut assiégée par les troupes ottomanes.

Or, depuis quelques années, la chrétienté romaine devait affronter un autre adversaire, intérieur celui-là, qui bouleversa les rapports géopolitiques en Europe. Lorsque Martin Luther, un obscur moine saxon, proposa au débat public ses 95 thèses en octobre 1517, personne n'était en mesure de prévoir les conséquences que cet événement allait revêtir en Allemagne. À cette époque, le Saint Empire était davantage préoccupé par les intrigues liées à la succession impériale. Maximilien Ier, voyant sa fin venir, cherchait à faire élire son successeur, et les princes allemands essayaient de profiter de la circonstance pour obtenir des avantages aux dépens du pouvoir impérial. Jusqu'au couronnement d'Aix-la-Chapelle en 1520, Luther bénéficia d'une relative impunité et la Réforme put se diffuser. Il ne fait aucun doute que la Réforme fut avant tout motivée par des considérations religieuses. Elle se présenta comme une alternative à l'Église catholique. Luther proposait aux fidèles une voie différente pour l'obtention de leur salut. Pourtant, la diffusion de la Réforme ne pouvait pas ne pas avoir de conséquences politiques. Elle servit tout d'abord à réaffirmer le sentiment national allemand face à l'autorité romaine. Une partie de l'opinion publique allemande, qu'elle ait été nobiliaire ou populaire, retrouva les clivages traditionnels des luttes anciennes entre le sacerdoce et l'empire. Mais, à l'intérieur de l'Allemagne, certains princes, une partie de l'aristocratie et même de larges fractions des classes populaires surent utiliser la brèche ouverte par Luther pour remettre en cause les équilibres sociaux et politiques à l'intérieur de la machine complexe du Saint Empire. Luther fut bien excommunié par le pape Léon X en 1520 et mis au ban de l'empire par l'édit de Worms sur proposition de Charles Quint, en 1521, mais personne ne fut en mesure de faire respecter ces décisions. Cette période fut cruciale pour l'Allemagne. Le nationalisme allemand put s'exprimer dans sa double opposition au royaume de France, quand la candidature de François Ier à la couronne impériale fut repoussée, et à la papauté, dont les interférences dans la politique allemande furent mal perçues. En outre, les idées luthériennes purent se diffuser assez facilement à cause de la défaillance de l'autorité impériale. Après la diète de Worms, Charles Quint rentra en Espagne qui venait d'être secouée par les révoltes des *Comunidades* et des *Germanias*. Il abandonna l'Allemagne pendant une dizaine d'années et délégua ses pouvoirs à son jeune frère Ferdinand, trop inexpérimenté.

Les premiers à se révolter au nom de la nouvelle religion furent les chevaliers d'empire qui trouvèrent en Ulrich von Hutten leur porte-parole et en Franz von Sickingen leur chef militaire. Tous deux comptèrent parmi les premiers disciples de Luther au nom de la lutte contre le clergé et de la défense des libertés allemandes contre l'oppression pontificale. Nombreux dans la vallée du Rhin, en Souabe et en Franconie, ils se heurtèrent à l'opposition des princes d'empire qui se liguèrent contre eux. Le 7 mai 1523, Franz von Sickingen, assiégé dans son château de Landstuhl, fut tué et, au cours de l'été suivant, plusieurs dizaines de châteaux furent détruits. La chevalerie d'empire était éliminée politiquement. Puis, après la guerre des Chevaliers, vint la guerre des Paysans. Les données du problème étaient différentes. La révolte des paysans – et des artisans des villes – de la vallée du Rhin et de l'Allemagne du Sud n'était pas motivée par la misère, mais par la persistance de droits seigneuriaux extrêmement lourds et, dans certains endroits, par des formes d'asservissement. La dissidence religieuse y trouva un terreau favorable. Luther, soucieux du respect de la hiérarchie sociale et de l'autorité politique, s'opposa fermement aux paysans révoltés comme il l'avait fait à l'égard de la noblesse dans la guerre des Chevaliers. Les paysans étaient davantage travaillés par les idées du réformateur suisse Ulrich Zwingli, favorable à la violence quand elle était nécessaire, et ils voyaient dans le modèle des communautés libres de Suisse l'espoir de se libérer de l'assujettissement seigneurial. Une fois de plus, les princes d'empire, qu'ils aient été proches de la Réforme ou qu'ils fussent restés fidèles au catholicisme, s'unirent derrière les Habsbourg et leurs armées écrasèrent les masses désorganisées de paysans révoltés dans le courant du printemps 1525. On estime à plus de cent mille le nombre des paysans tués.

La guerre des Chevaliers et la guerre des Paysans eurent de lourdes conséquences sur le mouvement réformateur en Allemagne. Martin Luther, qui, à ses débuts, avait pu apparaître comme un révolutionnaire, avait fait allégeance à l'ordre établi. Il avait situé son action sur le plan strictement religieux et avait dénoncé les interprétations sociales ou politiques de la Réforme. Désormais, les princes d'empire, rassurés, virent la Réforme luthérienne avec sympathie. Philippe le Magnanime, le landgrave de Hesse, fut le premier prince d'empire à adhérer officiellement à la Réforme luthérienne dès 1524. Il fut suivi par l'Électeur de Saxe Frédéric le Sage, le protecteur de Luther, qui, en 1525, se convertit sur son lit de mort, et dont le frère et successeur, Jean le Constant, devint l'un des chefs du mouvement réformé. Dès 1526, les princes allemands commencèrent à se regrouper dans des ligues confessionnelles : une Union de Ratisbonne restée fidèle à la confession romaine et menée par les Habsbourg et les princes de la maison de Bavière, une Union de Gotha-Torgau, luthérienne et menée par le landgrave de Hesse et l'Électeur de Saxe. En 1529, Charles Quint manifesta, à partir de l'Espagne où il résidait, son intention de rentrer en Allemagne pour régler le schisme religieux. Il demanda à son frère Ferdinand de proposer à la diète réunie à Spire un certain nombre de décisions : l'application de l'édit de Worms de 1521 condamnant Luther et le rétablissement du culte catholique partout où il avait été supprimé. En avril 1529, les puissances évangéliques émirent une « protestation » solennelle contre ces mesures, ce qui valut aux Réformés l'appellation de « protestants ».

En 1530, après son couronnement impérial à Bologne, Charles Quint rentra en Allemagne et réunit une diète à Augsbourg, qui devait se présenter comme une sorte de concile national chargé de résoudre la crise religieuse en Allemagne, avant la convocation d'un concile universel qui se faisait toujours attendre à cause de l'hostilité du pape. Les luthériens y présentèrent les points principaux de leur doctrine sous la forme d'une *Confession,* à laquelle les catholiques répondirent. Philipp Melanchthon, ami et secrétaire de Luther, répondit à son tour aux critiques catholiques par une *Apologie* de la *Confession d'Augsbourg.* La *Confession d'Augsbourg* et son *Apologie* sont les deux textes doctrinaux fondateurs de la Réforme luthérienne. La diète réclamait la réunion d'un concile universel et, en attendant, Charles Quint s'engageait à faire exécuter l'édit de Worms, à rétablir la religion catholique et à rendre à l'Église catholique les biens que les princes lui avaient confisqués en passant à la Réforme. Ces décisions inquiétèrent profondément les nouveaux États évangéliques, d'autant que Charles Quint, fidèle à ses engagements antérieurs, manifestait son intention de faire élire son frère Ferdinand au titre de roi des Romains, donc de le désigner comme son successeur à la dignité impériale. En février 1531, les princes luthériens et onze villes libres qui avaient adhéré à la Réforme conclurent un traité d'alliance défensive qui prit le nom de ligue de Smalkalde, du nom de la ville où ce congrès s'était réuni. Ils désignèrent le landgrave de Hesse et l'Électeur de Saxe pour les diriger, assistés d'un conseil de neuf membres. Ce n'était certes pas la première fois que des États allemands se regroupaient au sein de ligues, qui jouaient généralement le rôle d'instances de régulation régionales dans les conflits qui pouvaient naître entre leurs membres. Mais, cette fois-ci, derrière la défense des libertés religieuses se cachaient des revendications politiques visant à limiter le pouvoir d'intervention de l'empereur.

La révolte luthérienne porta un coup au prestige de Charles Quint qui, en tant qu'empereur, était garant de l'unité de la chrétienté. Elle compliqua un peu plus le puzzle politique européen. Dès 1532, des contacts étaient pris entre la ligue de Smalkalde et François Ier. Mais le roi de France, qui était à la recherche d'alliances, fit mieux encore. Dès le temps de sa captivité à Madrid en 1526, des négociations secrètes avaient été ouvertes entre la France et l'Empire ottoman. Elles aboutirent en février 1536 à la signature de capitulations, officiellement un traité de commerce étendant à l'ensemble de l'Empire ottoman les privilèges commerciaux dont les marchands français bénéficiaient en Égypte, mais officieusement une alliance militaire offensive et défensive dirigée contre Charles Quint. Même si elle n'eut qu'une portée pratique limitée, cette alliance fit scandale. Non content d'appuyer les hérétiques d'Allemagne dans leur révolte contre leur prince, le roi Très-Chrétien prêtait son concours à l'entreprise de conquête du sultan turc et à l'expansion de l'islam, au moment même où l'empereur risquait sa vie pour la défense de la chrétienté. En juillet 1535, Charles Quint avait pris la tête d'une imposante expédition navale avec laquelle il avait reconquis Tunis occupée par le raïs d'Alger, Khayr al-Din, dit Barberousse, et rétabli le roi légitime, son propre vassal. En octobre 1535, le contentieux entre François Iᵉʳ et Charles Quint s'était rouvert avec la disparition de Francesco Sforza, le dernier duc de Milan, mort sans héritier. Charles Quint avait fait occuper le Milanais, tandis que François Iᵉʳ en réclamait l'investiture pour un de ses fils. Au printemps de 1536, François Iᵉʳ s'empara du duché de Savoie et du Piémont, dont le duc avait fait allégeance à l'empereur, comme gage d'un règlement ultérieur de la question milanaise. Après une tentative d'invasion de la Provence par les troupes impériales pendant l'été, la guerre se stabilisa sur les frontières du Milanais et des Pays-Bas. L'entremise du pape Paul III permit d'apaiser la tension. Charles Quint et François Iᵉʳ se rencontrèrent à Aigues-Mortes en 1538 et décidèrent d'une trêve. La guerre reprit avec l'assassinat en juillet 1541, sur ordre du gouverneur impérial de Milan, de deux espions français revenant d'une mission à Istanbul. Les affrontements se déroulèrent aux Pays-Bas et en Lombardie. Aux Pays-Bas,

François Ier soutenait Guillaume de Juliers, duc de Clèves, qui tentait de se tailler une puissante principauté territoriale dans la basse vallée du Rhin, à partir de laquelle il menaçait le cœur des Pays-Bas. Charles Quint vit le danger, remonta d'Espagne avec des *tercios* et força le duc de Clèves à capituler. En septembre 1543, par le traité de Venlo, le duc cédait le duché de Gueldre, le comté de Zutphen et l'évêché d'Utrecht qui furent incorporés aux Pays-Bas.

Au même moment, en Méditerranée, Français et Algérois menaient des opérations conjointes contre la marine impériale commandée par le Génois Andrea Doria. Cette collaboration militaire entre le royaume de France et la régence d'Alger n'était que le fruit de l'alliance franco-ottomane conclue en 1536. Une nouvelle fois, elle fit scandale. En octobre 1541, Charles Quint avait lancé une grande attaque contre Alger dont les activités corsaires perturbaient les relations commerciales en Méditerranée occidentale. L'affaire avait mal tourné. Les troupes impériales avaient subi un grave échec et l'empereur avait failli être capturé, le mauvais temps empêchant son escadre de quitter l'Afrique du Nord. Les flottes française et ottomane mirent le siège devant Nice en août 1543 et la flotte turque vint hiverner à Toulon. Le 14 avril 1544, une armée française commandée par le duc d'Enghien battait une armée impériale en Piémont, à Ceresole d'Alba, tandis que Charles Quint lançait à partir de Metz une grande offensive en Champagne qui aboutit à la destruction de Saint-Dizier et de Vitry-en-Perthois. La victoire piémontaise de François Ier contrebalançait ses déboires aux Pays-Bas et en Champagne et poussait les deux souverains à négocier. Au traité de Crépy-en-Laonnois conclu le 18 septembre 1544, ils s'engageaient à maintenir le statu quo. François Ier gardait la Savoie et le Piémont et Charles Quint le Milanais. Le roi de France promettait à l'empereur d'intervenir auprès du sultan pour lui faire relâcher la pression sur la Hongrie, et il abandonnait ses alliés protestants de la ligue de Smalkalde. En échange, Charles Quint promettait d'investir l'un des fils de François Ier au duché de Milan. Ce traité fut bien entendu un marché de dupes. Aucun des deux princes n'avait l'intention de respecter ses engagements et, d'ailleurs, Charles Quint avait déjà investi secrètement son fils Philippe du duché de Milan. Mais la fin de la guerre débloqua la situation diplomatique en Europe. Désormais, rien ne s'opposait plus à la tenue du concile.

Depuis quelques années, l'idée de convoquer un concile universel pour résorber le schisme luthérien avait fait son chemin en Europe, même si la situation religieuse s'était compliquée avec la multiplication des confessions réformées. Après s'être assuré que le futur concile ne remettrait pas en cause, comme les grands conciles du siècle précédent, l'autorité pontificale, Paul III appela les pères à se réunir à Trente où le concile fut ouvert le 13 décembre 1545. Les docteurs luthériens avaient refusé de répondre à la convocation, ce qui ne gênait nullement le pape qui comptait bien faire condamner les doctrines réformées. De son côté, Charles Quint n'attendait que la paix avec son ennemi français pour régler le problème de la dissidence religieuse et princière en Allemagne. Il résidait désormais en Europe du Nord et pouvait peser sur la politique allemande, d'autant que Martin Luther mourut en 1546. Cette même année, Charles Quint rallia au camp impérial Maurice de Saxe, le meilleur chef de guerre luthérien, en lui promettant le titre électoral de Saxe, au détriment du prince électeur en titre Jean-Frédéric le Magnanime. En outre, les luthériens étaient en situation de faiblesse depuis que l'on s'était aperçu que le landgrave de Hesse était bigame avec l'assentiment de Luther et de Melanchthon. C'est en 1547 que Charles Quint porta le coup de grâce à la ligue de Smalkalde. Les troupes impériales rencontrèrent l'armée luthérienne à Mühlberg en Saxe le 24 avril et les *tercios* espagnols lui infligèrent une terrible déroute. Le 15 mai 1548, à la diète d'Augsbourg, Charles Quint imposa aux luthériens l'*Interim* qui rétablissait le culte catholique partout où il avait été supprimé et qui accordait aux seuls luthériens deux concessions mineures, la communion sous les deux espèces et le mariage des prêtres, et cela uniquement dans l'attente des dispositions du concile chargé de rétablir l'unité religieuse.

La victoire de Charles Quint fut de courte durée. Les dissensions au sein de la famille Habsbourg commencèrent à se manifester avec la perspective de l'ouverture de la succession impériale. Par ailleurs, Maurice de Saxe qui avait obtenu la dignité électorale de Saxe s'empressa de trahir l'empereur. En 1551, alors qu'il commandait l'armée impériale au siège de la ville de Magdebourg, il ouvrit des négociations avec le nouveau roi de France, Henri II. Il obtenait d'importants subsides en faveur de la ligue de Smalkalde, contre la cession des Trois-Évêchés lorrains de Toul, Metz et Verdun, qu'Henri II vint cueillir au cours de son « voyage d'Allemagne » d'avril 1552. Le mois suivant, Maurice de Saxe lança un raid éclair sur Innsbruck où l'empereur résidait, dans l'espoir de le capturer. Charles ne dut son salut qu'à une fuite humiliante par les chemins de montagne vers l'Italie, où il rassembla ses fidèles. La diplomatie française visait à isoler Charles Quint. Une série d'alliances croisées entre la France, la ligue de Smalkalde et l'Empire ottoman contribua à resserrer l'étreinte en Allemagne. En Italie, les agents français soulevèrent le « parti français », une coalition hétéroclite de tous les adversaires de l'Empire. La ville de Sienne se révolta en avril 1552 et chassa la garnison impériale. Charles Quint réagit avec détermination. Il vint mettre le siège devant Metz au cours de l'hiver 1552. Mais François de Guise avait eu le temps de renforcer les défenses pendant l'été et Charles Quint dut renoncer. Accablé, il se retira à Bruxelles et prépara sa sortie. Même si l'édifice impérial laborieusement élaboré par Charles Quint prenait eau de toute part, Henri II s'était lancé dans une entreprise qui

dépassait ses moyens. Malgré le soutien de la flotte ottomane commandée par le raïs de Tripoli, Dragut, les troupes
françaises ne réussirent pas à se maintenir en Corse
qu'elles avaient arrachée à l'autorité de Gênes. En dépit
d'une défense héroïque de Blaise de Monluc, Sienne
devait capituler en avril 1555. Les deux adversaires
convinrent d'une trêve qui fut signée à Vaucelles le
15 février 1556. Charles Quint était donc libre de régler les
modalités de son abdication.

Il aurait préféré léguer l'ensemble de ses titres à son fils,
le prince Philippe, mais devant l'opposition déterminée de
la branche cadette représentée par Ferdinand et son fils
Maximilien, il se résolut au partage. Il procéda à la dévolution de ses biens par étapes. En 1540, Philippe avait reçu
secrètement l'investiture du duché de Milan, qui fut confirmée officiellement en 1546 avec l'accord de Ferdinand. En
1553, Philippe devint roi de Naples, titre royal nécessaire
pour celui qui allait épouser la reine d'Angleterre, Marie
Tudor. Le 22 octobre 1555, il reçut la maîtrise de l'ordre de
la Toison d'or et, le 25 octobre, dans une séance solennelle
des états généraux des Pays-Bas à Bruxelles, Charles
Quint transmit les Pays-Bas à son fils. Le 16 janvier 1556,
dans trois actes distincts, il légua à Philippe le royaume de
Castille, le royaume de Navarre et les Indes occidentales,
puis le royaume d'Aragon et le royaume de Sardaigne,
enfin le royaume de Sicile. Le 10 juin de cette même
année, ce fut au tour de la Bourgogne d'être transférée
entre les mains de Philippe. Restait l'empire. Après la
défaite de Metz, Ferdinand s'était imposé comme le seul
interlocuteur valable des princes révoltés dans l'empire. En
août 1553, il mettait fin à la guerre contre la ligue de Smalkalde. Les accords de Passau suspendaient l'*Interim*
d'Augsbourg, reconnaissaient l'existence des États protestants ainsi que la possession des biens des établissements
ecclésiastiques qu'ils avaient sécularisés. Il s'agissait
désormais d'établir une paix de religion définitive qui

organiserait la coexistence des luthériens et des catholiques au sein de l'empire.

La paix d'Augsbourg fut signée le 25 septembre 1555. Elle comprenait deux accords, l'un politique et l'autre confessionnel. L'accord politique renforçait le fédéralisme aux dépens du pouvoir impérial dans le cadre d'une redéfinition des cercles d'empire. Quant à l'accord religieux, il reconnaissait la liberté religieuse, mais pour les seuls princes territoriaux (ils étaient environ trois cent quatre-vingt-dix). La confession du prince devenait celle de son État et donc de ses sujets. Au cas où ces derniers refusaient de se convertir, ils avaient le droit d'émigrer. C'est ainsi que prit corps le fameux adage *Cujus regio ejus religio* (Tel prince, telle confession), inventé en fait en 1579. Cette disposition fut quelque peu adoucie par la *Declaratio Ferdinandea,* non jointe à la décision de la diète, qui protégeait les minorités religieuses à l'intérieur des États. Le libre choix confessionnel fut, par contre, refusé aux princes ecclésiastiques pour éviter la sécularisation des biens de l'Église. Si un prince ecclésiastique passait à la Réforme, il le faisait à titre personnel sans engager ses sujets. Il devait alors renoncer à son bénéfice. Cette disposition protégeait les trois Électorats ecclésiastiques de Mayence, Cologne et Trêves, qui constituaient avec le royaume de Bohême détenu par les Habsbourg la majorité catholique du corps électoral. Charles Quint abdiqua officiellement de son titre impérial le 24 février 1557, mais Ferdinand dut attendre le 12 mars 1558 pour être reconnu empereur par les princes allemands à la diète de Francfort.

L'abdication de Charles Quint fut accueillie avec stupeur par l'Europe princière, car elle était inusitée. La dissociation du Saint Empire du reste des possessions des Habsbourg en Europe et dans le monde – ce qui allait devenir la Monarchie catholique espagnole – bouleversa les équilibres politiques, même si les deux branches de la famille des Habsbourg étaient contraintes de s'entendre pour

maintenir leur hégémonie. Elle ne mit pas fin cependant à
la guerre avec la France, qui était affaiblie mais pas
défaite. Henri II pouvait encore compter avec un allié en
Italie, le pape Paul IV. En septembre 1556, le duc d'Albe
parti de Naples rappela ce dernier à la raison en envahis-
sant les territoires pontificaux. La résistance à l'Espagne
s'effondra. L'Italie, fatiguée par tant d'années de guerre et
d'instabilité, était prête désormais à accepter l'autorité de
l'Espagne qui se chargeait d'y maintenir l'ordre. Les
princes italiens reconnurent de bonne grâce cette satellisa-
tion. En échange de l'inféodation de la république de
Sienne, le duc de Toscane cédait à Philippe II quelques
points d'appui côtiers destinés à protéger les relations
maritimes entre Naples et Gênes. Ainsi naissait l'État des
présides de Toscane. Mais c'est en France même que
Philippe II voulait asseoir sa prépondérance militaire.
Durant l'été 1557, il conçut une expédition à partir des
Pays-Bas avec le soutien des troupes anglaises stationnées
à Calais. Il n'avait nullement l'intention d'assiéger Paris, il
désirait seulement, par la pression militaire en Picardie,
amener le roi de France à la table des négociations. La
bataille décisive se déroula sous les murs de Saint-Quentin, le 10 août 1557. Emmanuel-Philibert de Savoie, qui
commandait l'armée espagnole, écrasa l'armée française
dirigée par le connétable de Montmorency.

La peur s'installa à Paris, mais elle fut de courte durée.
Dans les premiers jours de janvier 1558, François de Guise
châtia l'Angleterre en s'emparant de Calais par surprise.
Une victoire française à Thionville en juin et une victoire
espagnole à Gravelines en juillet achevèrent de convaincre
les deux adversaires qu'il était temps de négocier. La paix
fut signée le 3 avril 1559 au Cateau-Cambrésis. Henri II
restituait ses États au duc de Savoie Emmanuel-Philibert et
renonçait définitivement à ses prétentions sur le royaume
de Naples et le duché de Milan. L'Angleterre cédait Calais
pour huit ans avec la possibilité de l'acheter au terme de

cette période. La cession à la France des Trois-Évêchés de Toul, Metz et Verdun, passée sous silence car l'Empire n'était pas partie prenante dans les négociations, était entérinée de fait. La paix était scellée par deux mariages, celui d'Élisabeth de Valois, fille d'Henri II et de Catherine de Médicis, avec Philippe II, celui de Marguerite d'Angoulême, sœur d'Henri II, avec le duc de Savoie. Le traité du Cateau-Cambrésis clôturait une longue période d'hostilité en Europe, commencée en 1494 par la descente de Charles VIII dans le royaume de Naples. Au cours des festivités destinées à célébrer le retour de la paix, Henri mourait accidentellement dans un tournoi le 30 juin 1559. Cette soudaine disparition plongea le royaume de France dans l'instabilité et les guerres civiles pour près d'un demi-siècle, laissant à l'Espagne le champ libre pour exercer sa prépondérance sur l'Europe.

2. La Monarchie catholique et la montée des puissances maritimes

Le traité du Cateau-Cambrésis marquait la fin d'une époque, commencée en 1494, celle des guerres d'Italie qui, avec le temps et les enjeux, s'étaient élargies à un conflit entre les maisons des Valois et des Habsbourg. Globalement, ces derniers sortaient victorieux de la confrontation, mais l'abdication de Charles Quint en 1556-1557 bouleversait les équilibres politiques en Europe. La puissance de Charles Quint reposait sur des territoires étendus sur toute l'Europe, le contrôle des principales voies de communication et des principaux marchés économiques. Elle s'adossait à des possessions américaines qui, à partir du milieu des années 1540, commençaient à être rentables et qui lui procuraient les rentrées nécessaires à la conduite de sa politique mondiale. Charles Quint portait le titre d'empereur, ce qui lui conférait un prestige et une autorité sur les autres maisons princières du continent. Son fils, Philippe II, n'avait plus cet atout, comme il avait perdu, avec le titre impérial, l'accès à l'Europe centrale et orientale. Le centre de gravité de son empire se déplaça vers le sud, vers la Castille et ses possessions outre-mer qui prirent, avec la conquête des Philippines et l'ouverture des marchés de l'Extrême-Orient, une place sans cesse plus importante dans son système de gouvernement. L'accession de Philippe II au trône du Portugal en 1581, et donc à l'Empire portugais d'Afrique, d'Amérique et des Indes orientales, ne fit qu'accroître ce déplacement des intérêts du monarque vers l'Atlantique et le Pacifique.

L'utilisation du terme d'empire pour désigner les possessions à la tête desquelles se trouvait Philippe II est d'ailleurs tout à fait inappropriée. Le roi d'Espagne ne porta jamais le titre d'empereur. D'autre part, la notion d'empire implique une distinction entre la métropole et les colonies, ce qui n'était pas le cas de l'Espagne. La monarchie espagnole était une monarchie composite, une juxtaposition d'États qui reconnaissaient le même souverain, mais qui restaient dotés de toutes les institutions propres à un État indépendant. Tous ces royaumes jouissaient donc d'une large autonomie politique et financière, militaire et diplomatique, même les royaumes américains, même les Philippines. Quand Philippe II devint roi de Portugal, ce ne fut pas à proprement parler une annexion. Là encore, le royaume portugais garda toutes ses institutions et ses prérogatives et l'essentiel de la gestion fut laissé aux mains d'un Conseil du Portugal siégeant à Lisbonne et dont les membres étaient des autochtones. Il n'empêche que Philippe II fut bien le premier souverain européen dont la politique fut planétaire. Les contemporains ont utilisé l'expression de Monarchie catholique pour désigner cette singulière construction politique. Elle traduit bien l'idéologie qui lui a donné sa légitimité, la défense de la catholicité face à ses ennemis traditionnels, l'islam d'une part, présent en Méditerranée, mais aussi dans le Pacifique et sur le sol même de l'Espagne, les hérétiques dont l'influence allait grandissant, de l'autre.

Philippe II eut-il une stratégie consciente et définie qui visait à la monarchie universelle ? On en a longtemps douté, mais on y croit de plus en plus. En tout cas, ses adversaires en furent convaincus. En 1572, juste avant le massacre de la Saint-Barthélemy, l'amiral de Coligny, l'un des chefs du parti protestant en France, pensait que Philippe II voulait se convertir en monarque de la chrétienté ou du moins la gouverner. En 1585, selon Henri de Navarre, le prétendant huguenot à la Couronne de France, les Espagnols estimaient qu'aucune partie du monde ne leur était inaccessible. Quelques années plus tard, Guillaume-Louis de Nassau, le stathouder des Provinces-Unies révoltées contre l'Espagne, reconnaissait que Philippe II était le plus grand monarque du monde. Ce sentiment de puissance absolue était également partagé par les Espagnols qui, en 1580, firent frapper une médaille représentant sur l'avers le portrait du roi avec la légende « Philippe II roi d'Espagne et du Nouveau Monde » et, au revers, la devise en latin « Le monde ne lui suffit pas ». Ces prétentions à la monarchie universelle culminèrent aux alentours du tournant du siècle, sous le règne de Philippe III. En 1620, le philosophe calabrais Tommaso Campanella publiait sa *De Monarchia hispanica,* dans laquelle il faisait l'apologie de la prépondérance espagnole sur le monde. C'est cette conscience profonde du rôle messianique qu'elle prétendait jouer dans la défense et la propagation de la foi romaine qui stimula le dynamisme espagnol sous le règne de Philippe II. En 1583, le gouverneur des Philippines proposait au roi un projet d'expédition militaire pour envahir la Chine et, deux ans plus tard, un fonctionnaire de Manille demandait la conquête de l'Indonésie musulmane.

Sur le plan diplomatique, Philippe II était relativement isolé. Vue d'Europe, la domination de l'Espagne sur les « quatre parties » (les quatre continents alors connus) du monde suscitait des craintes et incitait certains États à la résistance. Le roi pouvait compter sur le soutien de la papauté, mais l'autorité pontificale avait été profondément affectée par le mouvement réformé. Des pans entiers de l'Europe chrétienne avaient échappé à son obédience : plusieurs princes allemands et non des moindres, les ordres chevaleresques de l'Europe du Nord-Est, l'ensemble de la Scandinavie étaient passés à la Réforme. L'Autriche, la Pologne, la Hongrie et même le royaume de France pouvaient basculer. Mais c'est dans les îles Britanniques et particulièrement en Angleterre que se manifesta l'opposition la plus résolue au catholicisme romain et, par là même, à l'Espagne. Pourtant, jusqu'aux années 1560, l'histoire religieuse de l'Angleterre avait été plutôt hésitante. Dès la fin du XVᵉ siècle, il y régnait un profond ressentiment à l'égard de la papauté. Un anticléricalisme virulent y avait cours, alimenté par les groupes de lollards qui n'avaient pas été éliminés. En outre, l'Angleterre était officiellement un fief pontifical et ne jouissait pas d'une entière souveraineté. À tout prendre, le divorce d'Henri VIII d'avec Catherine d'Aragon, une tante de Charles Quint, ne fut qu'un prétexte. L'excommunication du roi et de ses principaux conseillers poussa le royaume d'Angleterre vers la sécession religieuse et offrit l'occasion au souverain de s'approprier les biens du clergé et de prendre le contrôle de l'Église nationale par l'Acte de suprématie de 1534. Pourtant, l'Angleterre n'adhéra pas officiellement à la Réforme. En 1547, Édouard VI succédait à son père. Il donna une coloration plus calviniste à l'Église d'Angleterre, nommant aux sièges épiscopaux les plus importants des partisans avoués de la Réforme. Mais sa mort prématurée en 1553 permit à sa demi-sœur Marie Tudor, fille de Catherine d'Aragon, de monter sur le trône. Décidée à faire rentrer son royaume dans le giron de l'Église romaine, la reine pratiqua des purges à grande échelle. Plus de trois cents réformés, parmi lesquels les cadres de l'Église anglicane, furent envoyés au bûcher et ceux qui ne purent être capturés furent bannis. Marie Tudor y gagna le surnom de Marie la Sanglante. Durant ces années, Philippe II vécut en Angleterre auprès de celle qui était son épouse. Il tenta de modérer la reine dans sa politique répressive, car il se rendait compte que l'opinion publique anglaise basculait majoritairement dans le camp réformé. Dans le même temps, l'Écosse glissait insensiblement vers la réforme calviniste la plus radicale sous l'autorité du prédicateur John Knox. Quand Marie mourut en 1558 et que sa demi-sœur, Élisabeth Iʳᵉ, lui succéda, tout n'était pas encore définitivement joué. Mais la politique hégémonique de l'Espagne en Europe acheva de placer l'Angleterre à la tête de la résistance au catholicisme romain et à la monarchie espagnole. Le succès d'estime rencontré par la papauté au concile de Trente qui mit fin à ses travaux en décembre 1563 ne doit pas masquer la réalité. Le catholicisme romain était bel et bien affaibli en Europe et il lui fallut des décennies pour se réorganiser.

Dès le début de son règne, Philippe II fut confronté au problème des Pays-Bas. Il est incontestable que pour Charles Quint ces provinces constituaient le joyau de ses possessions, compte tenu du soin et de la persévérance avec lesquels il rassembla les territoires autour du noyau initial et il réorganisa les institutions locales. Il fut sans indulgence à l'égard des réformés, qu'il réprima avec la plus grande sévérité, afin d'éviter le développement de tout ferment de dissolution dans ce qu'il considérait comme la terre de ses ancêtres bourguignons. Dans les territoires dont il abdiqua en faveur de son fils Philippe, les Pays-Bas occupaient une place centrale. Ils étaient protégés à l'ouest par l'Angleterre depuis le mariage de Philippe avec la reine Marie Tudor et à l'est par le Milanais, arsenal et nœud de communication stratégique spécialement démembré de l'empire. Ainsi, face à la menace de l'ennemi héréditaire qu'était le royaume de France, les Pays-Bas n'étaient plus isolés. L'Espagne pourrait voler à leur secours par les deux routes habituelles : la route maritime par le golfe de Gascogne sécurisée par l'alliance anglaise, la route terrestre passant par Gênes, Milan, la Savoie, la Franche-Comté et la Lorraine. Quand son père quitta les Pays-Bas pour l'Espagne en 1556, Philippe resta à Bruxelles. Bien qu'ils n'aient pas éprouvé une grande sympathie pour lui, ses sujets flamands considéraient Philippe comme leur prince « naturel ».

Mais en 1559, après la mort de Charles Quint, Philippe II partit pour l'Espagne et ne remit plus jamais les pieds aux Pays-Bas. La révolte des Pays-Bas commença donc d'une manière classique, comme toutes les insurrections d'Ancien Régime. Les sujets demandaient une présence de leur prince sur leur sol et n'admettaient pas la délégation de pouvoir accordée à la gouvernante Marguerite de Parme, la demi-sœur de Philippe, et à son principal conseiller, Antoine Perrenot de Granvelle, qui la court-circuitait en négociant directement avec le roi à Madrid. Ils exigeaient aussi le départ des troupes étrangères, deux *tercios* espagnols chargés de la défense contre la menace française. Ils admettaient également de payer des impôts pour éponger les dettes immenses laissées par Charles Quint, mais à condition qu'ils fussent accordés avec le consentement des états généraux, que la levée en fût contrôlée par eux ainsi que leur affectation. Sur ces revendications traditionnelles vinrent se greffer les problèmes religieux – une réforme de la carte des évêchés menée brutalement, l'instauration de tribunaux d'Inquisition – dans une région de frontière confessionnelle très sensible. Le contexte international était lui aussi délicat. Une nouvelle poussée turque en Méditerranée se traduisit par une cruelle défaite de la flotte espagnole à Djerba en 1560. Puis les Algérois mirent le siège devant Oran, le plus puissant préside espagnol du Maghreb. Enfin les guerres civiles commencèrent en France en 1562. Philippe II céda devant les protestations des élites flamandes. Il rappela Granvelle, suspendit les tribunaux d'Inquisition et laissa les nouveaux évêchés vacants. Ce signe de faiblesse encouragea les opposants hollandais, déjà influencés par le calvinisme, qui firent circuler une pétition contre les lois antiprotestantes et contre l'Inquisition, qu'une délégation de plusieurs centaines de nobles vint porter à Marguerite de Parme en avril 1566 dans son palais de Bruxelles. La gouvernante fut contrainte d'accepter ce « compromis des nobles » et d'abolir toutes les lois restreignant la liberté religieuse. Le calvinisme se diffusa dès lors rapidement dans le sillage du mouvement iconoclaste qui, durant l'été 1566, aboutit à la destruction de plus de quatre cents lieux de culte catholiques. La reprise en main s'imposait.

Philippe II envoya en avril 1567 une armée espagnole de dix mille hommes à partir de la Lombardie, le long de cette « route des Flandres » dont l'importance stratégique fut considérable jusqu'à la guerre de Trente Ans. Ce corps expéditionnaire était commandé par le duc d'Albe qui fut nommé par la même occasion gouverneur des Pays-Bas en remplacement de Marguerite de Parme. La répression fut féroce. Un tribunal d'exception, le tribunal des Troubles, fut chargé d'éliminer les meneurs, dont le comte d'Egmont et le comte de Hornes, de nouveaux impôts furent levés sans le consentement des États, des mesures de rétorsion furent prises à l'encontre des Anglais accusés de soutenir les insurgés. La terreur instaurée par le duc d'Albe permit le rétablissement de l'autorité de l'Espagne mais ne fit pas reculer la détermination des opposants. Le 1er avril 1572, un bon millier de « gueux de la mer » venus d'Angleterre débarquèrent en Zélande et s'emparèrent de Brielle et de Flessingue, poursuivirent en Hollande en faisant tomber Enckhuisen, tandis que Guillaume d'Orange prenait Mons

avec l'appui des troupes françaises. La contre-attaque du
duc d'Albe fut foudroyante. Malines fut mise à sac, Zutphen connut le même sort quelque temps après, ce qui permit aux Espagnols de reprendre le contrôle d'une bonne
partie du terrain perdu. Mais, en 1573, le duc d'Albe s'en-
lisa dans une série de sièges en Hollande et malgré la prise
de Haarlem en juillet 1573 où plusieurs milliers de soldats
ennemis furent passés au fil de l'épée, son offensive fut bloquée. Le gouverneur fut rappelé en Espagne, son rempla-
çant, Luis de Requesens, mourut de la peste en 1575, une
banqueroute ruina le crédit de l'Espagne cette même année.
L'armée des Flandres qui n'avait plus reçu de solde depuis
trop longtemps se mutina et s'empara d'Anvers qu'elle mit
à sac en 1576. Philippe II était contraint d'ouvrir des négociations avec Guillaume Iᵉʳ de Nassau, surnommé le Taciturne, le chef des révoltés. Elles furent menées à bien par
don Juan d'Autriche, le vainqueur de Lépante et de Tunis,
nommé gouverneur et capitaine général des Pays-Bas, qui
accorda aux insurgés l'édit de pacification de Gand, pro-
mulgué le 8 novembre 1576. Les troupes espagnoles étaient
retirées des Pays-Bas et renvoyées en Italie, la persécution
religieuse cessait et les états généraux étaient rétablis dans
leurs prérogatives financières et politiques.

Les événements des Pays-Bas eurent des répercussions
sur les États voisins et le conflit, à l'origine une révolte
interne à la Monarchie catholique, s'internationalisa rapidement. Parallèlement, le royaume de France sombrait
dans les guerres civiles et l'anarchie. Pour des raisons religieuses – Philippe II se faisait un devoir de défendre la foi
catholique partout où elle était menacée – et stratégiques
– la frontière commune entre les Pays-Bas et le royaume
de France –, le roi d'Espagne intervint dans les guerres de
religion françaises aux côtés des catholiques. La présence
de contingents espagnols dans l'armée de François de
Guise fut décisive pour la victoire des catholiques à Dreux
le 19 décembre 1563. Mais, avec l'appui de son chancelier

Michel de L'Hospital et de l'amiral de Coligny entre 1563 et 1568, puis le retour de Coligny entre 1570 et 1572, la reine mère Catherine de Médicis tenta d'imposer une politique de concorde entre les partis, visant à faire accepter une paix de religion et à détourner les guerres civiles vers la guerre extérieure contre l'ennemi espagnol. C'est ainsi qu'il faut comprendre les tentatives françaises de colonisation en Amérique au début des années 1560, puis le soutien aux « gueux de la mer » et à Guillaume le Taciturne en 1572. Durant la même époque, les relations entre l'Espagne et l'Angleterre subirent une profonde évolution. Le mariage de Philippe avec Marie Tudor en 1554 avait constitué un grand succès diplomatique pour Charles Quint, mais la mort de la reine en 1558, sans descendance, fit s'écrouler le plan échafaudé par l'empereur. Élisabeth Ire avait le soutien des anglicans et de tous les non-conformistes opposés à la réaction catholique de la « reine sanglante ». Jusqu'en 1568, Élisabeth ne manifesta aucune hostilité particulière à l'encontre de l'Espagne. Elle était davantage préoccupée par les événements français. Entre octobre 1562 et juillet 1563, un contingent anglais tint Le Havre, dans l'espoir de remplacer comme tête de pont sur le continent le Calaisis perdu en 1558. Mais la politique brutale du duc d'Albe contre les intérêts des marchands anglais aux Pays-Bas et l'excommunication d'Élisabeth en 1570 par le pape Pie V, qui déliait les Anglais de leur serment de fidélité envers leur souveraine, achevèrent de pousser l'Angleterre du côté des protestants. C'est en Angleterre que les « gueux de la mer » hollandais se réfugièrent et préparèrent le débarquement de 1572. De froide, la guerre entre l'Angleterre et l'Espagne devint ouverte. Les corsaires anglais multiplièrent les attaques de convois espagnols dans l'Atlantique et, entre 1577 et 1580, Francis Drake entreprit son grand tour du monde, détruisant tous les intérêts espagnols sur son passage. C'est au début des années quatre-vingt que le projet d'invasion de l'Angleterre commença à germer en Espagne, mais, auparavant, Philippe II devait régler le problème portugais.

La politique aventureuse du roi Sébastien avait conduit la dynastie portugaise des Aviz à l'extinction. Pour des raisons qui tenaient davantage de l'exaltation religieuse que de la raison stratégique, Sébastien s'était lancé dans une politique d'ingérence au Maroc en jouant les prétendants les uns contre les autres, malgré les conseils de prudence prodigués par son oncle Philippe II. En 1578, il avait entraîné la fine fleur de la noblesse portugaise dans une croisade qui s'était soldée par un terrible désastre à la bataille de Ksar el-Kébir. Le roi avait été tué et son corps ne fut jamais retrouvé, ce qui donna naissance à la légende du « roi caché ». Pendant longtemps, les Portugais crurent que leur roi n'était pas mort et qu'il allait réapparaître. En attendant, la dynastie des Aviz était décapitée, et avec elle la classe dirigeante portugaise. Henri le Cardinal, grand-oncle de Sébastien, assura l'intérim entre 1578 et 1580, mais lorsqu'il mourut la dynastie était bel et bien éteinte. Philippe II était le plus proche prétendant à la succession, en raison des multiples mariages contractés depuis plusieurs générations entre les deux dynasties. Mais une partie de la population se rallia à un descendant illégitime des Aviz, Antonio, le prieur de Crato. Une expédition militaire menée par le duc d'Albe en 1580 réduisit l'opposition et, en 1581, Philippe II fut reconnu roi de Portugal par les Cortes portugaises réunies à Tovar, moyennant des concessions qui devaient satisfaire le sentiment d'indépendance des Portugais. L'union était uniquement dynastique, le Portugal et son empire gardant une totale autonomie. Les dernières résistances, appuyées par les flottes française, anglaise et hollandaise, se limitèrent aux Açores qui furent reconquises en 1582 et 1583 par deux expéditions navales commandées par le marquis de Santa Cruz, le meilleur amiral de Philippe II. Mais la rivalité hispano-portugaise se poursuivit pendant longtemps dans les possessions outre-mer, ce qui ne manqua pas d'avoir des incidences sur la politique impériale de la Monarchie catholique.

À partir de l'union dynastique avec le Portugal, Philippe II se trouvait à la tête de territoires considérables. L'Angleterre et les révoltés des Pays-Bas s'en inquiétèrent, d'autant que la situation au nord était redevenue favorable à l'Espagne. Philippe II n'avait jamais eu l'intention de respecter les termes de la pacification de Gand, car il estimait indigne de son titre de Roi Catholique le fait de régner sur des sujets hérétiques. En 1578, don Juan d'Autriche mourait du typhus et Philippe II le remplaça au poste de gouverneur et capitaine général des Pays-Bas par son neveu Alexandre Farnèse, duc de Parme. Intelligent, brillant stratège et fin politique, Alexandre Farnèse était l'homme de la situation. Il sut jouer des dissensions qui commençaient à se manifester parmi les populations des Pays-Bas, surtout dans les provinces du Sud, fatiguées de la guerre, restées catholiques et désireuses d'endiguer l'avancée calviniste, prêtes donc à rallier le roi d'Espagne à condition qu'il leur reconnût une certaine autonomie. Sur ces bases, en janvier 1579, il signa avec trois d'entre elles, la Flandre wallonne, l'Artois et le Hainaut, l'Union d'Arras. En réponse, quelques jours plus tard, les sept provinces du nord des Pays-Bas, majoritairement calvinistes, concluaient l'Union d'Utrecht, qui sanctionnait l'indépendance de fait des nouvelles Provinces-Unies. En 1581, Guillaume le Taciturne les poussait à proclamer la déchéance du roi d'Espagne et à se trouver un autre prince, d'abord en la personne de l'archiduc autrichien Mathias puis en celle de François d'Alençon, duc d'Anjou, le frère cadet du roi de France Henri III. Mais l'initiative militaire restait entre les mains d'Alexandre Farnèse qui reconquit méthodiquement les Pays-Bas à partir de ses bases du Sud et confina les révoltés aux seuls territoires de la Hollande et de la Zélande. En outre, par le traité de Joinville signé en décembre 1584 avec la Sainte-Ligue catholique et les Guise, Philippe II intervenait officiellement dans les guerres civiles françaises et soutenait avec des soldats et de l'argent les catholiques zélés contre le prétendant huguenot Henri de Navarre. La puissance espagnole se trouvait dans une dynamique de conquête qui la rendait irrésistible.

La défense de la religion catholique contre l'hérésie obligeait donc Philippe II et l'Espagne à être présents sur tous les fronts. Après la scission entre les provinces du Nord et celles du Sud en 1579, le duc de Parme avait entrepris la reconquête des Pays-Bas. La même année, il s'emparait de Maastricht et il poursuivit sa progression, malgré le soutien apporté par le duc d'Anjou à la cause des révoltés. À la mort de Guillaume le Taciturne, assassiné en juillet 1584, Alexandre Farnèse avait reconquis une grande partie de la Flandre et du Brabant. Il avait aussi enlevé plus au nord Zutphen à la Gueldre et Groningue à la Frise. Seules quelques enclaves lui échappaient encore au sud, Courtrai aux mains des Français, Gand, Anvers, Ostende, Bruxelles et quelques places mineures aux mains des confédérés. En 1584, il s'empara de Gand, l'année suivante de Bruxelles et de Nimègue et enfin d'Anvers après plus d'un an de siège. Déçues par les résultats peu probants de l'alliance avec la France, les Provinces-Unies se tournèrent vers l'Angleterre. En août 1585, peu après la chute d'Anvers, par le traité de Nonsuch, Élisabeth s'engageait à leur fournir une aide militaire. En décembre, un corps expéditionnaire anglais conduit par Robert Dudley, comte de Leicester, débarqua en Hollande pour secourir les confédérés. Dudley reçut des états généraux le titre de gouverneur général des « États Unis des Pays-Bas ». Les forces alliées attaquèrent les places espagnoles du Rhin qui coupaient les Provinces-Unies de leurs soutiens protestants en Allemagne. Le conflit se concentra autour de la puissante place forte de Neuss. En août 1586, les troupes italo-espagnoles du duc de Parme la prirent d'assaut, massacrèrent la garnison et les habitants et mirent la ville à sac. La prise de la ville rétablit la libre navigation sur le Rhin et les relations commerciales entre Cologne et le Brabant. Les échecs répétés des confédérés ne tardèrent pas à semer la zizanie entre les Provinces-Unies et leurs alliés anglais, que la rivalité entre Dudley et le jeune Maurice de Nassau, le fils de Guillaume le Taciturne, ne fit que raviver. En mars 1588, Dudley démissionna et repartit pour l'Angleterre. Désormais, la ligne de front entre les Pays-Bas espagnols et les Provinces-Unies était stabilisée. Les événements liés au projet de l'Invincible Armada ne la modifièrent pas sensiblement.

C'est à partir de 1585 que Philippe II se lança dans le projet de construction d'une Invincible Armada destinée à envahir l'Angleterre, base arrière des insurgés des Provinces-Unies. Une flotte de 130 vaisseaux, avec 19 000 marins et fantassins, fut réunie à Lisbonne. Dans un premier temps, Philippe II envisageait un débarquement en Irlande ou en Angleterre. Finalement, la flotte fut destinée à bloquer la marine anglo-hollandaise en mer du Nord et dans la Manche pour permettre le transport des troupes d'assaut à partir des Pays-Bas. Alexandre Farnèse fut chargé de réunir une armée de 27 000 vétérans des Flandres autour de Dunkerque et de Nieuport, pour leur faire traverser le pas de Calais sur des gabarres à fond plat. Élisabeth Iʳᵉ était parfaitement au courant des préparatifs grâce à son service de renseignements. En avril 1587 d'ailleurs, Drake attaqua Cadix et y brûla vingt-quatre bateaux en route pour Lisbonne où ils devaient se joindre à l'armada. Pourtant la reine n'y croyait pas et réalisa l'imminence du danger quand apparut dans la Manche la flotte commandée par le duc de Medina Sidonia, qui avait remplacé, à sa mort, le marquis de Santa Cruz. L'insurrection de la Ligue à Paris contre le roi Henri III et la fuite de ce dernier en mai 1588 renforçaient les positions de l'Espagne aux Pays-Bas et garantissaient les arrières d'Alexandre

Farnèse à Dunkerque. L'ordre de l'attaque fut donné au mois de juillet. La flotte espagnole alla se placer au large de Calais afin de bloquer les navires de Drake et de Hawkins. Elle avait reçu l'ordre de ne pas entrer dans la mer du Nord, mais, dans la nuit du 7 août, des brûlots lancés par les Anglais la forcèrent à quitter son mouillage. Mise sous le vent, elle fut poussée vers la mer du Nord et chahutée par les corsaires anglais devant Gravelines. Cinq jours plus tard, elle se trouvait déjà au large de l'Écosse. Les bateaux rescapés rallièrent leur port d'attache en contournant les îles Britanniques. Pendant ce temps, Alexandre Farnèse ne bougea pas, puisqu'il avait perdu la protection de la flotte. L'immense effort de l'Invincible Armada se soldait par un désastre financier, politique et humain sans précédent. Le rapport des forces en Europe s'en trouvait bouleversé. Désormais, l'Angleterre et les Provinces-Unies étaient indéfectiblement liées pour quinze ans contre l'Espagne. Mais Philippe II reconstruisit sa flotte en un temps record. Dès que les affaires françaises lui en laissèrent le loisir et après avoir maté la révolte de l'Aragon de 1591, il échafauda de nouveaux projets d'invasion. Il soutint la cause des catholiques irlandais et, en septembre-octobre 1597, une armada de cent trente-six navires et de treize mille hommes sous les ordres de Martin de Padilla partit pour une nouvelle tentative de débarquement. Comme celle de 1588, l'armada de 1597 fut dispersée par la tempête. Élisabeth se vengea l'année suivante. Une escadre anglaise ravagea Cadix et la brûla.

Philippe II était aussi engagé dans les guerres civiles en France. Il n'avait jamais ménagé son appui aux catholiques les plus fervents, en particulier à la famille de Guise. Il se méfiait par contre de la politique oscillante des rois de France, Charles IX et plus encore Henri III, qui n'hésitaient pas à s'en prendre à l'Espagne pour détourner les passions internes vers un ennemi extérieur bien commode. Aussi, quand le dernier frère d'Henri III, François d'Alençon, mourut en juin 1584 et que le chef huguenot Henri de Navarre devint, en vertu de la loi salique, l'héritier présomptif au trône de France, les événements se précipitèrent-ils. La formation d'une Sainte-Ligue regroupant les éléments les plus zélés du catholicisme incita Philippe II à engager des négociations avec les Guise qui aboutirent au traité de Joinville de décembre 1584. L'Espagne apportait son soutien à la Ligue pour contrer l'éventuelle prise de pouvoir d'Henri de Navarre. Après l'exécution des Guise en décembre 1588 par Henri III et l'assassinat de ce dernier en août 1589 par un moine dominicain, l'Espagne apporta un soutien déterminé à la Ligue insurrectionnelle et à son chef, le duc de Mayenne, intronisé lieutenant général du royaume par les catholiques zélés. Le gouverneur des Pays-Bas, Alexandre Farnèse, fut chargé de l'intervention militaire, d'autant que la France était devenue le théâtre d'affrontement des puissances européennes. Élisabeth Ire avait envoyé des troupes à Henri de Navarre grâce auxquelles celui-ci défit Mayenne à Arques en septembre 1589.

Désormais, pour Philippe II, les affaires de France avaient la priorité. Il espérait même secrètement mettre la main sur la couronne. Mais la victoire d'Henri de Navarre à Ivry en mars 1590 ouvrait aux huguenots la route de Paris. Pendant le siège de la capitale, Mayenne alla négocier avec Farnèse à Bruxelles. Il fit plusieurs propositions à l'Espagne : soit Philippe II recevait la couronne de France et nommait Mayenne son lieutenant en lui accordant une province en pleine souveraineté, soit Mayenne lui-même devenait roi de France et cédait la Bretagne et la Bourgogne à l'Espagne. Mais Farnèse restait bloqué aux Pays-Bas par la mutinerie de la garnison espagnole de Courtrai. Une fois les troubles apaisés, il se consacra à son expédition en France. Il vint affronter Henri de Navarre dans l'est de Paris, en Brie, aux alentours de Meaux, grenier à blé et zone stratégique pour le ravitaillement de la capitale. À la suite d'une habile manœuvre, il s'emparait de Lagny au début de septembre 1590 et débloquait Paris. Il pouvait occuper les ponts de Saint-Maur et de Charenton, puis Corbeil. En quelques jours, Farnèse avait retourné la situation militaire en France. Le royaume semblait en voie d'être dépecé. Pendant ce même été, un corps expédition- naire espagnol occupait le port de Blavet dans l'estuaire de la Loire, pour venir en aide au duc de Mercœur, gouver- neur ligueur de la Bretagne, tandis qu'une armée espagnole entrait en Languedoc et que le duc de Savoie, Charles- Emmanuel, qui avait déjà occupé le marquisat de Saluces en 1588, s'emparait de la Provence dont il était fait gou- verneur au nom de l'Espagne et de la Ligue. Mais Farnèse n'était pas dupe. Il comprenait que le temps jouait pour Henri de Navarre. Il l'écrivit d'ailleurs à Philippe II. Dès qu'il repartit pour Bruxelles où le rappelaient les affaires des Pays-Bas, Henri de Navarre reprit les villes perdues.

Avec Maurice de Nassau, le fils de Guillaume le Taci- turne, les Provinces-Unies s'étaient trouvé un chef de guerre de grande valeur. Déjà, en février 1590, les Hollan- dais avaient repris Breda. Ils profitèrent de l'absence de Farnèse pour réinvestir d'autres places du Brabant. En 1591, Maurice de Nassau s'empara de Zutphen, puis de Deventer et menaça Groningue et Nimègue, places avan- cées de l'Espagne en Frise. Comme Farnèse avait été à nouveau rappelé par Philippe II pour porter secours aux ligueurs français, Maurice de Nassau en profita pour s'em- parer de Hulst près d'Anvers et pour mettre le siège devant Nimègue. En France, la situation évoluait rapidement. Henri de Navarre avait réoccupé le terrain perdu l'année précédente et maintenait sous son contrôle le ravitaille- ment de Paris qu'il pouvait couper à tout moment. La Ligue insurrectionnelle tenait Paris où elle faisait régner la terreur. Officiellement, le royaume de France n'avait plus de roi, puisque Henri de Navarre était hérétique et qu'il avait été déchu de ses droits à la couronne en 1585 par Sixte Quint. À la mort d'Henri III, les ligueurs avaient désigné le vieux cardinal de Bourbon sous le nom de Charles X, mais ce roi fantoche n'avait été reconnu par personne. Cette fois-ci, les choses étaient plus sérieuses. Certains ligueurs radicaux étaient tentés de désigner la propre fille de Philippe II et de sa troisième épouse Élisabeth de Valois, l'Infante Isabelle-Claire-Eugénie. Ils donnaient la préférence à la loi de catholicité plutôt qu'à la loi salique qui excluait les femmes du trône. Mais il était clair que, à terme, l'Espagne visait à s'emparer du royaume de France, ce qui poussa une partie des ligueurs, plus nationalistes que catholiques, à se rapprocher d'Henri de Navarre. Le futur Henri IV apparaissait désormais moins comme le chef de la faction huguenote que comme le défenseur de l'indépendance du royaume contre l'ingérence de l'Espagne. C'est dans ce contexte que, à la fin de 1591, Henri de Navarre mit le siège devant Rouen avec l'aide de contingents suisses, allemands et anglais. La prise de Rouen par le Navarrais signifiait la prise de contrôle de la vallée de la Seine et, à terme, le blocus de Paris. Le duc de Parme intervint pour faire lever le siège de la ville en avril 1592 et pour rétablir l'autorité des ligueurs sur la basse vallée de la Seine, grâce à la prise de Neufchâtel-en-Bray et de Caudebec. Puis il repartit pour Bruxelles en passant par Paris. Il avait pour mission d'y faire reconnaître officiellement Isabelle-Claire-Eugénie au trône de France par des états généraux convoqués à dessein par la Ligue. Philippe II lui avait accordé le titre de lieutenant général du royaume pour exercer le pouvoir dans l'attente de l'arrivée de la nouvelle reine. Mais, affaibli par la maladie et une blessure mal soignée reçue à Caudebec, il mourut sur la route, dans l'abbaye de Saint-Vaast à Arras, en décembre 1592.

La situation aux Pays-Bas était désormais inextricablement liée aux événements de France. Les efforts militaires de l'Espagne en France faisaient baisser la pression sur le front hollandais et laissaient les mains libres à Maurice de Nassau au Brabant et en Frise. En janvier 1593, les états généraux de la Ligue se réunirent à Paris. Ils se déchirèrent rapidement sur la question du respect de la loi salique, d'autant qu'Henri de Navarre semait habilement la zizanie en faisant savoir à qui voulait l'entendre qu'il était prêt à se convertir au catholicisme. Ce qu'il fit en juillet 1593. L'élection d'Isabelle-Claire-Eugénie n'avait plus de raison d'être, puisque Henri de Navarre était désormais catholique. Les ligueurs commencèrent à rallier en masse le camp du roi légitime. Pendant que les troupes espagnoles continuaient à guerroyer en Picardie pour soutenir les ligueurs radicaux, Maurice de Nassau en profitait pour enlever la place forte de Gertruydenberg, près de Breda, en avril 1593. L'année suivante, une offensive en Frise aboutit à la prise de Groningue en juillet. En février 1594, Henri IV était sacré à Chartres et il entrait victorieux dans Paris le mois suivant. La reconquête des dernières provinces ligueuses de son royaume commençait. Pour mieux assurer son pouvoir, il déclara la guerre à l'Espagne en janvier 1595, l'accusant de soutenir les rebelles contre lui. L'offensive espagnole en Picardie n'avait jamais cessé depuis la mort d'Alexandre Farnèse, mais Philippe II avait trouvé en l'archiduc Albert un digne successeur au duc de Parme. Excellent général, il prenait Cambrai en octobre 1595, puis, l'année suivante, Calais et Ardres. Sur d'autres fronts, l'Espagne subissait des revers. Sur le plan diplomatique d'abord, quand le pape Clément VIII accorda son absolution à Henri IV, puis quand la France, l'Angleterre et les Provinces-Unies fondèrent une triple alliance par le traité de Greenwich en mai 1596. Sur le plan militaire ensuite, lorsqu'une armée espagnole fut vaincue à Fontaine-Française en Bourgogne en juin 1595 et que les principaux chefs de guerre ligueurs se réconcilièrent avec Henri IV. Pourtant, dans un ultime effort, l'archiduc Albert s'emparait d'Amiens en mars 1597 et menaçait directement Paris. Henri IV et ses généraux ligueurs ralliés reprirent la place en septembre. Désormais, les négociations pouvaient s'ouvrir, favorisées par l'affaiblissement physique de Philippe II – il avait plus de soixante-dix ans – et la banque-route qui frappait les finances de la monarchie espagnole.

À partir de 1598, les principales puissances européennes en conflit depuis plus de trente ans liquidèrent bon gré mal gré leur contentieux. Les premières furent la France et l'Espagne. Plus rien ne s'y opposait depuis qu'Henri IV était repassé au catholicisme et qu'il avait été absous par le pape. L'idée d'une paix séparée avec la France présentait aussi des avantages pour l'Espagne. Elle affaiblissait la coalition adverse en isolant l'Angleterre et les Provinces-Unies. Elle lésait par contre la Savoie, l'alliée de l'Espagne, dont les buts de guerre n'avaient pas été satisfaits. De son côté, Henri IV se coupait de ses alliés traditionnels, mais il pouvait difficilement refuser une paix honorable, compte tenu de l'état de délabrement dans lequel se trouvait son royaume après tant d'années de guerre civile. La paix fut négociée grâce aux bons offices du pape Clément VIII et de son nonce à Paris, le cardinal de Florence, Alexandre de Médicis. L'Espagne acceptait de rendre les places qu'elle tenait encore en Picardie, Calais, et Blavet dans l'estuaire de la Loire, mais elle gardait Cambrai. La Savoie rendait la place de Berre qu'elle occupait encore en Provence. La paix fut signée à Vervins le 2 mai 1598. Philippe II mourait le 13 septembre. En fait, à terme, la Savoie paya le prix de la paix franco-espagnole. En 1588, soit au plus fort de la crise de la Ligue, profitant de la fai-blesse du roi Henri III, le duc de Savoie avait annexé le marquisat de Saluces, dont la possession avait été reconnue au roi de France par le traité du Cateau-Cambrésis. Ce petit territoire qui s'enfonçait comme un coin entre le Piémont et le comté de Nice détenait une grande valeur stratégique aux yeux du duc. La France considérait Saluces comme une « porte » ouverte sur l'Italie et y renoncer signifiait se couper de la politique italienne. Avec la guerre des Pays-Bas, cette région avait acquis une autre valeur stratégique. Elle était située à proximité de la « route des Flandres », l'axe de ravitaillement des Pays-Bas espagnols. Pour toutes ces raisons et parce que le duc était soupçonné de soutenir les anciens ligueurs – il n'avait toujours pas rendu les îles du Frioul en rade de Marseille –, Henri IV décida d'envahir le duché à l'automne 1600 et contraignit Charles-Emmanuel à signer le traité de Lyon en janvier 1601, par lequel il cédait à la France la Bresse, le Bugey, le Valromey et le pays de Gex, en compensation de la perte du marquisat de Saluces. Ces acquisitions eurent des conséquences notables pour la France. Elles repoussaient les frontières du royaume vers l'est, jusqu'au lac Léman, et dégageaient la ville de Lyon. Elles coupaient aussi les communications espagnoles entre le Milanais et la Franche-Comté. Désormais, des conventions internationales définissaient le droit de passage des troupes espagnoles à travers la vallée de la Valserine – il fallait protéger Genève la calviniste, toujours méfiante à l'égard d'une attaque surprise – et les territoires français. La traversée de l'Ain s'opérait sur un pont, le pont de Grésin, qu'Henri IV pouvait couper à tout moment. Cette première route des Flandres, la plus commode et la plus rapide pour les Espagnols, n'était plus sûre et ces derniers durent trouver une solution alternative, plus à l'est, à travers les cantons suisses et le Tyrol autrichien.

La mort de Philippe II et l'intronisation de son fils Philippe III ne modifièrent pas dans un premier temps la politique de l'Espagne. Le nouveau personnel n'avait pas de ligne politique bien définie, si ce n'est celle de la défense du catholicisme partout où il était menacé. C'est peu à peu, avec l'influence grandissante du duc de Lerma, que l'idée d'une paix généralisée fit son chemin. La guerre des Pays-Bas continuait, mais une nouveauté allait en changer les données. En 1598, l'infante Isabelle-Claire-

Eugénie et son époux l'infant Albert d'Autriche avaient été reconnus par Philippe II comme princes souverains des Pays-Bas. Il s'agissait de rallier l'opinion publique locale en donnant satisfaction à son esprit d'indépendance. Cette souveraineté était limitée, car le commandement de l'armée des Flandres dépendait toujours de Madrid. Il n'empêche. Les princes avaient leur propre politique étrangère. Ils désiraient la paix avec l'Angleterre, éventuellement avec les Provinces-Unies et il leur arrivait de contester la politique de Madrid. Dans un premier temps, la paix séparée signée par la France n'affaiblit pas l'agressivité des puissances maritimes. En août 1599, une armada anglaise de quatre-vingt-quatre voiles ravagea Las Palmas aux Canaries. En 1600, Maurice de Nassau lança une offensive à partir d'Ostende, que les Espagnols n'étaient jamais parvenus à reconquérir, contre Nieuport et Dunkerque. Le prince Albert accourut pour débloquer Nieuport. La bataille se déroula sur le passage des Dunes entre Nieuport et Dunkerque. Albert fut battu et blessé. Les Espagnols décidèrent alors qu'il fallait résorber la tête de pont que constituait Ostende. En juillet 1601, ils investirent la ville qui était fortement défendue. L'Espagne porta une nouvelle fois son effort contre l'Angleterre pour la couper des Provinces-Unies. Comme les Irlandais avaient reconnu Philippe III comme roi, celui-ci leur envoya un soutien militaire. Mais l'armada n'arriva jamais à bon port. Les Espagnols s'enfermèrent dans Kinsale où ils furent assiégés. Une armée irlandaise de secours fut écrasée et la garnison de Kinsale capitula en janvier 1602.

Au mois de mars 1603, la pire ennemie des Rois Catholiques, Élisabeth Ire, mourait et cette disparition devait modifier la politique anglaise à l'égard de l'Espagne. Le nouveau roi, Jacques Ier, était un Stuart, fils de Marie Stuart, et il régnait déjà en Écosse sous le nom de Jacques VI. Son accession au trône d'Angleterre, d'ailleurs désirée par Élisabeth, ne signifiait pas une union entre l'Angleterre et l'Écosse. L'union était personnelle, dynastique, mais les deux États ne fusionnèrent pas. Or, Jacques Ier était tiraillé entre ses tendances personnelles, favorables au renforcement de l'autorité royale et à un anglicanisme beaucoup plus proche du catholicisme que du calvinisme, et une opinion publique favorable à une politique protestante. Philippe III et son *valido,* le duc de Lerma, en profitèrent pour lui faire des propositions de paix. Le pacifisme de Lerma commençait à s'imposer à la cour de Madrid, malgré l'opposition de la haute administration impériale. Jacques Ier accepta et le traité de paix fut signé à Londres le 28 août 1604. Il garantissait la liberté de commerce et interdisait la contrebande. Désormais, les Provinces-Unies se retrouvaient totalement isolées. En 1605, après un siège de quatre ans, Ostende tombait. Philippe III clamait qu'il ne renoncerait jamais à sa souveraineté sur l'ensemble des anciens Pays-Bas, mais il autorisa l'ouverture de pourparlers avec ceux qu'il considérait comme de simples rebelles. Le 9 avril 1609, une trêve de Douze Ans était signée à Anvers entre l'Espagne et les Provinces-Unies. Ce n'était pas la paix, mais une suspension des hostilités qui pouvait satisfaire les Provinces-Unies dans la mesure où elle signifiait une reconnaissance *de facto* de leur existence, mais aussi l'Espagne qui avait besoin de reprendre souffle sur le plan humain et financier. Philippe III et Lerma pensaient que la trêve favoriserait l'enrichissement de la Hollande, l'endormirait et émousserait ses capacités de résistance. Il serait temps alors d'ouvrir à nouveau les hostilités et de subjuguer les provinces rebelles. Ce plan faillit être payant. Le commerce outre-mer des Provinces-Unies connut un développement considérable après 1609 et le retour de la paix suscita des dissensions internes qui les affaiblirent. Une fracture religieuse apparut entre deux courants calvinistes, le premier, libéral et tolérant représenté par le théologien Jakob Harmensen (Arminius), le second, orthodoxe et rigoriste, incarné par

François Gomar. Or, cette opposition religieuse se transposa sur le plan politique. Le grand pensionnaire de Hollande, Jan Van Barnevelt, dit Oldenbarnevelt, représentant les milieux marchands, était arminien et favorable à la paix avec l'Espagne, tandis que les stathouders de Hollande, de la famille des Nassau, représentant la noblesse et le petit peuple des villes, étaient gomaristes et favorables à la guerre. Le synode de Dordrecht trancha en 1619 en faveur des gomaristes. Oldenbarnevelt fut exécuté comme agent de l'Espagne.

La paix de Vervins de 1598, le traité de Londres de 1604, la trêve d'Anvers de 1609 ont inauguré une période de calme relatif que l'Europe occidentale n'avait plus connu depuis un siècle. C'était une paix précaire, une paix armée, un moment de répit que les différents protagonistes avaient l'intention d'utiliser pour reconstituer leurs forces. Cette paix fut à peine troublée par quelques bruits de bottes, comme en mai 1610 lorsque Henri IV voulut déclencher les hostilités à propos de la succession du duché de Clèves-Juliers, ou, lorsqu'en 1612 le duc de Savoie voulut récupérer le Montferrat à la suite de la succession du duché de Mantoue. À chaque fois, l'Espagne intervint et imposa un compromis. Car cette paix était bien une paix espagnole, une « *pax hispanica* » qui sanctionnait la prépondérance de la Monarchie catholique sur l'Europe. L'assassinat d'Henri IV lui fut même attribué. Ce rôle de régulateur des relations diplomatiques en Europe occidentale, personne ne le remit en cause et il valut à la dynastie espagnole de beaux succès matrimoniaux, comme les mariages croisés franco-espagnols de 1614-1615, aux termes desquels Louis XIII épousait Anne d'Autriche, la sœur du futur Philippe IV qui épousait Isabelle de Bourbon, la sœur de Louis XIII. Le gouvernement espagnol profita de la retombée des tensions internationales pour régler définitivement un vieux problème qui taraudait la société espagnole depuis un siècle. Entre 1609 et 1614, trois cent cinquante mille Morisques furent expulsés vers le Maghreb. La dynastie espagnole n'avait pas renoncé à ce qui faisait sa raison d'être, la défense du catholicisme. C'est en son nom qu'elle s'engageait en 1621 dans la guerre de Trente Ans, une décision malheureuse dont elle n'allait pas se relever.

3. Au Nord et à l'Est, du nouveau

L'Europe septentrionale fut incontestablement la région la plus instable au XVIᵉ siècle. Plusieurs puissances se disputaient le contrôle de la Baltique à cause des produits qui en étaient retirés, si appréciés du commerce européen. Il y avait d'abord les blés de Pologne et des pays Baltes proprement dits dont l'importation devenait nécessaire dans une Europe occidentale dont la population s'accroissait vivement. Il y avait aussi les produits de la taïga dont les bois de construction, les cendres et le charbon de bois utilisés pour la fabrication de la poudre à canon, les fourrures de la toundra à la forte valeur ajoutée, l'ambre de la Baltique, le fer et le cuivre de Suède qui intervenaient dans la fabrication des armes et des canons et le monnayage. Plusieurs puissances européennes rêvaient d'imposer leur monopole sur les routes de commerce qui passaient par la mer Baltique, zone d'intenses relations et véritable lac intérieur. Depuis l'Union de Kalmar réalisée en 1397, la dynastie danoise avait unifié sous son autorité le Danemark, la Norvège, la Suède, la Finlande et l'île de Gotland. À la fin du XVᵉ siècle, cette union était devenue toute théorique devant les révoltes incessantes de la Suède. Jean Iᵉʳ de Danemark, qui, en tant que duc de Schleswig et de Holstein, était aussi un prince d'empire, dut occuper Stockholm en 1497, mais il ne put empêcher que des régents appartenant à de grandes familles de feudataires suédois, comme Sten Sture ou Svante Nilsson, ne préservent l'auto-

nomie de la Suède et de la Finlande. L'enjeu du conflit
était représenté par le détroit du Sund, le passage qui fermait la Baltique à l'ouest et où la douane danoise prélevait
des droits rémunérateurs.

Le Danemark devait aussi faire face à des concurrents
commerciaux très entreprenants, comme la Ligue hanséatique dirigée par Lübeck, qui, bien que regroupant des
villes marchandes d'Allemagne du Nord, des régions baltes
et de Russie, constituait une force navale redoutable. Puis,
petit à petit, les navires hollandais d'Amsterdam vinrent
s'immiscer dans ce commerce, d'abord sous la protection
des Pays-Bas, puis de manière autonome après la proclamation de l'indépendance des Provinces-Unies. Plus à
l'est, la situation était loin d'être décantée aux alentours de
1500. Si la Russie d'Ivan III avait fait un bond considérable dans le rassemblement des terres russes, le royaume
de Pologne uni au grand-duché de Lituanie restait l'État
le plus puissant de la région sous la dynastie lituanienne
des Jagellon. Mais s'il s'étendait nominalement de la Baltique à la mer Noire, contrôlant une partie de la Biélorussie
et de l'Ukraine, dans les régions baltes son autorité était
encore contestée par deux États, les domaines des chevaliers Teutoniques en Prusse et ceux des chevaliers Porte-
Glaive plus au nord en Livonie et en Courlande. Le déclin,
désormais évident, de ces ordres militaires attisait les
convoitises de la Lituanie, de la Suède et de la Russie.
Cette dernière était d'autant plus intéressée par une intervention dans la région que son débouché sur la Baltique se
limitait à une étroite fenêtre à l'embouchure de la Neva.

La politique brutale de Christian II de Danemark, qui
avait succédé à son père Jean Ier en 1499, poussa les Suédois à la révolte. En 1520, à la mort du régent Sten Sture le
Jeune, Christian II se fit reconnaître roi de Suède et de Finlande par le Conseil de Suède, qui était une émanation de
l'aristocratie. Il mit fin à la monarchie élective et imposa
le principe de l'hérédité dans sa famille. L'opposition

populaire menée par les mineurs du Bergslagen, par les paysans et par les bourgeois de Stockholm fut écrasée par les troupes danoises. Christian II entra à Stockholm et s'y fit couronner dans la cathédrale. Avec l'aide d'un tribunal ecclésiastique présidé par l'archevêque d'Uppsala, Gustav Trolle, il fit condamner pour hérésie quatre-vingt-deux représentants de l'opposition suédoise, des membres du Conseil, des représentants de la petite noblesse et des notables de Stockholm, qui furent exécutés et brûlés publiquement. Les massacres de Stockholm de 1521 sanctionnèrent le divorce entre le Danemark et la Suède. La guerre d'indépendance fut menée par Gustave Eriksson Vasa, qui avait assisté à l'exécution de son père et de son beau-frère, et qui reçut le soutien de la Ligue hanséatique. En 1522 et 1523, les Danois furent définitivement chassés de Suède et Gustave Vasa prit le titre de régent. À la Toussaint 1523, les États de Suède réunis en Riksdag à Västeras lui reconnurent le titre de roi. En échange de leur soutien, il accorda à Lübeck et aux villes hanséatiques d'importants privilèges commerciaux.

Les premières années de son règne furent consacrées à la remise en ordre du pays, à la reconquête de la Finlande et au rétablissement de relations normales avec le nouveau roi de Danemark, Frédéric Iᵉʳ, qui entre-temps avait renversé Christian II avec l'appui de l'aristocratie exaspérée par sa brutalité et ses échecs répétés. Gustave Iᵉʳ renforça son pouvoir avec l'adhésion progressive de la Suède au luthéranisme. En 1527, il obtenait du Riksdag de Västeras la sécularisation des biens du clergé et en 1536, au synode d'Uppsala, l'Église de Suède officialisait son adhésion à la Réforme luthérienne. Dans la guerre civile qui ravagea le Danemark au retour de Christian II, il soutint le fils de ce dernier, le futur Christian III, dont il épousa la sœur en 1533 et avec lequel il signa un traité d'alliance à Brömsebrö en 1541. En 1544, il fit adopter le principe de l'hérédité du titre royal dans sa famille, sans exclusion des filles, par les

États de Västeras. À sa mort en 1560, le royaume de Suède était stabilisé. Il avait rompu l'union dynastique avec le Danemark, il s'était détaché de la chrétienté romaine, il avait institué la monarchie héréditaire. Mais le souvenir du principe électif se maintint pendant longtemps dans la pratique politique de la Suède. Le roi devait composer avec son Riksdag devant lequel il justifiait ses choix politiques, notamment dans le domaine militaire.

Gustave Ier laissait une descendance nombreuse issue de plusieurs mariages. Paradoxalement, les rivalités entre ces fils favorisèrent la politique de conquête de la Suède autour de la Baltique, tout en risquant de mener le royaume au bord de la disparition. Quand il n'était encore que prince apanagé de Finlande, Erik XIV avait pu mesurer le degré de décomposition des anciens ordres militaires germaniques dans les pays Baltes et les progrès de la Russie tsariste qui s'était emparée de Narva en 1558. Mais la politique agressive de la Suède dans la région suscitait l'opposition du Danemark qui gardait l'ambition de contrôler les marchés baltes. En s'attaquant aux territoires des ordres chevaleresques, il dressait contre lui la Pologne catholique dont les chevaliers étaient les vassaux. L'expansion suédoise en Estonie inquiétait Lübeck et la Ligue hanséatique à laquelle Reval (Tallin) était affiliée. Ces conflits d'intérêts éclatèrent lors de la première guerre scandinave de Sept Ans (1563-1570) qui opposa la Suède au Danemark allié à la Hanse. La défaite militaire suédoise fut sanctionnée par le traité de Stettin de 1570, aux termes duquel la Suède perdait ses accès sur le Kattegat en mer du Nord et vers la Russie. Elle devait en outre payer une très lourde indemnité à ses vainqueurs. Erik XIV, dont la folie avait entraîné son royaume à la ruine, fut déposé en 1568 et remplacé par son demi-frère Jean III, qui accorda en contrepartie d'importantes prérogatives à la noblesse en 1569. Il rétablit la situation en s'emparant en 1581 de Narva, dont il massacra les habitants, et agrandit l'Estonie suédoise. Jean III donna à la monarchie suédoise un tour plus absolutiste et l'engagea dans une ambitieuse politique d'alliances dynastiques. Sans remettre en cause directement l'adhésion de son royaume à la Réforme luthérienne, il imposa en 1571 une nouvelle liturgie inspirée de la liturgie catholique, ce qui lui valut l'hostilité de l'Église luthérienne. Avant de monter sur le trône, alors qu'il était encore simplement apanagé de l'Estonie, il avait épousé la fille de Sigismond II de Pologne, Catherine Jagellon, dont il eut un fils, prénommé Sigismond.

L'enfant fut élevé dans la confession catholique de sa mère. Avec l'extinction de la ligne directe des Jagellon en 1572, il devenait aussi leur héritier présomptif. Aussi, Sigismond Vasa apparut-il comme le prince le plus à même de régner. Il fut élu par la Diète polonaise et, à la mort de son père, Jean III de Suède, en 1592, il lui succéda sur le trône de Suède, assurant l'union dynastique entre les deux royaumes. Mais les Suédois, déjà échaudés par les réformes de Jean III, ne voulaient pas d'un prince catholique qui avait l'intention d'instaurer l'absolutisme et de réduire les privilèges des États comme il tentait de le faire en Pologne. L'oncle de Sigismond III, le duc Charles, dernier fils vivant de Gustave Iᵉʳ, que Sigismond avait nommé régent de Suède en son absence, sut capter les sentiments irrédentistes de ses sujets. Comme Gustave Iᵉʳ, il s'appuya sur la bourgeoisie des villes et sur la paysannerie, farouches défenseurs du luthéranisme et de l'indépendance nationale. En 1593, au synode d'Uppsala, l'Église suédoise réaffirma son attachement à l'orthodoxie luthérienne et condamna le catholicisme et le calvinisme, ainsi que les réformes liturgiques de Jean III. La politique démagogique du régent incita le Conseil royal, qui était censé l'épauler dans son action gouvernementale mais qui défendait les intérêts de l'aristocratie, à faire appel au roi Sigismond qui résidait en Pologne. Ce dernier débarqua en Suède en 1598 à la tête d'une forte flotte, mais son attaque fit long feu devant la résistance de Charles et de ses partisans. Les magnats polonais, qui jugeaient cette expédition coûteuse et insensée, lui retirèrent aussi leur soutien. Sigismond III abandonna donc la Suède en plein milieu des opérations et retourna en Pologne. Ces années 1598-1600 sont tout aussi déterminantes pour l'histoire de la Suède que les années 1521-1523. Le régent Charles commença par éliminer ses adversaires du Conseil qui furent condamnés par le Riksdag de Linköping de 1600 puis exécutés, et il entreprit de réorganiser les instances gouvernementales. En 1604, par l'Acte de succession de Norrköping, Charles IX fit reconnaître l'hérédité du trône de Suède dans sa propre lignée. La séparation entre les deux branches de la famille Vasa était irrémédiable : la branche aînée et catholique en Pologne, la branche cadette et luthérienne en Suède. L'évolution interne des deux États et leurs intérêts antagoniques en Baltique en firent dès lors de farouches adversaires.

Depuis l'union dynastique scellée en 1386 par le mariage du duc de Lituanie, Jagellon, avec l'héritière de la dynastie des Piast de Pologne, l'État lituano-polonais pouvait être considéré comme la puissance prépondérante de l'Europe centrale. Sa population peu nombreuse sur le territoire le plus étendu des États européens en faisait un véritable empire des steppes, même si le sud du royaume autour de Cracovie était culturellement proche du monde germanique et si le nord autour de Dantzig et de l'estuaire de la Vistule était associé au commerce hanséatique. L'organisation de cet État était curieuse. L'union dynastique supposait que les deux États aient gardé leur indépendance, selon la formule : un prince, deux États. Cette situation n'était pas inusitée en Europe, puisqu'on la rencontrait également en Espagne. Les Jagellon étaient ducs héréditaires de Lituanie, mais rois élus de Pologne. L'aristocratie foncière de Pologne, celle des magnats, avait gardé d'importants pouvoirs qui obligeaient la monarchie à négocier constamment avec elle. Entre 1493 et 1573 prévalut un système bicaméral associant un Sénat dont les membres – les châtelains, les voïvodes, les évêques – étaient nommés par le roi, et une diète, la *Seym,* qui était élue. À partir de 1493, ces deux assemblées siégèrent séparément. Les lois devaient être adoptées à la majorité et la *Seym* confirmait le nouveau roi à la mort de son prédécesseur. Cette procédure gardait le nom d'élection, même si les rois de Pologne se succédaient au sein de la dynastie des Jagellon.

Par ailleurs, depuis l'adoption du privilège de Nieszawa en 1454, chaque comté était doté d'une diétine, la *seymik,* chargée d'approuver les levées militaires. Ces privilèges qui assuraient à l'aristocratie un grand pouvoir de négociation face à la monarchie furent confirmés par la constitution *Nihil novi,* votée à la diète de Radom de 1505. Même si les Jagellon de Pologne caressèrent dans les premières années du XVIe siècle le rêve d'une union dynastique avec les royaumes de Hongrie et de Bohême, l'expansion de l'État polono-lituanien, bloquée à l'ouest par le Saint Empire, ne pouvait s'opérer que vers le nord, vers les territoires des ordres chevaleresques en déclin, ou vers l'est, les terres russes de la grande plaine. En 1522, le grand maître de l'Ordre des chevaliers Teutoniques, Albert de Brande-bourg-Ansbach, adhérait à la Réforme luthérienne. En 1525, il souscrivait avec le roi de Pologne, Sigismond Ier, le traité de Cracovie par lequel les biens sécularisés de l'Ordre étaient transformés en duché de Prusse, vassal du royaume de Pologne. Quelques années plus tard, l'Ordre des chevaliers Porte-Glaive suivait la même voie. Ses territoires sécularisés devenaient le duché de Livonie et de Courlande, placé sous la suzeraineté du grand-duché de Lituanie. Il peut paraître curieux que des ordres militaires devenus luthériens demandent à entrer dans la mouvance de principautés catholiques, mais, pendant une bonne partie du XVIe siècle, la Pologne fut largement entamée par la Réforme et constitua une terre de refuge pour bien des dissidents. C'est à la fin du siècle seulement qu'elle devint le champion du catholicisme romain.

Quant à la politique d'expansion vers l'est, elle fut menée, dans la première moitié du siècle, par la Lituanie, essentiellement en Biélorussie et en Ukraine. Dans la seconde moitié du siècle, ce partage des tâches prit fin et la Pologne s'imposa aux dépens de la Lituanie. Les efforts acharnés du roi Sigismond II pour achever l'union entre les deux États aboutirent à l'Union de Lublin en 1569 qui proclama la fusion entre les deux États. Chacun gardait ses lois, son administration, son trésor et son armée, mais ils avaient le même souverain et une diète commune. Si l'Union de Lublin proclamait l'égalité entre la Pologne et la Lituanie et accordait à cette dernière une très large autonomie, il était évident que la Pologne voyait son poids grandir aux dépens de sa partenaire. Elle annexait les possessions méridionales de la Lituanie. Ainsi la Pologne regroupa sous son autorité la plupart des terres russes qui ne relevaient pas de la Russie tsariste, comme la Galicie, la Volynie et une bonne partie de l'Ukraine avec Kiev. Or, si les Russes percevaient la Lituanie comme un second État russe, il n'en allait pas de même de la Pologne. L'idée que l'Ukraine orthodoxe puisse se retrouver sous une administration polonaise et catholique leur déplaisait. Cette nouvelle donne joua un grand rôle dans les relations futures entre la Russie et la Pologne. Non contente d'avoir arraché à la Lituanie ses régions les plus riches, la Pologne lui imposa aussi de nouvelles règles constitutionnelles. Désormais, la diète se tiendrait à Wola, dans les environs de Varsovie. Chaque district y enverrait deux députés, mais comme les districts polonais étaient plus nombreux que les districts lituaniens, les représentants polonais à la diète détenaient la majorité des suffrages.

La victoire de la monarchie polonaise fut de courte durée. En 1572, la dynastie des Jagellon s'éteignit avec Sigismond II. Cet événement eut des répercussions considérables

dans l'ordre constitutionnel du royaume. Les Polonais se
cherchèrent un nouveau roi parmi les princes européens et
ils réactivèrent ainsi le principe de la monarchie élective.
Parmi plusieurs candidats, la diète choisit le frère cadet du
roi de France, Henri d'Anjou, qui ne régna que très peu de
temps. À l'annonce de la mort de son frère, il quitta secrètement son nouveau royaume pour faire valoir ses droits à
la Couronne de France. Ulcérés, les Polonais élurent
Étienne Báthory, le voïvode de Transylvanie. La perspective d'une union dynastique entre la Pologne-Lituanie et la
Transylvanie s'évanouit devant l'absence d'héritier. C'est
pourquoi, en 1586, la diète porta son choix sur Sigismond
Vasa, qui était apparenté par les filles à la dynastie des
Jagellon. Les souverains furent élus par la suite dans la
famille des Vasa, mais la crise ouverte en 1572 bouleversa
le rapport des forces entre le roi et son aristocratie. Lors de
son intronisation, le nouveau roi devait promettre de respecter les privilèges de la noblesse, du clergé et des villes,
de ne pas confisquer les biens des particuliers ni de faire
arrêter ses opposants de manière arbitraire. Un nouvel État
se constitua sur ces bases, la république de Pologne, une
république aristocratique dans laquelle la diète contre-
balança les pouvoirs du roi. Par la suite, un double gouvernement se mit en place, un gouvernement royal et un gouvernement de la diète. Ce régime tout à fait particulier en
Europe désarçonna plus d'une fois les diplomates et contribua à affaiblir la Pologne sur le plan international.

Après la rupture de l'Union de Kalmar et l'affirmation
de la Suède comme une nouvelle puissance baltique, après
la constitution du nouveau royaume de Pologne avec la
vassalisation des ordres militaires et la fusion entre la
Lituanie et la Pologne dans l'Union de Lublin, la formation de la Russie tsariste constitue le troisième événement
capital du XVIᵉ siècle dans ces marges nord-orientales de
l'Europe. Son rôle politique grandit dans la région, non
sans effet déstabilisateur. Quand, sous la férule d'un prince

fort, elle manifestait des velléités expansionnistes, elle menaçait ses voisins. À l'inverse, lorsqu'une crise interne la minait, ses voisins étaient incités à s'ingérer dans ses propres affaires. À sa mort en 1505, le grand prince Ivan III avait créé un État russe indépendant et fait de sa capitale Moscou la troisième Rome, le foyer du christianisme orthodoxe. Son fils Basile III (1505-1533) poursuivit son œuvre. Il annexa les derniers apanages encore autonomes – Pskov au nord-ouest en 1511, le reste de la principauté de Riazan au sud-est en 1517 –, les principautés de Starodub, de Tchernigov-Seversk et la vallée de la haute Oka au sud-ouest. La prise de Pskov mit la Russie en contact direct avec la Livonie et aiguisa la concurrence avec la Lituanie. Une première guerre avec la Lituanie aboutit à l'annexion de Smolensk en 1514, confirmée par un traité en 1522. Mais, surtout, la Russie devenait une puissance avec laquelle il fallait compter, et Basile III sut l'ouvrir à l'Occident. Il noua des relations diplomatiques avec le Saint Empire – ce qui donna l'occasion à l'ambassadeur allemand Sigismond von Herbenstein d'écrire ses *Rerum moscoviticarum commentarii* –, avec la papauté, avec le sultan ottoman Soliman, avec le sultan moghol Babur. Il fonda également la grande foire de Nijni Novgorod, près du monastère de Saint-Macaire, au confluent de la Vetluga et de la Volga, pour empêcher les marchands russes de se rendre à la grande foire régionale de Kazan, en territoire mongol.

La mort inopinée de Basile III en 1533 ouvrit une crise de succession. Ivan IV n'avait que trois ans et le pouvoir fut exercé par un conseil de régence et la douma des boyards. Pendant dix ans, la Russie plongea dans l'anarchie et l'affrontement entre les clans aristocratiques. Ces événements traumatisèrent le jeune prince qui fut maltraité et qui en conçut un fort ressentiment à l'égard des boyards. Il le leur fit chèrement payer par la suite. En 1543, il s'empara du pouvoir en faisant exécuter André Chouïski, le chef du clan dominant. En 1547, il se fit couronner sous le titre de tsar de Russie et non plus sous celui de grand prince de Moscovie, achevant ainsi une évolution commencée à la fin du siècle précédent. Dans la première partie de son règne, Ivan le Terrible gouverna en s'appuyant sur un Conseil Choisi où siégeaient la tsarine Anastasia Romanova, de la grande famille des Romanov, le métropolite de Moscou, Macaire, et quelques fidèles conseillers d'extraction modeste. Du point de vue de l'organisation intérieure, cette période fut faste et donna naissance à de profondes réformes dans l'administration de l'Église orthodoxe et dans l'armée. La noblesse fut astreinte au service militaire. Chaque propriétaire foncier, quel que pût être le statut de sa terre, dut fournir des soldats au prorata de l'étendue de ses domaines. Parallèlement, les nouvelles techniques de guerre qui se développaient alors en Occident furent introduites en Russie. Des corps d'artillerie et de génie furent créés, tandis qu'une ligne de fortifications fut édifiée sur la frontière méridionale selon les principes de l'architecture bastionnée italienne. Un noyau d'armée permanente fut organisé autour de régiments de mousquetaires, les *streltsy*.

Dans la première partie de son règne, Ivan le Terrible poursuivit donc la politique d'ouverture à l'Occident instituée par ses prédécesseurs. Il appela à son service des médecins, des techniciens, des artistes, des ingénieurs et des artisans allemands et italiens. Il ouvrit le commerce aux marchands anglais, qui abordèrent en 1553 à Arkhangelsk, en leur concédant de larges privilèges. Ces réformes en profondeur portèrent leurs fruits immédiatement. Dès 1551, la guerre avec les khans mongols put reprendre. Le premier visé fut le khan de Kazan. La ville fut emportée en 1552 après six semaines de siège. Pour la première fois, des mines furent utilisées pour faire tomber les murailles. Dans les années suivantes, l'ensemble du khanat fut occupé. Dès 1554, Ivan le Terrible se tourna vers le khanat d'Astrakhan qui contrôlait la basse vallée de la Volga. La ville fut conquise et un khan fantoche installé. Après une ultime révolte, Astrakhan fut purement et simplement annexée en 1556. Des dernières principautés mongoles, seul le khanat tatar de Crimée résista à la poussée russe grâce au soutien de l'Empire ottoman. Sur la frontière occidentale, Ivan chercha à profiter de la déliquescence de l'Ordre des chevaliers Porte-Glaive en Livonie pour s'ouvrir un chemin d'accès à la Baltique. Il se heurta à la résistance de la Pologne qui favorisa la sécularisation des biens de l'Ordre en les plaçant sous sa suzeraineté. En 1561, l'Ordre fut dissous et le dernier grand maître, Gotthard Kettler, fut intronisé duc de Courlande. La Russie profita de la circonstance pour attaquer en Livonie et s'emparer d'une vingtaine de forteresses, à l'est du lac Peïpous, dont Dorpat (Tartu). Cette offensive déclencha une première guerre avec la Pologne qui se termina en 1563 au profit de la Russie, qui prit la ville de Polotsk à la Lituanie.

La première partie du règne d'Ivan IV fut donc bénéfique pour la Russie. La seconde partie fut moins heureuse, essentiellement pour des raisons d'ordre intérieur. La crise commença pour une question relative à l'ordre de succession. En 1553, Ivan était victime d'une grave maladie. Il demanda aux boyards de reconnaître son jeune fils Dimitri comme son héritier et de lui prêter serment. Les boyards refusèrent au prétexte que la tsarine Anastasia Romanova n'était pas de famille princière et que Dimitri n'était donc pas habilité à monter sur le trône. Ils lui préféraient le cousin d'Ivan, le prince Vladimir de Staritsa, qui avait atteint la majorité, ce qui permettait d'éviter une régence. Après d'âpres négociations, le tsar finit par imposer ses vues, mais il garda de la rancœur à l'égard des boyards. La crise rebondit quelques années plus tard, au moment de la guerre contre la Lituanie. Certains membres du Conseil Choisi y étaient opposés et préconisaient une offensive contre les Tatars de Crimée. En effet, pour de nombreuses familles aristocratiques qui y possédaient des domaines, la

Lituanie restait un État russe où il était commode de se
réfugier en cas d'opposition avec le pouvoir tsariste. La
mort de la tsarine en 1560 déstabilisa Ivan qui perdait son
meilleur soutien et son conseiller le plus proche. Il crut au
complot et à l'empoisonnement. Les purges qui s'ensui-
virent déterminèrent de nombreux boyards à fuir en Lituanie, dont André Kourbski, le meilleur général d'Ivan.
Devant la montée des oppositions, Ivan choisit de prendre
l'initiative. En 1565, il provoqua un coup d'État et se fit
attribuer les pleins pouvoirs par les boyards. Il établit une
administration d'exception soustraite à leur contrôle
– l'*opritchnina* –, qui se maintint jusqu'en 1575 et le droit
de poursuivre les traîtres. Un régime de terreur s'imposa
dès lors, scandé par d'importantes purges. Ce ne fut pas à
proprement parler une guerre civile, mais la mise en coupe
réglée du royaume par le tsar lui-même.

Des villes comme Novgorod furent détruites, des villages
furent rasés, leurs habitants massacrés, des princes comme
Vladimir de Staritsa furent exécutés ainsi que de grands
dignitaires comme le métropolite de Moscou, Philippe.
Dans un accès de folie dont il devint coutumier, Ivan tua
son fils et héritier Ivan à coups de canne en 1581. Le
régime de l'*opritchnina* permit de briser les dernières résistances féodales au pouvoir tsariste, mais cela eut de lourdes
conséquences sur le plan international. Les ennemis traditionnels de la Russie espérèrent tirer profit de la crise qui la
secouait. Les Tatars de Crimée attaquèrent Astrakhan en
vain en 1569, mais le khan Devlet-Giray lança un raid
dévastateur contre Moscou en 1571 et repartit avec près de
cent mille prisonniers réduits en esclavage. Un nouveau
raid en 1572 fut repoussé. En Livonie, l'affrontement avec
la Lituanie et la Pologne désormais unies par l'Union de
Lublin de 1579 tourna au désastre. Une offensive à partir
du sud de la Livonie en 1578 permit à la Pologne de
reprendre Polotsk et Velikiye Luki mais échoua devant
Pskov. La Suède qui cherchait à s'établir en Estonie battit

les troupes russes à Wenden en 1578. Peu de temps avant sa mort, Ivan le Terrible put rétablir la paix avec ses ennemis occidentaux, mais il avait perdu ses gains initiaux en Livonie et cédé des places en Estonie à la Suède.

Le règne de son fils Fedor Ier (1584-1598) marqua un moment de répit. Le souverain était médiocre, mais il sut s'appuyer sur un boyard d'une intelligence brillante, Boris Godounov. Grâce à lui, les tensions intérieures s'apaisèrent quelque peu et la Russie retrouva la position internationale qu'elle avait perdue à la fin du règne d'Ivan le Terrible. En 1589, l'Église orthodoxe russe se détacha du patriarcat de Constantinople et Moscou fut érigé en patriarcat indépendant reconnu par les autres patriarches orientaux. Boris Godounov plaça sur le siège de Moscou un de ses fidèles, le métropolite Job. Si, en 1586, le tsar Fedor fut un candidat malheureux à l'investiture du trône de Pologne, une guerre contre la Suède se termina en 1595 par la reconquête des territoires perdus par son père en Estonie. Signe de l'audience accrue de la dynastie tsariste dans le monde orthodoxe, le royaume de Géorgie menacé par l'Empire ottoman se plaça sous la suzeraineté de Moscou.

Mais le règne de Fedor fut marqué par un fait divers dont les conséquences furent considérables. En 1591, le prince Dimitri d'Ouglitch âgé de neuf ans, un fils que Fedor avait eu de sa septième épouse, mourait accidentellement à la suite d'une crise d'épilepsie. Le jeune prince était placé très loin dans l'ordre de succession, mais la rumeur travestit l'accident en meurtre et accusa Boris Godounov d'en avoir été le commanditaire. Cette accusation était sans fondement dans la mesure où le conseiller détenait déjà la réalité du pouvoir, dirigeait la politique étrangère de la Russie, recevait les ambassadeurs et disposait d'une véritable cour. Il n'éprouvait aucun besoin de se salir les mains dans de tels agissements, puisque l'enfant ne pouvait théoriquement pas monter sur le trône en raison des règles de succession en vigueur en Russie limitant le droit au trône aux

héritiers des trois premières épouses. Il n'empêche.
Lorsque Fedor Iᵉʳ mourut sans héritier direct en 1598, les
opposants à Boris Godounov se saisirent de cette occasion
pour contester ses prétentions au trône. Car la dynastie des
grands princes de Moscovie était bel et bien éteinte et
aucune loi constitutionnelle n'avait jamais envisagé une
telle situation. Les prétendants au trône se multipliaient.
Cette crise dynastique se doubla d'une profonde crise
sociale. Depuis plus d'un siècle, le renforcement de l'autorité absolue du tsar se réalisait aux dépens d'une aristocratie foncière, brimée, frustrée et mise à contribution. Les
propriétaires de grands domaines reportèrent les charges
fiscales auxquelles ils étaient assujettis sur leurs propres
paysans dont la condition s'aggrava. La réduction des paysans russes au servage favorisa les révoltes et la fuite vers
les communautés cosaques qui s'implantèrent au sud du
pays, dans des régions mal contrôlées de la vallée du Don.
Les tensions sociales contenues jusque-là par le pouvoir
autocratique des tsars éclatèrent au grand jour avec le
« Temps des troubles ».

Déjà détenteur de l'autorité de fait, Boris Godounov
n'eut aucun mal à se faire reconnaître comme tsar par un
zemski sobor – des états généraux – à la mort de Fedor et à
se faire introniser par l'Église. Mais pendant son court
règne (1598-1605), la Russie fut frappée, à l'instar de toute
l'Europe, par une succession de mauvaises récoltes qui
semèrent la famine et la désolation dans les campagnes.
C'est alors que ressurgit la rumeur de l'assassinat de Dimitri d'Ouglitch par Boris Godounov. Le bruit courait que le
jeune prince n'avait pas été tué mais qu'il allait revenir
pour chasser l'usurpateur. En 1601, un moine défroqué,
Grégoire Otrepiev, se fit passer pour Dimitri. Cet aventurier avait séjourné chez les Cosaques avant de passer en
Lituanie où il fut reconnu par des boyards en exil. Il reçut
le soutien des jésuites auxquels il promit la conversion de
l'Église orthodoxe au catholicisme. En 1604, il parvint à

soulever le sud de la Russie avec une troupe de Cosaques. Ce soulèvement n'aurait constitué qu'un épisode sans lendemain si Boris Godounov n'était mort inopinément en 1605 et si son général Théodore Basmanov n'était passé du côté de ce faux Dimitri.

Cette trahison scella le sort de la dynastie des Godounov. Le fils de Boris, Fedor II, fut déposé et assassiné. Le Faux Dimitri entra dans Moscou en juin 1605. Tout en rétablissant les anciens boyards dépossédés par les purges antérieures, il refusa de n'être qu'un fantoche. Mais son entourage polonais qui se comportait comme en pays conquis le rendit impopulaire. En mai 1606, il épousa Marina Mniszech, noble polonaise et fervente catholique. Quelques jours plus tard, le Faux Dimitri était renversé et tué par un groupe de boyards mené par Vassili Chouïski. Son corps fut brûlé et ses cendres dispersées, tandis que Dimitri d'Ouglitch était canonisé et que ses reliques étaient transportées à Moscou. Vassili Chouïski fut intronisé et se maintint sur le trône jusqu'en 1610. Mais il ne tenait plus un pays qui sombrait dans l'anarchie. Les Cosaques associés à des troupes de paysans et d'esclaves ravageaient le sud de la Russie et mettaient en avant de nouveaux prétendants, comme un faux fils de Fedor II qui finit pendu, puis, finalement, en 1607, un nouveau Dimitri qui enrôla à son service une troupe d'aventuriers et qui, surtout, se fit reconnaître comme Dimitri d'Ouglitch par la veuve de Fedor Ier et par Marina Mniszech qui lui donna même un fils. Le second Faux Dimitri installa son gouvernement à Touchino, dans la banlieue de Moscou que ses troupes assiégeaient. Ses ennemis l'appelèrent dès lors le Félon de Touchino. Il s'appuyait sur le sud du pays, tandis que Vassili Chouïski tenait la capitale et la plus grande partie des régions septentrionales. C'est alors que le tsar qui voyait son autorité vaciller fit appel à l'aide étrangère.

En février 1609, en échange d'une alliance perpétuelle contre la Pologne, de la cession de territoires à la frontière

finlandaise et de l'abandon de toute prétention sur la Livonie, Vassili reçut une aide militaire de la Suède grâce à
laquelle il put nettoyer le nord de la Russie et débloquer
Moscou. L'ingérence de la Suède dans les affaires de la
Russie provoqua en retour l'intervention de la Pologne.
Sigismond III lança son armée à l'assaut de Moscou, mais
il fut bloqué par la résistance héroïque de Smolensk. Il
reçut cependant l'appui de la douma de Touchino qui proposa à son fils Ladislas de poser sa candidature au trône.
Sigismond accepta. Il voyait dans ces événements l'occasion de réaliser l'union de la Pologne et de la Russie, c'est-
à-dire de réunir dans un seul État toutes les terres russes.
En mars 1610, le verrou de Smolensk sauta et les Polonais
occupèrent la Biélorussie. Les populations y reconnurent
l'autorité de Ladislas Vasa et vinrent lui prêter serment. En
juillet, Vassili Chouïski fut destitué et enfermé dans un
monastère.

L'intervention concomitante de la Suède et de la Pologne
provoqua une réaction nationale en Russie, contre les
étrangers et contre les hérétiques. Une assemblée de
boyards, de dignitaires ecclésiastiques et d'officiers
royaux, en septembre 1610, proposa le trône à Ladislas, à
la seule condition qu'il se convertît à l'orthodoxie. Une
délégation de cette assemblée se déplaça à Smolensk pour
rencontrer Sigismond III et lui prêter serment. Pour l'aristocratie russe, le danger le plus immédiat était d'ordre
social et était représenté par le second Faux Dimitri,
revenu à Touchino. L'alliance des boyards et des Polonais
permit de débloquer Moscou. Une armée polonaise entra
dans la ville et mit en fuite le Félon de Touchino qui finit
assassiné par l'un des siens en décembre 1610. Désormais
maître de la capitale, Sigismond III refusa que son fils se
convertît à l'orthodoxie. Il rêvait maintenant du trône de
Russie pour lui-même et de la conversion au catholicisme
des populations russes. S'ouvrit alors une période extrêmement confuse marquée par des conquêtes suédoises et

polonaises et par des insurrections populaires contre l'occupation étrangère, généralement suscitées et encadrées par l'Église orthodoxe. Des prétendants furent reconnus dans certaines régions, comme le fils du Félon de Touchino, le Petit Félon, au sud de Moscou, ou un troisième Faux Dimitri à Pskov. Ces armées mal organisées ne surent coordonner leurs actions mais elles harcelèrent efficacement les Polonais qui furent bloqués dans Moscou et battus près de Smolensk.

Une nouvelle insurrection nationale menée par le boucher de Nijni Novgorod, Kouzma Minine, fédéra les mouvements locaux, rallia les armées disparates de partisans et de Cosaques, reçut le soutien de l'Église orthodoxe. Kouzma Minine entra dans Moscou en novembre 1612. Au début de l'année suivante, un *zemski sobor* de sept cents députés, représentant l'ensemble de la population russe à l'exception des serfs, élit le jeune Michel Romanov, fils du patriarche Philarète, et appartenant à la famille de la première épouse d'Ivan le Terrible. Il fut reconnu par l'Église et couronné tsar le 21 juillet 1613. L'élection de Michel mit fin à la crise constitutionnelle mais non à la crise sociale ni à l'intervention étrangère. Il lui fallut plusieurs années pour s'affirmer et rétablir l'ordre dans un pays ravagé par la guerre. En 1614, il élimina le Petit Félon et sa mère Marina Mniszech. En 1616, il conclut avec le roi de Suède, Gustave II Adolphe, la paix de Stolbovo aux termes de laquelle la Suède rendait Novgorod mais gardait les districts côtiers du golfe de Finlande. En 1617-1618, une attaque polonaise menée par Ladislas Vasa arriva jusqu'à Moscou qui résista. Michel et la Pologne conclurent la trêve de Déoulino en 1618, pour quatorze ans. La Pologne gardait Smolensk et une partie de la Biélorussie. Le roi de Pologne libérait à cette occasion les prisonniers qu'il avait emmenés avec lui lors de sa retraite de 1612. Parmi eux figurait Philarète, le père du tsar, qui rentra à Moscou en 1619 et fut rétabli sur le siège patriarcal. Il reçut aussi le titre de grand souverain, comme son fils, et pendant plusieurs années, le père et le fils régnèrent conjointement dans une curieuse dyarchie. La Russie se remit lentement des troubles du début du XVIIᵉ siècle. Le pouvoir autocratique du tsar en sortit sérieusement écorné. À l'ouest, les frontières furent stabilisées jusqu'au règne de Pierre le Grand, tandis que le dynamisme russe s'exprimait dans la conquête de la Sibérie à l'est.

4. Bilan : l'Europe
et les moyens de sa puissance

Il est bon maintenant de réfléchir à deux questions concernant le poids géopolitique de l'Europe au XVIᵉ siècle. Existe-t-il bien une supériorité de l'Europe ? Sur quels moyens spécifiques à la civilisation européenne aurait bien pu reposer cette supériorité ? Les réponses ne sont pas aussi tranchées qu'il y paraît de prime abord. Examinons en premier lieu la question de la supériorité de l'Europe. Nous nous faisons de l'histoire du monde une vision linéaire et téléologique : à partir de la Renaissance, l'Occident impose son autorité au monde, sa puissance militaire, des termes de l'échange qui lui sont favorables – l'économie-monde –, bref un rapport de forces qui aboutit aujourd'hui à ce que nous appelons la « globalisation » ou la « mondialisation ». Vue de Sirius, c'est-à-dire sur la longue durée de quatre siècles, cette analyse semble exacte, mais le rythme du processus n'en fut pas uniforme. Au XVIᵉ siècle, il est incontestable que l'Europe fait preuve de dynamisme, qu'elle sort de ses frontières traditionnelles, mais parler d'une occidentalisation du monde serait abusif. Cette dernière ne fit alors que commencer et, même si les progrès de l'Europe furent spectaculaires à partir du milieu du XVᵉ siècle, ils s'opérèrent à la périphérie du

Vieux Monde, aux dépens de civilisations brillantes mais fragiles.

Dans son environnement immédiat, l'Occident chrétien piétine. Il entame à peine le monde musulman qui, réorganisé en blocs compacts – l'Empire ottoman, l'Empire safavide, l'Empire moghol –, progresse lui aussi et souvent à ses dépens. L'Europe chrétienne recule sévèrement dans les Balkans, se heurte au mur du Maghreb, pourtant encore perméable à son influence au Moyen Âge, et perd le contrôle du bassin oriental de la Méditerranée. En contrepartie, ses gains furent limités : l'État grenadin, enclave résiduelle et menacée de longue date, plus significative la prise des steppes sibériennes par la Russie aux dépens des khanats mongols, territoires immenses mais pratiquement vides d'hommes. Le seul domaine géographique dans lequel l'Occident chrétien s'est imposé sans partage fut l'Amérique, mais, au début du XVIIe siècle, cette Amérique est devenue un désert humain, les Indiens ayant presque tous disparu. Le bilan est donc relativement simple à dresser. La supériorité supposée de l'Europe chrétienne dans le monde au XVIe siècle doit être ramenée à des proportions plus justes. Elle n'en est encore qu'à ses prémices.

De quels moyens d'ailleurs l'Occident disposait-il pour s'imposer à ses rivaux ? Pendant longtemps – et c'est encore un lieu commun de l'historiographie –, les historiens occidentaux ont admis que l'Europe bénéficiait d'une large avance technique sur le reste du monde. Sur ce point aussi, il convient de nuancer. Au XVIe siècle encore, dans bien des secteurs, l'Asie n'avait rien à envier à l'Europe. C'était en particulier le cas des techniques industrielles, dans le textile, la céramique ou la métallurgie. Les choses n'ont commencé à changer qu'au XVIIe siècle, et d'une manière progressive. L'avance de l'Europe se manifestait essentiellement dans deux domaines : l'armement, terrestre et naval, et la capacité à mobiliser l'information et à en tirer profit. Depuis le XIVe siècle, l'Europe disposait des armes à feu, c'est-à-dire de la technologie de la poudre noire. Elle l'avait importée d'Orient, mais l'avait adaptée exclusivement à l'usage militaire. La poudre noire stimula l'activité industrielle, les industries extractives (fer et cuivre), les industries chimiques pour la fabrication du salpêtre, un des composants de la poudre, et les industries métallurgiques de transformation pour la fabrication des armes portatives (mousquets, arquebuses, carabines et pistolets). La puissance de feu prit une place déterminante dans le dispositif tactique des armées occidentales et fut renforcée et améliorée sur le théâtre d'opération européen par les nombreuses guerres que se livrèrent les États européens. Hors d'Europe, elle donna un avantage aux conquistadores américains. Associée à la mobilité des chevaux, l'artillerie permit aux Espagnols de venir à bout des armées amérindiennes, innombrables mais techniquement inférieures. Avec le mousquet, les Portugais purent tenir l'Afrique utile, l'Afrique côtière de la traite négrière et de la récolte de l'or.

Mais, comme aujourd'hui, cette avance dans un domaine aussi sensible fut rapidement perdue par les transferts de technologie qui s'opéraient grâce aux aventuriers européens qui n'hésitaient pas, même en reniant leur foi chrétienne, à passer au service des princes musulmans ou asiatiques et à leur transmettre les secrets de l'Occident. C'est ainsi que l'Empire ottoman fut capable de s'approprier les technologies militaires occidentales et de les retourner contre les Occidentaux. Ce sont des artilleurs hongrois et allemands qui aidèrent Mehmet II à s'emparer de Constantinople en 1453. Les armées ottomanes restèrent quasiment invincibles jusqu'au XVIIe siècle, jusqu'à ce que les janissaires refusent de suivre le progrès et d'adopter des mousquets plus performants. En Inde, l'artillerie était déjà présente dès les premières années du XVIe siècle, en provenance sans doute du Moyen-Orient. Grâce à elle, les Moghols écrasèrent les armées afghanes, qui n'en disposaient pas.

Le combat fut également inégal entre les troupes de *streltsy* d'Ivan IV et les cavaliers des steppes des khanats mongols armés d'arcs. Au Japon, le transfert technologique s'opéra différemment. Les premières arquebuses abordèrent l'archipel avec les premiers aventuriers portugais en 1543. Un trafic de contrebande s'organisa immédiatement, mais les artisans japonais apprirent rapidement à copier les armes européennes et développèrent une industrie locale. Ce sont ces arquebuses qui donnèrent l'avantage à Oda Nobunaga sur ses rivaux, les chefs de guerre et les sectes bouddhiques. La poudre à canon et les armes à feu ont joué un rôle important dans les capacités de conquête de l'Occident, mais seulement face à des sociétés à faible niveau technologique. Ailleurs, l'écart ne fut jamais déterminant. La prolifération des armes à feu au XVIe siècle, due aux Européens eux-mêmes, fut une des facettes de l'occidentalisation du monde, mais ne profita pas aux seuls Européens.

Dans le domaine naval, la supériorité de l'Occident fut plus évidente. Depuis le milieu du XVe siècle, l'Europe disposait avec la caravelle de l'outil le plus performant pour les voyages de découverte. Le bateau à voile bénéficia par la suite de l'expérience des voyages océaniques et fut perfectionné. Il offrit à l'Europe le moyen d'intervenir partout, sur tous les océans. Seule la Chine aurait pu le concurrencer, mais elle se replia sur elle-même à la fin de la première moitié du XVe siècle. Avec la puissance de feu embarquée – n'oublions pas que le moindre navire possédait autant de canons qu'une armée en campagne –, l'Europe détenait un atout stratégique sans équivalent grâce auquel les Portugais nettoyèrent l'océan Indien de toute présence musulmane dans les premières années du XVIe siècle. Des transferts de technologie se produisirent mais ils furent limités. L'Empire ottoman parvint à copier les galères européennes dans ses arsenaux, ce qui lui assura la maîtrise d'une partie de la Méditerranée. Mais il était plus difficile de copier la technologie de la marine à voile et l'écart en faveur de l'Occident se maintint partout dans le monde.

Cependant, la limite à la supériorité de l'Europe venait de l'immensité des territoires océaniques à surveiller. Les flottes européennes, si puissantes fussent-elles, ne pouvaient être partout à la fois. On le vit avec les Portugais qui, incapables d'empêcher la contrebande en Inde, s'immiscèrent dans le commerce local, en partenariat avec les marchands indigènes. Il reste peut-être un domaine dans lequel l'Europe imprima sa marque sur le monde, celui des fortifications de guerre. Pour résister à la puissance de feu des canons de bronze et des boulets de fer apparue dans les premières guerres d'Italie, les ingénieurs européens durent adapter leurs systèmes de défense. La poliorcétique en fut bouleversée. Les murailles furent abaissées et en partie enterrées pour offrir moins de prise aux boulets, et le bastion fut conçu. La « trace italienne » se propagea dans le monde et la carte des fortifications bastionnées constitue probablement le meilleur indice des progrès de l'Europe dans le monde. On les retrouve partout où ses intérêts stratégiques étaient menacés : au Maghreb, aux Caraïbes, dans l'océan Indien, mais aussi au sud de la Russie, à la frontière avec les Tatars.

Il n'est pas question de remettre en cause la réalité de la « révolution militaire » initiée par l'Europe et bien mise en valeur par l'historiographie récente, mais, à elle seule, elle ne pourrait pas expliquer l'expansion européenne. Cette mutation technologique n'est que la conséquence d'un vaste mouvement intellectuel qui entraîne la culture européenne de la Renaissance. La première caractéristique en fut la curiosité à l'égard des autres cultures. Bien sûr, les historiens ont souligné à l'envi l'ethnocentrisme des Européens de la Renaissance, et ils ont raison. Mais cet ethnocentrisme fut relatif comparé à celui des autres civilisations du monde. Les Européens ont manifesté une plus grande ouverture intellectuelle qui les a fait sortir de leurs cadres mentaux habituels. Le XVIᵉ siècle fut riche de ces aventuriers qui n'hésitèrent pas à braver les dangers et qui, soit par appât du gain, soit par goût du risque, se lancèrent à la découverte de sociétés exotiques, y faisant souche parfois ou en rapportant des informations utiles aux États ou aux commerçants. Combien ces récits de voyage ont-ils suscité de vocations au départ ou, plus prosaïquement, dans quelle mesure ont-ils informé les gouvernements occidentaux, les ordres religieux ou les compagnies de commerce sur les mondes lointains ?

Plus que tout autre élément, cette accumulation de connaissances fut déterminante. Elle est elle-même l'aboutissement d'une tradition diplomatique récente, puisqu'elle se met en place en Italie vers le milieu du XVᵉ siècle, mais qui n'a cessé de se raffiner au cours du XVIᵉ siècle jusqu'à la première élaboration du droit des gens par Grotius au début du XVIIᵉ siècle. L'apprentissage des nouveaux usages diplomatiques fut long, car il supposait le respect de l'extraterritorialité pour les ambassades et une certaine égalité entre les États. Le système des ambassades était connu depuis plus longtemps en Chine, mais il reposait sur d'autres bases. Il y était hiérarchisé au profit de l'empire et sanctionnait des relations inégales entre la Chine et les pays tributaires, dont les dignitaires étaient seuls admis à entrer sur le territoire de l'empire, pour prêter hommage à l'empereur et commercer. Il n'y a là rien d'équivalent au dense réseau diplomatique mis en place par la Monarchie catholique de Philippe II et de Philippe III avec ses ambassades permanentes auprès des cours européennes et ses ministres plénipotentiaires envoyés dans les pays plus lointains avec lesquels l'Espagne entretenait des contacts. Rien de semblable non plus avec le remarquable système d'espionnage dont disposait la reine d'Angleterre Élisabeth Iʳᵉ qui l'autorisait à se faire représenter en robe d'apparat semée d'yeux et d'oreilles, montrant par là que rien ne lui échappait dans le monde.

Reste enfin une dernière question, celle de la formation de l'État. Depuis le XIIIe siècle, l'idée d'un État autonome et neutre a commencé à s'imposer dans la plupart des grandes monarchies européennes. Les théoriciens politiques distinguèrent ce qui relevait de l'État et qui était stable et permanent de ce qui relevait du prince et qui était transitoire et soumis aux aléas de la biologie. Avec la redécouverte du stoïcisme à la fin du XVIe siècle, ce découplage entre les intérêts supérieurs de l'État et les intérêts particuliers de ceux qui exerçaient l'autorité fut renforcé. Ce n'était pas là, à proprement parler, une originalité de l'Europe, puisque les sociétés politiques extrême-orientales avaient élaboré des théories similaires depuis plus longtemps. Depuis la fin de l'époque médiévale, dans l'aire chinoise, les courants néo-confucianistes jouèrent d'ailleurs un rôle équivalent au néo-stoïcisme en Occident. Les grandes monarchies européennes établirent des dispositions constitutionnelles, souvent d'origine coutumière, régulant les formes de succession au trône. Qu'elles aient été purement héréditaires ou confirmées par une élection par les principaux dignitaires, ces règles de dévolution de la couronne contribuèrent à la stabilité des États européens et à une relative continuité dans l'effort militaire et diplomatique. Le royaume de France constitue, à ce propos, un exemple hyperbolique. Alors que les règles de dévolution y étaient particulièrement drastiques, puisqu'elles excluaient les femmes et la descendance par voie féminine – la fameuse loi salique –, près de quarante ans de guerres civiles ne parvinrent pas à les remettre en cause. Paradoxalement, la constitution monarchique sortit renforcée de l'épreuve des guerres de Religion. À l'inverse, dans les États musulmans du Proche-Orient, dans les États hindouistes de l'Inde ou même dans la Russie tsariste encore profondément marquée par ses origines mongoles, l'absence de règle de succession introduisait une rupture de continuité dans la conduite de l'État à chaque mort de prince. C'est la raison pour laquelle, sans doute, la pulvérisation politique de l'Europe n'entrava pas son dynamisme. Les quatre États protagonistes des grandes conquêtes européennes – le Portugal, l'Espagne, l'Angleterre et les Provinces-Unies – pouvaient posséder une taille et des structures politiques très différentes, l'émulation qui s'établit entre eux à l'échelle planétaire stimula leur agressivité sur tous les théâtres d'affrontement, davantage qu'elle ne la freina. Mais si leur force de pénétration fit preuve d'efficacité face à des États faibles et au niveau de développement technologique inférieur, elle s'arrêta aux portes des États d'Asie et d'Extrême-Orient disposant d'une longue tradition d'organisation.

Chapitre 5

La résistance de l'Orient

Dans le tableau géopolitique du XVIe siècle, nous avons étudié deux mouvements complémentaires : la constitution des grands empires musulmans – l'Empire ottoman, l'Empire safavide et l'Empire moghol – et l'expansion de l'Europe hors des limites qui étaient les siennes au Moyen Âge. Il reste un troisième élément, celui de la résistance de l'Orient à cette même expansion européenne. De ce point de vue, l'Inde, la Chine et le Japon n'eurent pas le même comportement. Par sa position intermédiaire, l'Inde, qui nourrissait déjà des contacts avec la Méditerranée et l'Occident par les routes qui traversaient le plateau iranien et le Proche-Orient, était ouverte aux influences extérieures. L'arrivée des Portugais sur ses côtes contribua à l'ancrer davantage dans l'économie mondiale, sans trop perturber les jeux politiques locaux, tant que les Portugais acceptèrent la place qui leur était destinée, celle des étrangers confinés dans les ports. L'attitude de la Chine fut différente. Paradoxalement, la conquête mongole l'avait désenclavée en la faisant participer à un immense empire qui s'étendait de la Méditerranée au Pacifique. L'expulsion des Mongols par la dynastie des Ming mit fin à cette ouverture et, après les grandes expéditions navales de Zheng He dans la première moitié du XVe siècle, la Chine eut tendance à se replier sur elle-même, tant du point de vue culturel que du point de vue diplomatique. Aussi l'arrivée des Occidentaux au début du XVIe siècle fut-elle vécue comme un traumatisme.

Ces Barbares du Sud bouleversaient les cadres de pensée traditionnels et remettaient en cause une conception du monde sinocentrée. Les dirigeants chinois parvinrent à limiter géographiquement l'implantation des Occidentaux et à éviter que leur influence ne se diffusât sur leur territoire.

L'autre puissance régionale, le Japon, se comporta encore différemment. Par sa situation géographique, il se trouvait à la périphérie du monde chinois. Bien que fortement influencé par la culture chinoise, le Japon était parvenu à développer une civilisation propre, favorisé qu'il était par sa position insulaire. Quand les Européens y accédèrent vers le milieu du XVIᵉ siècle, les Japonais ne leur manifestèrent pas l'hostilité que ces mêmes Européens avaient subie quelques décennies plus tôt de la part des Chinois. Il faut dire qu'ils apportaient aux chefs de guerre en lutte les uns contre les autres ce dont ils avaient besoin : les armes et l'argent du commerce. Plus étonnant encore, dans ce contexte extrême-oriental qui lui était peu favorable, le christianisme rencontra un réel succès au Japon. Il fallut attendre la fin du siècle pour que l'influence occidentale fût jugée incompatible avec la réunification politique en cours. Toyotomi Hideyoshi et Tokugawa Ieyasu fermèrent progressivement le Japon à l'Occident et liquidèrent physiquement ceux qui, à leurs yeux, représentaient l'influence occidentale, les chrétiens japonais. On le voit donc, l'attitude de l'Orient face à l'Occident fut à la hauteur de ses capacités de résistance et d'adaptation. Le commerce avec les Occidentaux était accepté mais non la domination politique et culturelle de l'Occident. Par ses traditions d'ouverture, l'Inde s'en tira le mieux. Elle sut faire une place au commerce européen et, dans le même temps, limiter la présence européenne, grâce aux communautés marchandes musulmanes qui jouèrent pour ainsi dire le rôle de garde-fou. La Chine fit tout son possible, dès les premiers contacts, pour repousser les Européens et limita au minimum les rapports commerciaux avec les Occidentaux.

Quant au Japon, ouvert dans un premier temps, il se referma brusquement dans le premier tiers du XVIIe siècle et bannit tout rapport avec l'Occident pendant plus de trois siècles.

1. Le déclin de la dynastie des Ming

Durant le XVIe siècle, le pouvoir impérial chinois connut un processus d'affaiblissement au profit de la bureaucratie des lettrés. Non pas que le pouvoir absolu de l'empereur ait été contesté. En vertu du Mandat du Ciel, il demeurait la source de toute autorité et sa personne était sacrée. Il dirigeait les campagnes militaires, proclamait les lois, organisait les institutions de l'État et contrôlait la bureaucratie. Mais les lettrés contribuèrent à limiter son pouvoir au nom des principes mêmes de la morale confucéenne qui connaissait un regain d'intérêt parmi les intellectuels chinois. L'empereur fut de plus en plus écarté des affaires de l'État, enfermé dans la Cité impériale de Pékin et exclu du commandement des armées. Les lettrés lui demandèrent d'incarner les idéaux de vertu et de sagesse et d'assurer l'harmonie parmi ses sujets. Les censeurs veillaient au strict respect des traditions, et, au cas où l'empereur enfreignait les règles qui lui étaient imposées – certains empereurs à la forte personnalité comme Cheng-te au début du siècle ou Wan-li à la fin du siècle les supportaient mal –, ils l'accusaient de manquer de piété filiale, la pire des accusations dans la morale confucéenne. L'idéologie du Mandat du Ciel aboutit à la ruine de la dynastie Ming. Elle la sclérosa, l'empêchant de se réformer. Devant l'impuissance à laquelle il était réduit et le carcan que lui imposaient les lettrés, l'empereur Wan-li en arriva même à faire la grève du gouvernement en refusant de procéder à des nominations aux postes vacants. Le conflit de plus en plus ouvert entre la cour et la bureaucratie aboutit à la désorganisation de l'État au moment où la pression mandchoue se faisait de plus en plus forte sur les frontières du Nord.

Derrière une apparente stabilité des institutions, l'administration de l'empire était confrontée à d'énormes problèmes. Le plus important tenait aux dimensions continentales de cet État et à la faible intégration de ses territoires. Si la cour impériale et les principales institutions centrales se trouvaient au nord dans la nouvelle capitale Pékin, le Sud, avec Nankin, la capitale traditionnelle, garda son ombrageuse identité qui, en temps de paix, se manifestait par des insurrections sporadiques. Dès que l'État central montrait un accès de faiblesse, la ligne de fracture rejouait immédiatement. Cela se produisit au milieu du XVIIe siècle au moment de l'invasion mandchoue. Quand les Mandchous eurent occupé les provinces du Nord-Est en 1642, l'armée chinoise se désintégra. Un chef insurgé, Li Zicheng, s'empara de Pékin, puis se retira à Xiang où il se proclama empereur en 1645. Cette insurrection, de courte durée, fut écrasée par les Mandchous. Mais, parallèlement, la Chine du Sud s'organisa de manière autonome sous l'autorité de Zang Xianzhong qui prit le titre de roi. Il fut également écrasé par les Mandchous en 1647. À l'opposition Nord-Sud se superposait un autre clivage, autant culturel que politique, entre les populations Han, dominantes, et les populations indigènes non Han. Il serait, en effet, absurde de considérer cet immense empire comme un ensemble culturellement unifié. Au contraire, l'empire du Milieu donnait l'impression d'une tour de Babel dans laquelle les ethnies et les langues étaient innombrables et le banditisme endémique. Certains peuples soumis se révoltaient sporadiquement, parfois sous la conduite d'un notable chinois qui trouvait en eux la masse de manœuvre susceptible de servir son ambition personnelle. C'était le cas des Yao dans le Kouang Si, des Miao dans le Se Tchouan ou des Li dans l'île de Hainan.

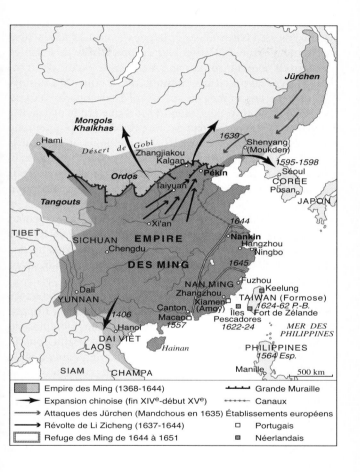

Empire des Ming (1368-1644) — Grande Muraille

Expansion chinoise (fin XIVe-début XVe) ⋯⋯ Canaux

Attaques des Jürchen (Mandchous en 1635) Établissements européens

Révolte de Li Zicheng (1637-1644) □ Portugais

Refuge des Ming de 1644 à 1651 ▣ Néerlandais

LA CHINE DES MING

L'administration impériale était dirigée par le Grand Secrétariat, un ensemble de bureaux placé sous le contrôle de grands secrétaires et qui jouait le rôle de gouvernement central. Au XVIe siècle, l'un de ces grands secrétaires prit parfois l'ascendant sur ses collègues avec le soutien plus ou moins affirmé de l'empereur et joua le rôle de Premier ministre. Il pouvait trouver un rival dans le favori de l'empereur, généralement un eunuque de la cour. Mais, sous l'autorité de ces grands secrétaires, l'État chinois jouit au XVIe siècle d'une certaine stabilité et d'une réelle efficacité. Le principal danger venait de l'extérieur, des populations mongoles au nord et à l'ouest, des Japonais et des Européens à l'est. Leur ambition n'était pas tant d'envahir la Chine que de tirer parti de ses énormes richesses et d'ouvrir un marché dont ils étaient écartés par une conception extrêmement restrictive des échanges diplomatiques et commerciaux. À force de vouloir contenir coûte que coûte les Mongols hors des frontières de l'empire et de refuser de les considérer comme des partenaires, la dynastie des Ming n'eut d'autre issue que l'affrontement militaire dont elle finit par sortir vaincue.

Au début du XVIe siècle, les empereurs exercèrent encore leurs prérogatives impériales, quitte à se heurter à l'opposition des lettrés. C'est ainsi que le dixième empereur de la dynastie, Chu Hou-chao (1505-1521), qui régna sous le nom de Cheng-te, préféra travailler avec les eunuques de sa maison plutôt qu'avec les lettrés. Cette politique suscita des oppositions parmi ces derniers, et la terreur impériale s'abattit sur eux, comme dans les provinces où des insurrections éclatèrent, mêlant les revendications autonomistes des populations indigènes et les revendications politiques des familles princières. En 1510, Chu Chih-fan, prince de An-hua dans le Chan Si, au sud de Pékin, se révolta avec la complicité de l'eunuque Liu Chin, le favori de l'empereur. L'insurrection fut brisée, le complot éventé et Liu Chin exécuté. En 1519, une autre insurrection se développa dans le Kiangsi, au sud de Nankin. Chu Ch'en-hao, prince de Ning, la dirigeait et s'appuyait sur la complicité d'un autre favori de l'empereur, Ch'en Ning. Cette révolte était d'autant plus dangereuse que le prince était un descendant du fondateur de la dynastie et que Cheng-te n'avait pas d'héritier direct. Chu Ch'en-hao considérait Cheng-te comme un usurpateur. Il fit arrêter et exécuter le gouverneur du Kiangsi, Sun Sui, qui refusait d'entrer en rébellion à ses côtés. Le prince de Ning marcha ensuite sur Nankin, mais sa progression fut stoppée par une armée gouvernementale commandée par le gouverneur du Kiangsi du Sud, Wang Shou-jen, qui défit l'armée insurgée à la bataille de Nan-ch'ang le 20 août 1519. Chu-Ch'en-hao fut capturé et, grâce à la diligence du grand secrétaire Yang T'ing-ho qui dévoila le complot, Ch'en Ning fut également arrêté. À partir de 1517, Cheng-te avait pris l'habitude de braver les interdits de sa charge. Il sortait de la Cité impériale et voyageait vers les frontières du nord, au grand dam des lettrés qui l'accusèrent de ne pas respecter les traditions. Tous avaient en mémoire l'expédition de l'empereur Ying tsung qui, en 1449, s'était aventuré au-delà de la Grande Muraille à la tête de son armée et qui avait été capturé par les Mongols. Mais cette fois-ci, comme les censeurs refusaient de lui ouvrir les passes à travers la Grande Muraille, Cheng-te accomplit ses voyages dans les steppes mongoles déguisé et incognito. De nouveau, la révolte de Chu Ch'en-hao en 1519 lui donna l'occasion de voyager, cette fois-ci vers le sud. Cheng-te séjourna à Nankin une bonne partie de l'année 1520. Puis il rentra à Pékin où il mourut en avril 1521 après avoir fait exécuter les principaux membres du complot du prince de Ning.

La succession de Cheng-te fut réglée par le grand secrétaire Yang T'ing-ho qui fit désigner Chu Han-t'sung comme onzième empereur de la dynastie, sous le nom de règne de Chia-Ching. La légitimité du nouvel empereur était contestée, car il n'était pas l'héritier direct de Cheng-te.

Une campagne d'opinion, savamment orchestrée, contribua à asseoir son autorité. La figure du nouvel empereur fut nimbée de signes extraordinaires qui furent interprétés comme autant de présages. C'est ainsi que, au moment de sa naissance en 1507, les eaux du fleuve Jaune habituellement troubles restèrent limpides pendant cinq jours, tandis que le ciel se couvrait de nuages roses. Chia-Ching était un grand lettré, un calligraphe et un philosophe influencé par la mystique taoïste. Dès son intronisation, il se heurta à l'opposition des lettrés, lorsqu'il voulut rendre les honneurs impériaux à ses ancêtres, ce qui fut considéré comme attentatoire à la tradition. Le 14 août 1524, des bureaucrates se réunirent dans la cour du palais impérial pour manifester leur hostilité au projet de l'empereur. Ils furent violemment dispersés par les gardes et Chia-Ching procéda à la cérémonie. Le divorce entre l'empereur et sa bureaucratie ne fit que s'accroître quand, avec le temps, l'empereur ne fut plus préoccupé que par le souci de son immortalité. Le long règne de Chia-Ching (1521-1566) inaugura donc le processus de captation du pouvoir par les lettrés et de mise à l'écart de la cour. Ce règne fut aussi marqué par des désastres et des faits divers qui lui donnèrent une image néfaste. Désastres militaires, tout d'abord, face aux Mongols qui envahirent le nord de l'empire à partir de 1543 et vinrent mettre le siège devant Pékin en 1550. Un terrible tremblement de terre, ensuite, l'un des puissants et des plus destructeurs qu'ait connus la planète, fit probablement un million de victimes dans le Chan Si et le Chen Si en janvier 1556. Enfin, deux incendies ravagèrent la Cité impériale en 1557 et 1561. Ils occasionnèrent sans doute d'importants dégâts, mais les esprits furent troublés par celui de 1561 dans lequel la garde-robe impériale et les *regalia* partirent en fumée.

Le désintérêt de l'empereur pour la conduite des affaires accentua le glissement de l'autorité de la cour vers le Grand Secrétariat. En 1542, Yen Sung devint grand secrétaire avec l'appui de l'empereur. Il commença par éliminer tous ses concurrents et, en particulier, le second grand secrétaire, Hsia Yen. En 1548, il le fit arrêter et exécuter sous le prétexte d'un complot qu'il aurait fomenté à la suite de la défaite subie par l'armée chinoise devant les troupes mongoles. En 1549, Yen Sung contrôlait le Grand Secrétariat et toute l'administration, mais les problèmes s'accumulaient. Pendant la deuxième partie du règne, la Chine se débattit dans une crise financière où les campagnes malheureuses contre les Mongols et les incendies de la Cité impériale l'avaient plongée. Le renforcement de la pression fiscale provoqua des soulèvements, dont celui de la garnison de Nankin en mars 1560, au cours de laquelle le vice-ministre du Trésor fut exécuté par les mutins. Mais c'est aussi au cours de ce règne que la Chine s'ouvrit au grand commerce mondial, plutôt à son corps défendant d'ailleurs et sous l'effet conjugué de la piraterie japonaise et de l'agressivité européenne.

Les mutations qui affectèrent le pouvoir impérial s'accélérèrent sous le règne de ses successeurs, Chu Tsai-hou (1567-1572) qui régna sous le nom de Lung-Ch'ing, et le fils de celui-ci, Chu I-chün (1573-1620), mieux connu sous son nom d'empereur Wan-li. Cet homme intelligent et dénué de préjugés ne supportait pas les contraintes que lui imposaient les lettrés confucéens. Il pratiquait la calligraphie, les promenades à cheval et le tir à l'arc, autant d'activités jugées non conformes à l'image qu'on attendait de l'empereur, selon les censeurs. Il nomma à la tête du Grand Secrétariat son précepteur Chang Chü-cheng, qui resta à ce poste de 1572 à 1582, y accomplissant une œuvre remarquable de restauration de l'autorité de l'État. À sa mort, les greniers de Pékin étaient pleins, ainsi que les trésors de Pékin et de Nankin et ceux des grandes capitales provinciales. Mais cet homme de grande envergure était aussi profondément corrompu. Il avait inculqué les vertus confucéennes à son élève tout en les enfreignant. C'est pourquoi l'empereur Wan-li finit par le détester d'autant que Chang Chü-cheng le contrôlait étroitement par l'intermédiaire de l'eunuque Feng-Pao et de l'impératrice douairière Ts'u-sheng. La vengeance de l'empereur fut lente mais implacable. Deux ans après sa mort, il dénonça les crimes de son grand secrétaire et confisqua ses biens.

Par la suite, la Chine ne retrouva plus la stabilité politique. Critiqué par sa propre bureaucratie de négligence et de vie dissolue, Wan-li, dont la réputation était atteinte, pratiqua la résistance passive. Il s'employa à démanteler le travail accompli par Chang Chü-cheng, en laissant vacants de nombreux postes de la haute fonction publique, malgré les objurgations du Grand Secrétariat et du ministre du Personnel. Il contribua ainsi à affaiblir la dynastie face aux dangers extérieurs. Devant les agressions mongoles, japonaises ou occidentales, la Chine se replia sur elle-même et s'isola. De ces trois dangers, les visées impérialistes des Portugais et des Espagnols étaient les moins redoutables car, même si la conquête de la Chine fut envisagée à plusieurs reprises par des conseillers de Philippe II, elle relevait du rêve à cause des problèmes insurmontables de logistique qu'elle aurait posés. Toyotomi Hideyoshi, par contre, envisagea clairement la conquête de la Chine dont les expéditions de Corée en 1592 et 1597 ne devaient être qu'un avant-propos. Mais l'ennemi principal restait les Mongols Jürchen (les Mandchous) qui se firent de plus en plus pressants sur la frontière septentrionale. La désorganisation de l'administration impériale, les mutineries dans les garnisons frontalières comme celle de Ning Sia en 1592, les révoltes des peuples non Han comme celle des Miao dans le Se Tchouan et le Kouei Tcheou qui se conclut par un bain de sang en 1600, les soulèvements paysans comme celui du Lotus blanc dans le Chan Toung en 1587 et en 1616 manifestent la grande fragilité de la Chine à la fin de la dynastie des Ming. Les campagnes de Corée en 1592 et en 1597 contre l'invasion japonaise révélèrent la faiblesse militaire de l'empire. Lorsque les Mandchous attaquèrent la garnison de Fou-Choun dans le Liao-Ning et que l'armée chinoise proposa une expédition de représailles, les conditions étaient exécrables. L'impréparation de l'armée, les luttes de factions à la cour, la peur des officiers devant les censures ouvrirent la voie aux désastres militaires de 1619. À la mort de Wan-li l'année suivante, l'armée chinoise était en pleine décomposition et l'empire du Milieu était à prendre.

La Chine ne concevait ses relations avec l'extérieur qu'à travers son système tributaire. Le tribut était à la fois une reconnaissance par l'État tributaire de la supériorité de la Chine, mais aussi par la Chine de l'existence même de cet État. En effet, tout État non tributaire était considéré comme barbare et ne pouvait entretenir de relation avec l'empire. Les ambassades tributaires avaient une double caractéristique. Elles étaient fortement ritualisées, puisque les envoyés de l'État tributaire venaient pour ainsi dire rendre hommage à l'empereur, et ce volet diplomatique se concrétisait sous la forme d'un échange de cadeaux, mais elles représentaient aussi une occasion d'échanges commerciaux. Ces deux aspects étaient étroitement liés. Les relations internationales de la Chine passaient par le système des ambassades tributaires et relevaient du Bureau des cérémonies. Au tribut était attaché le commerce dit des étiquettes, le seul permis en Chine pour préserver le monopole de l'État. Par le truchement des étiquettes, l'empereur attribuait aux marchands des pays tributaires des autorisations – des étiquettes, en fait des tampons – pour commercer en Chine et avec les marchands chinois. C'était le seul moyen pour ces pays d'ouvrir à leurs marchandises le marché chinois et d'obtenir les produits chinois de haute valeur.

Prenons des exemples. Les ambassades tributaires mongoles arrivaient régulièrement en Chine. Elles apportaient les chevaux, dont manquaient les Chinois, et les chameaux.

En échange, les Chinois offraient comme cadeaux des tissus de soie, de satin, de coton, des bottes, des chapeaux. Ces échanges ritualisés ouvraient aussi la voie à de véritables échanges commerciaux. L'ambassade mongole s'installait à Pékin au Collège des Interprètes et, pendant une période de trois à cinq jours, ses membres faisaient du commerce avec les marchands chinois dûment autorisés. Certains produits qui avaient une valeur stratégique étaient évidemment exclus des transactions comme la soie, les livres, les armes, le métal, ce qui n'empêchait pas un commerce illicite de se développer. Ces formes d'échanges jouaient un grand rôle dans la vie des Mongols. C'était une soupape de sécurité en cas de famine. Lorsqu'ils en avaient besoin, les Mongols demandaient aux Chinois d'ouvrir leurs frontières et échangeaient leurs chevaux contre des grains. Mais si le gouvernement chinois refusait, les Mongols se voyaient dans l'obligation d'organiser des razzias en Chine du Nord pour se procurer par la guerre ce qu'ils ne pouvaient obtenir par le commerce.

Avec la Corée, les relations étaient plus étroites et plus cordiales au XVIe siècle, car les Ming ne craignaient plus comme au siècle précédent une éventuelle collusion entre Coréens et Mongols contre la Chine. Les Coréens étaient autorisés à accomplir trois ambassades tributaires par an : une au début de l'année lunaire, une autre pour l'anniversaire de l'empereur, la troisième pour l'anniversaire de son héritier. À la fin de la période Ming, la Corée eut droit à une quatrième ambassade pour le solstice d'hiver. À cela s'ajoutaient des ambassades plus spéciales, à l'occasion des deuils dans la famille impériale ou pour régler un problème quelconque entre les Ming et la dynastie des Choson. C'est ainsi qu'on a pu dénombrer trente-six de ces ambassades particulières de 1460 à 1506, dix de 1506 à 1567 et trente-cinq de 1567 à 1607. Chaque ambassade comportait une quarantaine de personnes qui apportaient en Chine l'or, l'argent, les peaux de léopard et d'otarie, la soie blanche, le papier blanc, les toiles de lin et de coton, le ginseng et les chevaux. Lors de réquisitions spéciales, les Coréens étaient tenus de livrer des troupeaux de chevaux, des habits de coton, du matériel militaire, du thé, du poivre, du blé, des esclaves et des eunuques. En échange, les Chinois offraient des robes de dragons, des ceintures de joyaux, des instruments de musique, des bijoux, de la soie, des objets de jade et des livres. C'est ainsi que la culture chinoise pénétra en Corée.

Le système des ambassades tributaires était donc strictement organisé. Les États tributaires de l'Asie du Sud-Est devaient, par exemple, passer par deux ports de Chine du Sud, Chuan-chou dans le Fou Kien ou Canton dans le Kuang Toung. Tous ces États constituaient comme un glacis protecteur autour de l'empire, qui le séparait ainsi des Barbares. Il y avait au nord les Mongols, à l'ouest les Ouïgours, un peuple musulman d'Asie centrale, au sud-ouest le Tibet, au sud l'État Burma aux frontières du Yun-nan, puis le Siam, l'Annam, le Dai Viêt et le royaume du Champa, à l'est la Corée et le Japon. Plus loin, en Indonésie, deux petits États continuaient à être nominalement tributaires de la Chine, Malacca et le Sumadra-Pasaï au nord de Sumatra. C'était le dernier souvenir des grandes expéditions maritimes de l'amiral Zhong He dans la première moitié du XVe siècle. En théorie, tous les États qui avaient été reconnus comme tributaires au début de la dynastie le restèrent. Mais cette conception restrictive des relations internationales soulevait deux questions. Pour les États les plus éloignés du centre de l'empire, leur statut de tributaires devint avec le temps purement formel, la Chine n'ayant plus les capacités militaires de faire respecter sa domination. D'autre part, de nouveaux États éprouvaient des difficultés à nouer des contacts avec la Chine qui ne pouvait les accepter qu'à travers le prisme du tribut. Ce fut par exemple le cas du Portugal. Les Portugais n'avaient nullement l'intention d'entrer dans la sphère d'influence de la Chine. Ils cherchaient uniquement à obtenir des avantages commerciaux et ils ignorèrent pendant longtemps les comportements rituels des Chinois dans le domaine diplomatique. Mais le gouvernement chinois ne pouvait admettre que les Portugais fissent du négoce en Chine en dehors des ambassades tributaires et du commerce des étiquettes. Pour le gouvernement chinois, l'attitude des Portugais était attentatoire à leurs traditions.

Quand un peuple tributaire situé dans la sphère la plus proche de la Chine oubliait de payer le tribut pendant un long moment, des émissaires chinois allaient lui rappeler ses obligations. S'il persistait dans l'oubli de ses devoirs, une expédition militaire était organisée. Depuis le XVᵉ siècle, des relations religieuses et diplomatiques suivies avaient été établies avec le Tibet, dont les moines avaient été introduits à la cour impériale. Puis, à la fin du siècle, ces relations se relâchèrent. En 1515, une mission militaro-diplomatique chinoise fut envoyée à Lhassa pour s'emparer du lama vivant et le ramener à Pékin. La moitié de cette expédition fut massacrée par les Tibétains. En 1536, à l'occasion de la naissance d'un prince héritier, le grand secrétaire Hsia Yen défendit qu'on envoyât une ambassade en Annam pour annoncer la nouvelle, car le royaume ne s'était pas acquitté du tribut depuis vingt ans. En réalité, l'Annam se débattait dans une crise intérieure. L'année suivante, un émissaire du roi d'Annam arriva par hasard à la cour de Pékin. Il venait demander de l'aide à son protecteur chinois en faveur du prince légitime qui avait été déposé par un de ses conseillers. L'envoyé fut jeté en prison et une campagne militaire fut programmée contre l'Annam. Elle n'eut jamais lieu car l'empereur Chia-Ching s'y opposa.

Car, au XVIᵉ siècle, la Chine éprouva toujours plus de difficultés à faire respecter un système tributaire qui se désagrégeait. Les États qui n'avaient pas d'intérêt immédiat à la protection chinoise ou qui n'entretenaient pas des relations commerciales profitables avec la Chine cherchèrent à se détacher de leur condition de tributaire. On l'a vu avec le Tibet et l'Annam, ce fut aussi le cas avec l'État Burma et le Dai Viêt. Profitant de la faiblesse interne de la Chine des Ming, les Burma envahirent le Yun-nan et l'armée dut les repousser en 1582-1583. Quant aux Vietnamiens, ils s'enhardirent jusqu'à pousser des raids au Yun-nan et dans les autres provinces frontalières en 1607. Mais deux puissances dénoncèrent leur condition de tributaire : le Japon en 1549 et les Mandchous en 1615. Bien mieux, ces derniers tentèrent d'imposer un tribut au gouvernement chinois, tandis que le Japon caressa un temps le rêve de soumettre la Chine. Seule, la Corée resta indéfectiblement attachée à la relation tributaire avec la Chine, parce que celle-ci lui garantissait une protection face à son encombrant voisin japonais et parce que la Corée tirait profit des relations d'échanges avec le monde chinois.

L'attitude de la Chine à l'égard des Mongols fut paradoxale. La dynastie des Ming tirait une grande part de sa légitimité du fait d'avoir libéré la Chine de l'occupation mongole. Elle mettait un point d'honneur à contenir les nomades des steppes au-delà de la Grande Muraille. Au XVIe siècle encore, le Mongol représentait l'ennemi par excellence. Le Mongol effrayait le Chinois. La peur du Mongol, qui relève de la peur ancestrale du sédentaire face au nomade, tétanisait littéralement les Chinois. Les armées chinoises ne parvinrent jamais à trouver la parade à la grande mobilité de la cavalerie mongole, et les batailles entre Mongols et Chinois au XVIe siècle tournèrent le plus souvent à l'avantage des premiers. Pourtant, le destin de ces deux peuples était étroitement lié. Officiellement, les Mongols avaient été repoussés au-delà de la Muraille, mais de nombreux Mongols vivaient encore en Chine. Ils y avaient fait souche, s'étaient profondément sinisés et beaucoup d'entre eux servaient dans l'armée. D'autre part, l'économie de ces deux peuples était complémentaire : la Chine dépendait de la Mongolie pour son ravitaillement en

chevaux, les Mongols avaient besoin des Chinois pour leur
ravitaillement en grains. À vrai dire, les Mongols n'ont
jamais cherché à envahir la Chine pour en prendre le
contrôle. Ils désiraient simplement s'ouvrir le marché chinois
pour en tirer ce qui était nécessaire à leur propre survie.
Apparemment, le gouvernement chinois, aveuglé par
l'idéologie impériale, ne le comprit jamais.

Il faut dire, à sa décharge, qu'il avait affaire à un monde
extrêmement instable, les Mongols étant divisés en peuples
et en tribus aux contours souvent flous. Les États mongols
se faisaient et se défaisaient au rythme des successions
princières. Parfois, un chef parvenait à faire l'unité de plusieurs tribus par la force et se posait en interlocuteur officiel
avec le gouvernement chinois pour la négociation du tribut.
À sa mort, son héritage était partagé entre ses successeurs
et plus personne ne contrôlait les différentes hordes qui se
lançaient alors dans des raids en territoire chinois. À la fin
du XVe siècle, Batü Möngke (1464-1524) fédéra plusieurs
tribus sous son autorité, soumit entre 1508 et 1510 les
Ordo, le peuple mongol le plus évolué installé aux sources
du fleuve Jaune, et il se rendit maître de toute la steppe à
l'est du Pamir. À sa mort, son empire se désagrégea et les
Ordo attaquèrent la Chine qui refusait de leur accorder des
étiquettes pour commercer. Quelques années plus tard, un
autre chef, Altan, fédéra les Mongols au sud et à l'ouest du
désert de Gobi. En 1541, accablé par la famine, il demanda
à la garnison de Ta-Toung, qui gardait les passes du nord,
l'autorisation de commercer. Elle lui fut refusée au prétexte
qu'il ne payait plus le tribut depuis quatorze ans. Les raids
commencèrent et, le 24 juillet 1543, une armée chinoise fut
battue dans le Chan Si.

Durant tout l'été, la cavalerie mongole ravagea la province voisine du Chen Si. En 1549, Altan bouscula une
nouvelle armée chinoise à Hsüan-fu et, en mars 1550, il
réunit ses troupes autour de la ville-garnison de Ta-Toung.
En juillet, ses armées franchirent les passes de Ku-pei, à

cinquante kilomètres au nord de Pékin, et vinrent s'établir à Tung-chou, au débouché nord du Grand Canal, à quelque vingt kilomètres à l'est de la capitale. Une armée chinoise de secours força les Mongols à lever le siège et à repartir vers le nord avec le fruit de leurs razzias et la promesse d'ouverture de négociations pour rétablir les ambassades tributaires et le commerce des étiquettes. L'année suivante, Altan s'allia au khan des Mongols de l'Est, Darayisun, puis s'assura le contrôle des Oïrats, le dernier peuple mongol qui échappait encore à son autorité. Jusqu'en 1566, les Mongols organisèrent des raids généralisés dans les provinces du nord et du nord-ouest de la Chine. Les garnisons chargées de garder les frontières, effrayées par les hordes « barbares », se rendaient ou traitaient avec elles. Les attaques se poursuivirent après la mort d'Altan, quand son empire se désagrégea. En 1592, la garnison de Ning Sia (actuellement Ying Tchouan), qui comptait un fort contingent mongol commandé par un chef mongol sinisé, se mutina. Cette révolte fut matée, mais le général chinois Li Ju-sung fut massacré par les mutins.

À la fin du XVIᵉ siècle, le danger pour la Chine venait du nord-est, d'un autre peuple d'origine mongole, les Jürchen ou Mandchous. Ce peuple vivait sur la frontière et était déjà fortement sinisé. L'Empire mandchou fut l'œuvre d'un khan, Nurhaci, de la tribu des Chien-chou – dont la prononciation déformée a donné le mot « mandchou » –, que les Chinois avaient associée à leur système de défense des confins dans le cadre d'une commanderie militaire. Mais Nurhaci prit son indépendance. Il partit s'installer dans ce qui est aujourd'hui la Mandchourie et il fit fortifier sa résidence et commença à étendre son autorité vers le sud en direction des territoires chinois. Il était déjà capable d'aligner des forces considérables : 30 000 à 40 000 cavaliers, 40 000 à 50 000 fantassins. À la fin du siècle, un véritable État mandchou se constitua avec l'adoption de l'écriture alphabétique et une réforme de l'armée qui fut divisée en bannières de 10 000 à 50 000 combattants commandées par les fils et les neveux du khan. Nurhaci fédéra toutes les tribus mandchoues sous sa houlette. Il afficha désormais ses buts de guerre, la conquête de l'Empire chinois. Il prit des conseillers chinois qui lui dévoilèrent les faiblesses de son adversaire. Plutôt que de se laisser entraîner dans une guerre de siège, technique dans laquelle les Chinois excellaient, il devait provoquer l'armée chinoise en rase campagne où sa cavalerie était supérieure. En 1615, Nurhaci envoya son dernier tribut à la cour des Ming puis rompit les relations diplomatiques.

C'est en 1618 que Nurhaci déclencha les hostilités, dans la province nord-orientale du Liao Ning. Le 8 mai, trois mille Mandchous arrivèrent dans la ville stratégique de Fou-choun où se déroulait le marché. Le col de Fou-choun que contrôlait la ville commandait les communications avec la basse vallée de la Liao. Profitant de leur supériorité numérique, les Mandchous s'emparèrent de la ville après avoir contraint la garnison à se rendre. Quelque temps après, une armée chinoise reprit la ville, mais son commandant fut tué en poursuivant les fuyards. Nurhaci envoya un véritable ultimatum au gouvernement chinois. Il reprochait aux Ming d'avoir fait assassiner son père et son grand-père, d'aider des clans mandchous rivaux pour l'affaiblir et de favoriser l'installation de colons chinois sur des parcelles du territoire mandchou. Il exigeait en compensation la cession d'un territoire appartenant à l'empire et des annuités en or, en argent et en tissus de soie. Nurhaci demandait ni plus ni moins à la Chine de lui payer un tribut, ce qui était inacceptable pour elle. Le gouvernement chinois mobilisa toutes ses forces pour entreprendre une expédition de représailles, soit 80 000 soldats, complétés par des auxiliaires indigènes et coréens. Mais la cour était travaillée par des luttes de factions, les caisses de l'État étaient vides, les soldats étaient mal équipés et le commandement laissait à désirer.

Le corps expéditionnaire fut placé sous l'autorité de Yang Hao, qui n'était pas un militaire de carrière mais un haut fonctionnaire, car les militaires ne pouvaient atteindre que le grade de chef d'armée. Au cours de cette campagne, la dynastie des Ming devait payer l'isolement culturel dans lequel elle s'était enfermée depuis des décennies et qui l'avait empêchée de s'adapter aux évolutions technologiques venues de l'étranger, ou même de tirer la leçon de ses échecs antérieurs. La stratégie qui consistait à diviser le corps expéditionnaire en quatre armées de 25 000 hommes contribua à disperser ses forces devant un adversaire parfaitement préparé et extrêmement mobile. La tactique chinoise reposait sur la supériorité numérique. Un noyau de guerriers déterminés et rompus aux arts martiaux – une sorte d'« enfants perdus » – était placé en première ligne. Ils enfonçaient les rangs de l'adversaire, et le reste de l'armée s'engouffrait dans la brèche. Cette tactique fut employée encore avec succès dans les guerres de Corée contre les Japonais, mais au prix de très fortes pertes. Les chroniqueurs coréens furent effrayés en voyant les rangs chinois décimés par le feu roulant des arquebuses japonaises. Mais l'armée chinoise n'adopta pas pour autant l'arme à feu.

La campagne de 1619 fut catastrophique pour la Chine. Faisant preuve d'un remarquable sens stratégique, Nurhaci écrasa l'une après l'autre les armées chinoises venues le combattre en ordre dispersé. Cette première campagne se déroula en l'espace d'une semaine, entre le 14 et le 20 avril 1619. Les principales villes de la province de Liao Ning étaient désormais isolées. Elles tombèrent dans les trois mois qui suivirent. Les chefs de guerre chinois qui n'avaient pas trouvé la mort à la tête de leurs troupes furent tenus responsables de cet échec. Le gouvernement les fit arrêter et fit exécuter ceux qui ne s'étaient pas suicidés. Mais à la mort de Wan-li, l'Empire chinois n'avait plus d'armée.

Alors que la Chine du Nord se débattait face au problème mongol, la Chine du Sud était confrontée au développement de la piraterie. Encore faut-il s'entendre sur ce terme. Dans un régime de monopole d'État, tel qu'il prévalait en Chine, dans lequel les relations commerciales avec le monde extérieur étaient limitées et réglementées par le système tributaire et le commerce des étiquettes, toute forme de trafic commercial qui sortait de ce cadre relevait, aux yeux de l'État, de la piraterie et du banditisme. En fait, depuis la fin du XVe siècle, l'ouverture de la Chine aux échanges internationaux à longue distance était sensible et elle ne fit que se renforcer au cours du siècle suivant avec l'arrivée des Occidentaux dans la zone Pacifique. Ce que le gouvernement chinois taxait de piraterie ne représentait que le résultat de l'inadaptation du marché chinois aux nouvelles conditions du commerce international. Empêchés de commercer librement par les restrictions imposées par l'idéologie impériale, les marchands étrangers – japonais, malais, puis portugais et espagnols et, surtout, chinois – n'avaient d'autre recours que de pratiquer la contrebande. Il n'est pas étonnant non plus que le foyer principal de ce commerce se soit fixé dans cette Chine du Sud, dans les provinces côtières du Tche Kiang, du Fou Kien et du Kuang Toung, qui était déjà la région traditionnelle du commerce des étiquettes avec le Japon et le Sud-Est asiatique. La côte, très découpée, parsemée d'îles et de havres discrets, se prêtait admirablement au commerce interlope.

L'installation des commerçants japonais relança cette activité à la fin du XVe siècle, avec l'aide de commerçants chinois du Fou Kien, dont certains ouvrirent des succursales dans le port japonais de Hakata en 1537. Dans la première moitié du XVIe siècle, le centre de ce trafic se situait dans l'île de Shuang-yü, qui se trouve au large de la ville de Ningbo, au sud de Changhaï. En 1523, un grave incident opposa les membres de deux familles japonaises habituées du commerce avec la Chine, les Hosokawa et les Ouchi, reflet des luttes de factions qui se déroulaient au même moment sur l'île de Kyushu au Japon. Accusée d'incompétence, l'amirauté du Tche Kiang fut dissoute en 1529 et les missions commerciales japonaises drastiquement réduites. Ces mesures ne firent qu'accroître la contrebande, même si les Japonais furent autorisés à revenir à Ningbo en 1539. Il fallait aussi compter avec les Portugais qui, à partir de Malacca, arrivèrent à Canton en 1517. Après plusieurs tentatives infructueuses pour s'assurer un comptoir en Chine, ils furent finalement expulsés en 1530. Les marchands portugais ne purent revenir en Chine qu'en 1552 à Macao. Ils s'installèrent plus au sud au débouché de la rivière des Perles. Entre-temps, la piraterie avait pris de telles proportions que le gouvernement central décida d'employer la manière forte. En 1547, il envoya un commissaire au Tche Kiang, Chu Wan, qui s'était déjà distingué dans la lutte contre le banditisme. Chu Wan s'empara de l'île de Shuang-yü, captura les pirates et procéda à leur exécution systématique. Parmi les suppliciés se trouvait le neveu d'un juge préfectoral de Ningbo, ce qui tendait à prouver l'implication des autorités locales dans ces activités prohibées. Les protestations contre les méthodes expéditives de Chu Wan remontèrent jusqu'à Pékin, et Chu Wan fut rappelé en 1549. Blessé par cette disgrâce, il se suicida.

À partir de 1555, toute la côte au sud de Nankin était hors de contrôle du gouvernement chinois. La famine qui régnait poussait beaucoup de paysans dans les rangs des pirates. Un grand marchand, Wang Chih, se constitua une flotte importante. Après sa capture et son exécution en 1559, son fils adoptif reprit l'affaire et établit sa base dans l'île de Chou-shan puis dans celle de Quemoy (Kinmen) dans le détroit de Formose. Les raids se multiplièrent sur le sud du Fou Kien et le nord du Kuang Toung et, en décembre 1562, une armée de pirates et de bandits s'empara de la préfecture de Singhoua (Poutien) après un mois de siège. La répression qui fit rage dans les années 1564-

1566 ne parvint pas à enrayer le mouvement. Aussi, quand les Espagnols touchèrent les Philippines en 1565, la Chine du Sud était virtuellement ouverte au commerce international. Dès 1573, deux galions espagnols ouvraient la route de Manille à Acapulco avec un chargement d'étoffes de soie et de porcelaines de Chine. En 1576, le commerce entre la Chine et le Mexique était définitivement établi. Les premières années du XVIIe siècle furent marquées par l'arrivée des Hollandais de la Compagnie des Indes orientales qui, en 1622, tentèrent en vain de s'emparer de Macao.

2. Le Japon des seigneurs de la guerre

L'histoire du Japon au XVIe siècle peut sembler particulièrement confuse, mais cette période a joué un rôle charnière. Le Japon sortit du Moyen Âge dans un état de complète désintégration politique, mais, à partir des années 1560, il reconstitua son unité politique sous la férule de trois chefs de guerre remarquables, Oda Nobunaga, Toyotomi Hideyoshi et Tokugawa Ieyasu, qui le transformèrent en une monarchie féodale centralisée. À bien des égards, l'histoire politique du Japon au XVIe siècle rappelle celle de l'Europe à la même époque. La scansion des événements peut être présentée de différentes manières. D'un point de vue constitutionnel, rappelons que l'empereur est la source de toute autorité et que, même si ses pouvoirs ont été limités depuis la première moitié du XIVe siècle aux domaines religieux et moral, sa présence garantissait la légitimité de tout le système institutionnel. Même aux pires moments du « pays en guerre » *(sengoku),* la dynastie impériale ne fut jamais remise en cause, mais sa perte d'influence politique entraîna celle de l'ancienne noblesse de cour et de l'économie domaniale dont elle était porteuse. Depuis la fin du

XIIe siècle, la réalité du pouvoir appartenait au shogun, le représentant de la classe des guerriers. La fonction était entre les mains de la famille Ashikaga qui l'occupait de manière ininterrompue depuis le XIVe siècle. Cette période du shogunat Ashikaga qui se termina officiellement en 1573 avec la déposition du 15e shogun porte le nom de période Muromachi. En fait, dès la fin du XVe siècle, l'autorité des shoguns était contestée par les grandes familles féodales montantes et le pouvoir shogunal avait du mal à se faire respecter dans les provinces. Entre 1573 et 1603, le shogunat disparut au Japon. Le dernier shogun fut déposé par Oda Nobunaga et ses successeurs Hideyoshi et Ieyasu se gardèrent bien de rétablir la famille Ashikaga dans ses fonctions. Les historiens ont donné à cette période le nom d'Azuchi-Momoyama, du nom des résidences respectives de Nobunaga et de Ieyasu. En 1603, les Tokugawa rétablirent le shogunat en leur faveur et établirent leur résidence dans l'est, à Edo, l'ancien nom de Tokyo. Cette période du shogunat d'Edo se conclut au milieu du XIXe siècle avec l'ère Meiji et la restauration du pouvoir impérial.

À cette classification institutionnelle on peut opposer une périodisation plus conforme à l'état de la société politique nipponne. À partir des guerres d'Onin (1467-1477) s'ouvre une période de redistribution des pouvoirs en faveur des grandes principautés et des formes d'organisation locale et aux dépens du pouvoir central des shoguns. Les contemporains, sensibles aux événements qu'ils subissaient, l'appelèrent le « pays en guerre » ou *sengoku*. L'état d'anarchie féodale ne cessa pas du jour au lendemain mais, à partir des années 1560, avec Oda Nobunaga et ses successeurs, s'enclencha un mouvement de réunification du pouvoir politique et de mise au pas de toutes les forces centrifuges. Avec l'élimination de l'héritier de Hideyoshi et la fin de toute contestation dangereuse de l'autorité des Tokugawa de la part de l'aristocratie, cette période de

CORÉE

MER   DU   JAPO

OKI

TSUSHIMA

A

TANGO
WAK

INABA
HOKI   TAJIMA
IZUMO   MIMASAKA   TAMBA
IWAMI   BINGO   BITCHU   YAMASH
                          HARIMA   SETTSU
                 BIZEN   KAWAC
              AKI   AWAJI   IZUMI
NAGATO   YAMA
      SUO   SANUKI
J   KII
IKI
      CHIKUZEN   BUZEN   AWA
HIZEN CHICUGO   IYO   TOSA
              BUNGO
         HIGO   *Shikoku*

         HYUGA
SATSUMA   *Kyushu*
      OSUMI

LE JAPON DU XVIᵉ SIÈCLE

DIVISÉ EN PROVINCES

remise en ordre prit fin. Après 1615, le Japon s'engagea dans un mouvement de repli sur soi qui se conclut en 1639 par la fermeture définitive du pays aux influences étrangères, occidentales essentiellement *(sakoku)*.

Définir la position du Japon dans le concert international au XVIᵉ siècle est assez délicat. Il est vrai que l'historiographie occidentale en a fait grand cas, dans la mesure où le Japon fut considéré comme l'ultime borne de l'évangélisation, une évangélisation presque réussie et qui tourna finalement au drame. Vue du Japon, la politique extérieure prend une tout autre allure. Jusqu'aux années 1580, les rapports avec les gouvernements étrangers ne faisaient pas partie des priorités de ceux qui tenaient les rênes du pouvoir. Pendant la période des troubles, l'absence d'une autorité centrale ne permit pas la définition d'une politique cohérente à l'égard des puissances étrangères. Mais le Japon n'était pas pour autant fermé à toute influence. Il ne fut jamais autant ouvert que dans la première moitié du XVIᵉ siècle, grâce au rôle joué par les *daimyo* qui trouvaient leur intérêt dans les relations commerciales avec la Chine, la Corée, l'Indonésie, les Indes portugaises et, bientôt, l'Espagne. Il fallut cependant attendre la seconde moitié du gouvernement de Hideyoshi, à partir des années 1580, pour que commençât à se dessiner une politique étrangère cohérente.

Les guerres d'Onin ouvrirent une longue période de dissolution de l'État central au Japon. Cette crise politique profonde reflétait les mutations en cours dans la société nipponne et manifestait les difficultés d'adaptation des cadres politiques aux transformations sociales introduites par le développement de l'économie marchande. Malgré ces soubresauts violents, le XVIᵉ siècle japonais fut une période de progrès économique. Il vit l'émergence de nouvelles catégories sociales, des paysans aisés, des artisans, des marchands ruraux ou de grands négociants internationaux, des guerriers, tout un ensemble de groupes sociaux

LES PRINCIPAUX CLANS DE DAIMYO
AU XVIe SIÈCLE

qui ne trouvaient pas leur place dans l'ancienne économie domaniale. La croissance démographique, la mise en valeur de terres nouvelles, la transformation des rizières sèches en rizières irriguées, l'essor de l'industrie et le développement des échanges intérieurs et extérieurs, tout contribua à rendre obsolètes les anciens cadres politiques. Pour faire bref, disons que dans le Japon périphérique, au sud à Kyushu, au sud, au nord et à l'est de Honshu, se mirent en place de puissantes principautés territoriales nées de la redistribution des pouvoirs, gouvernées par des hommes nouveaux, des *sengoku daimyo* ou seigneurs de la guerre, dont l'indépendance à l'égard du pouvoir impérial ou du pouvoir shogunal était telle que les premiers Occidentaux qui abordèrent l'archipel virent en eux de véritables rois. Dans le centre du Japon par contre, plus peuplé et plus développé, dans le bassin du Kinai et autour de la mer Intérieure où se trouvait le siège du pouvoir, la situation resta beaucoup plus fluide. Aucun daimyo puissant ne parvint à s'y implanter durablement à cause de la résistance des ligues paysannes et urbaines, ainsi que celle des grands temples bouddhiques dont les intérêts étaient souvent communs.

Daimyo, ligues rurales et urbaines, sectes bouddhiques furent les grands protagonistes de l'histoire politique du Japon au XVIᵉ siècle, avant d'être mis au pas par Oda Nobunaga et ses successeurs Toyotomi Hideyoshi et Tokugawa Ieyasu. La plupart des daimyo qui surgissent sur le devant de la scène politique à la fin du XVᵉ siècle et au début du XVIᵉ siècle étaient déjà des hommes forts, bien implantés dans leur province où ils détenaient des fiefs et les postes de gouverneur *(shugo)*. À partir de ces positions de pouvoir, les plus résolus et les plus audacieux regroupèrent autour d'eux les petits guerriers *(jizamurai),* soumirent les barons locaux et partirent à la conquête des provinces et des principautés voisines, se taillant par la force de véritables petits États, dans lesquels ils exercèrent l'autorité souveraine en totale indépendance par rapport à la cour impériale ou à la cour shogunale. Ce fut le cas de la famille Mori, le clan aristocratique le plus puissant au milieu du XVIᵉ siècle, qui imposa sa domination sur les provinces occidentales de Honshu en bordure de la mer du Japon, après avoir éliminé leurs voisins et rivaux, les Ouchi et les Amako. La dissolution du pouvoir central et le relâchement des liens de fidélité avaient aussi fragilisé certains clans aristocratiques et favorisé l'émergence d'hommes nouveaux. Les guerres d'Onin avaient obligé les *shugo* à résider à Kyoto et à déléguer leurs pouvoirs à des lieutenants qui profitèrent de leur absence pour les supplanter. Ce fut l'origine de la puissance des Oda, qui éliminèrent leurs anciens maîtres, les Shiba, dans la province d'Owari, située dans la région du Tokai, entre Kyoto et Edo.

Mais la période des troubles fut surtout propice à l'ascension d'individus de basse extraction sociale qui parvinrent à s'imposer grâce à leur habileté. C'est ainsi que les Hojo, dont l'origine est très obscure, purent contrôler l'une des grandes régions du Japon oriental, le Kanto. Un autre exemple de mobilité sociale nous est fourni par Saito Dosan, qui commença par être moine dans un monastère bouddhique de Kyoto, puis qui abandonna l'habit monastique pour épouser la fille d'un marchand d'huile. Il se lia à un noble qu'il aida à renverser le gouverneur de la province de Mino, au centre de Honshu, se fit lui-même samouraï et obtint la charge de châtelain avant de renverser son ancien supérieur. Sa fille épousa Oda Nobunaga. On estime à quelques centaines les groupes aristocratiques qui étaient susceptibles de porter le titre de daimyo dans la seconde moitié du XVIᵉ siècle. Ils possédaient leur propre État, leur propre administration, leur propre armée et, généralement, résidaient dans une capitale provinciale où ils reproduisaient la culture de cour qui prévalait à Kyoto, comme Odawara pour les Hojo, Yamaguchi pour les

Ouchi, Sunpu (ancien nom de Shiznoka) pour les Imagawa. La puissance des daimyo reposait sur leur réseau de fidélités et sur leur capacité à mobiliser les guerriers. Ils étaient ainsi à la tête de formidables machines de guerre. Mais ces nouveaux maîtres du Japon surent aussi inventer les institutions du Japon moderne. Ils s'accordèrent tous les pouvoirs de coercition, imposèrent leur justice, nommèrent les fonctionnaires et redistribuèrent les fiefs. Surtout, ils prirent soin de mettre en valeur leur principauté en construisant des routes et des digues, en favorisant les implantations portuaires et en développant le commerce avec l'étranger, en réformant l'assiette fiscale par la généralisation de la pratique de l'arpentage et du cadastre *(kandaka)*. S'il est vrai que la période *sengoku* fut marquée par l'émiettement du pouvoir politique, l'action réformatrice des daimyo à l'intérieur de leurs principautés favorisa en dernier ressort le processus de réunification du Japon dans la seconde moitié du siècle.

La faiblesse de l'État central suscita de nombreuses formes d'organisation locale, pas seulement celle des grandes principautés féodales. Dans le Japon central, autour de la mer Intérieure, là où l'urbanisation était ancienne, les guildes de marchands s'étaient organisées de manière autonome pour contrôler le pouvoir municipal. Pendant longtemps, la ville de Sakai qui devait sa prospérité à son port fut gouvernée par une commune urbaine qui résista longtemps aux tentatives des daimyo pour s'en emparer. Mais si l'existence des villes était anciennement attestée, il n'en allait pas de même des communes rurales, qui se créèrent à la fin du Moyen Âge sur les ruines des grands domaines. Les hameaux disséminés sur les domaines furent abandonnés et les paysans se regroupèrent dans les villages et les gros bourgs ruraux. La fin du Moyen Âge connut ainsi une fièvre de défrichements, d'aménagement de rizières irriguées et de fortifications pour protéger les villages contre l'intrusion des guerriers à la solde des seigneurs. Ce processus d'émancipation des communautés rurales fut aussi marqué par l'adoption de règlements communautaires et par l'acquisition de l'autonomie judiciaire aux dépens de la justice seigneuriale. L'enrichissement des campagnes avait conduit à la formation d'une classe de paysans aisés qui, sans renier leurs origines paysannes, adoptèrent un genre de vie plus aristocratique et constituèrent une classe de petits guerriers – les *jizamurai* –, qui entrèrent dans la clientèle des daimyo ou restèrent sur place pour encadrer et protéger les communautés. Parfois ces dernières se regroupèrent dans des ligues régionales – ou *ikki* – très puissamment organisées et capables de tenir tête aux seigneurs de la guerre. La ligue de la province de Yamashiro, au nord-est du Kinai, était née au moment de la révolte de 1485 autour du grand sanctuaire taoïste d'Iwashimizu Hachiman et se maintint jusqu'en 1493. Mais d'autres ligues se créèrent tout au long de la première moitié du xvie siècle, comme celle de la province d'Iga, voisine de la précédente, qui rédigea son propre règlement en 1560.

Parallèlement à ce mouvement d'émancipation rurale et parfois en association avec lui, les sectes bouddhiques profitèrent elles aussi de la déliquescence du gouvernement central pour occuper un espace de pouvoir laissé vacant. La plus influente de ces sectes fut la secte Ikko, secte amidiste – elle vénérait le bouddha Amida – et branche principale de la Véritable Secte de la Terre Pure. Dans les villages qu'elle contrôlait, elle fonda des paroisses autour d'un sanctuaire bouddhique – un *dojo* –, et comme elle promettait le salut aux fidèles dans des tonalités millénaristes, elle connut un large succès auprès des masses paysannes et des petits guerriers. La secte fut organisée dans la seconde moitié du xve siècle sous une dynastie de pontifes et rallia de nombreux fidèles dans les provinces de Kaga et de Yamashiro, où elle fonda un véritable État indépendant autour de la ville de Kanazawa, puis dans les provinces centrales d'Osaka et de Nagoya et dans celle du

Mikawa plus à l'est. En 1532, la secte fut chassée de Kyoto par les moines bouddhiques du temple du mont Hiei et ses fidèles se replièrent autour de leur sanctuaire-forteresse du Honganji à Ishiyama, aux environs de Sakai. Elle était cependant si puissante qu'elle mit en échec les daimyo du sud du Kinai, les Hatakeyama et les Miyoshi. La secte Ikko fut probablement la mieux organisée de toutes les sectes bouddhiques, parce qu'elle pouvait prétendre à un large soutien populaire, mais elle n'était pas la seule. On a déjà évoqué la secte *tendaï* du mont Hiei autour de Kyoto, mais il y avait aussi la secte Shingon implantée autour du sanctuaire de Negoro, sur la côte sud de la province de Kii, à l'ouest de la mer Intérieure.

Vers le milieu du XVIᵉ siècle, la situation politique du Japon était donc extrêmement fluide, mais en moins d'une génération la réunification du Japon fut accomplie par trois hommes exceptionnels, Oda Nobunaga, Toyotomi Hideyoshi et Tokugawa Ieyasu, tous trois nés à quelques années de distance, respectivement en 1534, 1536 et 1542. Oda Nobunaga appartenait à une famille seigneuriale de la province d'Owari, située entre Kyoto et le Kanto. Il s'empara rapidement de la province, s'allia à Hideyoshi en 1558 et tous deux, en 1560, battirent les troupes du daimyo local, Imagawa Yoshimoto, le seigneur le plus puissant du Kanto, à la bataille d'Okehazama. À cette occasion, Nobunaga fit preuve de ce sens tactique qui le caractérisa au long de sa carrière militaire, et qui lui valut d'emporter la victoire bien qu'il ait été en infériorité numérique. Après avoir assuré ses positions dans la région et s'être allié à Tokugawa Ieyasu, possessionné dans le Kanto, il se tourna vers Kyoto, la capitale politique qui se trouvait alors aux mains de la famille Miyoshi depuis 1551. À la suite d'une intrigue de cour, le shogun Ashikaga Yoshitero fut assassiné en 1564 et Nobunaga prit le parti de son frère cadet, Ashikaga Yoshiaki. En 1568, il marcha sur Kyoto, s'en empara et installa Yoshiaki comme nouveau shogun.

À partir de cette date et avec l'aide de ses deux alliés, Hideyoshi et Ieyasu, Nobunaga entreprit de réduire les daimyo, les ligues paysannes et les sectes bouddhiques et de reconstituer l'unité du Japon sous son autorité. En 1570, la victoire d'Anegawa lui permit d'éliminer les Asakura de la province d'Echizen et leurs alliés, les Asaï, de la province voisine d'Omi. Nobunaga s'était assuré le centre du Japon, mais il lui restait un adversaire dangereux dans la famille des Takeda qui bénéficiait de puissants alliés, d'une armée dotée d'une cavalerie lourde redoutable et d'un chef de guerre, Takeda Shingen, habile tacticien. Ce dernier infligea d'ailleurs à Ieyasu une cinglante défaite à Mikatagahara en 1572, mais, peu de temps après, Shingen mourut inopinément. L'affrontement final eut lieu en 1575 à Nagashino. Nobunaga y démontra ses talents de capitaine. Il recruta plusieurs milliers d'arquebusiers dans les basses classes de guerriers et les déploya sur trois rangs. La cavalerie lourde des Takeda fut fauchée par le feu roulant de l'artillerie légère. L'opposition des principaux clans aristocratiques était désormais annihilée, d'autant qu'en 1573 Nobunaga avait déposé le dernier shogun Ashikaga qui intriguait avec ses ennemis. Il s'attaqua parallèlement aux sectes bouddhiques et aux ligues paysannes. En 1571, le temple Enryakuji du mont Hiei fut assiégé et détruit. Quatre cents bâtiments et mille cinq cents moines guerriers furent livrés aux flammes. Entre 1571 et 1574, ce fut au tour de la secte de la Terre Pure et de ses différentes ramifications de subir les assauts. La ligue paysanne de Nagashima, à l'embouchure du fleuve Kiso dans le Tokai, fut la première visée. Après trois mois de siège, la forteresse tomba et vingt mille fidèles furent impitoyablement massacrés. En 1575, trente à quarante mille fidèles de la province d'Echizen subirent le même sort. Mais quand Nobunaga s'en prit à la forteresse de la secte Ikko, le temple Honganji d'Ishiyama près de Sakai, l'empereur Ogimachi intervint et lui demanda de l'épargner. En 1580, le pontife de la secte, Kyonyo, accepta d'abandonner la forteresse qui fut livrée aux flammes. En moins de vingt années, Oda Nobunaga avait sinon réussi la réunification du Japon, du moins brisé la résistance des principales familles féodales, des sectes bouddhiques et des ligues paysannes. Son irrespect des traditions établies, son sens de l'État, sa volonté inflexible et sans scrupule, son scepticisme religieux font d'Oda Nobunaga un véritable prince machiavélien. Mais en 1582, alors qu'il se trouvait à Kyoto dans le temple Honnuji, séparé de Hideyoshi qui guerroyait contre les Mori dans le nord-ouest de Honshu, Nobunaga fut assiégé par son ennemi Akeshi Mitsuhide et préféra se donner la mort plutôt que d'être capturé.

Pour lui succéder, Ieyasu accepta de s'effacer devant Hideyoshi, qui était alors le principal lieutenant de Nobunaga. De son vrai nom Kinoshita Tokichiro, Hideyoshi était de basse extraction sociale, probablement un samouraï d'origine paysanne. Il gravit patiemment tous les échelons du pouvoir dans l'ombre de Nobunaga au service duquel il était entré en 1554. Dès qu'il apprit la mort de Nobunaga, il conclut une trêve avec les Mori et revint à Kyoto pour châtier les meurtriers de son ancien chef. Les Akeshi furent défaits à la bataille de Yamazaki en 1582 et leur château d'Azuchi fut brûlé, puis Hideyoshi affronta victorieusement, l'année suivante, les troupes de la famille des Shibata à la bataille de Shizugata. Il poursuivit le chef du clan, Shibata Katsuie, jusque dans sa province d'Echizen et le contraignit à se donner la mort. En 1585, il brisa la résistance de la secte bouddhique Shingon dans la province de Kii et détruisit leur sanctuaire-forteresse de Negoro. Une expédition dans l'île de Shikoku aboutit à la soumission du daimyo Chosogabe Motochika, tandis qu'en 1587 une autre expédition dans l'île méridionale de Kyushu brisait les velléités d'indépendance des daimyo locaux.

À cause de son origine obscure, Hideyoshi était beaucoup plus attaché que Nobunaga aux titres officiels censés lui conférer la légitimité dont il ne pouvait se prévaloir par ailleurs. Toute sa politique intérieure tendit à restaurer le shogunat à son profit sans le titre. En 1585, l'empereur Goyosei le fit *kampaku* (régent impérial) et, en 1587, grand chancelier d'État *(daijo daijin)*. C'est à cette même époque que le nouvel homme fort du Japon chercha aussi à troquer son nom contre un nom plus prestigieux. Il tenta de se faire adopter par une grande famille aristocratique, mais, devant le refus de toutes celles qui avaient été pressenties, l'empereur lui accorda en 1586 le nom de famille de Toyotomi, « Vassal de l'Abondance », et le rang nobiliaire de premier degré. En 1588, Hideyoshi obtenait du shogun déchu, Ashikaga Yoshiaki, qu'il renonçât officiellement à son titre. Désormais, Hideyoshi put reconstituer autour de lui l'ancien gouvernement shogunal, le gouvernement de la Maison, avec douze vassaux et un exécutif de cinq magistrats. À la fin des années 1580, Hideyoshi avait rétabli l'unité politique du Japon et achevé la tâche initiée par Oda Nobunaga. Dès 1585, il s'était réconcilié avec Tokugawa Ieyasu dont il fit son représentant pour la partie nord de l'île de Honshu en lui accordant le gouvernement de huit provinces du Kanto. Les Tokugawa s'établirent donc à Edo, au centre du Kanto, où ils firent construire une forteresse qui devint par la suite la véritable capitale politique du pays. En 1590, Hideyoshi et Ieyasu éliminaient la famille des Hojo à la bataille d'Odawara et rétablissaient l'autorité centrale sur cette région riche et convoitée.

Sur le plan intérieur, Hideyoshi prit également un certain nombre de décisions que les Tokugawa firent aboutir dans les premières années du XVIIe siècle. Il ordonna l'arpentage systématique du pays et la confection de cadastres selon des mesures de superficie et de capacité uniformisées dans tout le pays. Désormais, les prestations militaires et les redevances paysannes étaient établies en fonction des relevés du cadastre. Dans la même optique, il instaura une politique de « chasse aux sabres », c'est-à-dire de contrôle des petits guerriers qui durent se mettre au service des seigneurs, abandonner leur résidence rurale et s'établir en ville. Cette décision était destinée à réduire les possibilités d'organisation des communautés paysannes et à désarmer la petite paysannerie. Quant aux daimyo, Hideyoshi chercha à limiter le nombre de leurs châteaux et, pour tester leur loyauté et les couper de leurs racines régionales, il entreprit de les déplacer systématiquement. De princes territoriaux qu'ils étaient auparavant, les daimyo se transformèrent en une sorte de fonctionnaires au service du gouvernement impérial. Le rétablissement de l'autorité centrale et la fin des révoltes donnèrent alors à Hideyoshi la capacité de déployer une réelle politique étrangère dont le Japon était dépourvu depuis longtemps et qui s'exprima essentiellement à travers les deux tentatives de conquête de la Corée en 1592 et 1597, prélude à une conquête de la Chine des Ming. Sa mort en 1598 mit un terme à ces aventures guerrières. Hideyoshi aurait aimé transmettre son pouvoir à son héritier, mais Toyotomi Hideyori n'avait que cinq ans et ne disposait pour toute légitimité que de l'héritage immatériel d'un père qui s'était imposé par la force.

La mort de Hideyoshi ouvrit une crise de succession. Tokugawa Ieyasu avait laissé passer sa chance en 1582, mais il était désormais le seigneur le plus largement possessionné du Japon et il disposait d'un solide réseau de fidélités. Il n'avait donc pas l'intention de s'effacer devant le jeune Hideyori. Ieyasu appartenait à la famille Matsudaira, de noblesse modeste, partagée dans son allégeance entre le clan des Oda et celui des Imagawa. Après la bataille d'Okehazama en 1560 à laquelle Ieyasu participa dans les rangs des Imagawa, il choisit de suivre Nobunaga. Son ralliement fut généreusement récompensé. En 1566, Ieyasu obtenait la province de Mikawa, changeait son nom pour celui de Tokugawa et partait à l'assaut des provinces voisines. Au côté de Nobunaga, il apprit l'usage des arquebuses et bénéficia de la chute des Takeda. La succession de

Nobunaga suscita une rivalité entre Hideyoshi et lui, mais les deux hommes finirent par se réconcilier moyennant d'importantes concessions de fiefs en faveur de la famille Tokugawa et des familles alliées. Quand, en 1590, Hideyoshi offrit à Ieyasu de s'installer à Edo, probablement pour l'éloigner de Kyoto, celui-ci ne broncha pas, mais ne participa pas aux expéditions de Corée, ce qui lui permit de ménager ses forces. Théoriquement, le gouvernement mis en place par Hideyoshi devait assurer la régence en faveur de son fils. Plusieurs daimyo importants apportaient leur soutien aux Toyotomi, comme Maeda Toshiie, Ishida Mitsunari ou Mori Terumoto. Le premier mourut en 1599 et Ieyasu affronta les deux autres à la bataille de Sekigahara, dans le nord de la province de Mino, en 1600. L'armée des partisans des Toyotomi fut mise en déroute, Ieyasu fit arrêter et décapiter tous ses opposants.

Il procéda à de vastes confiscations de fiefs qu'il redistribua entre ses partisans. Plus du tiers des fiefs changèrent ainsi de mains. La famille Tokugawa devint le plus riche propriétaire foncier du Japon. Pendant un temps, l'empereur Goyosei hésita à donner les pleins pouvoirs à Ieyasu. Certes, en 1603, il recréa en sa faveur le shogunat, qu'il installa à Edo, loin de Kyoto et de la cour, avec le droit de créer des daimyo, mais il n'écarta pas le jeune fils de Hideyoshi, Hideyori, qu'il nomma tiers ministre en 1603, puis ministre de la Droite. Mais Hideyori n'était plus qu'un daimyo parmi d'autres, situation que le clan Toyotomi avait du mal à supporter. Suivant la tradition familiale, les Toyotomi recherchèrent l'appui de la cour impériale, source de toute légitimité à leurs yeux, tandis que les Tokugawa désiraient fonder un nouvel appareil d'État. Pour vider l'abcès, Ieyasu proposa aux Toyotomi un marché de dupes : en 1605, il démissionna en faveur de son fils Hidetada. En échange, Hideyori devait venir le saluer dans sa résidence de Kyoto. Hideyori ne tomba pas dans le piège tendu par son rival qui, par ce geste, entendait faire reconnaître sa supériorité, d'autant que, si Ieyasu était officiellement retiré des affaires – il prit le nom de shogun retiré *(ogosho)* et s'établit à Sunpu –, il détenait encore la réalité du pouvoir. La concurrence entre les Toyotomi et les Tokugawa se poursuivit pendant une dizaine d'années. Elle prit fin avec le long siège du château d'Osaka en 1614-1615, dans lequel Hideyori, sa mère Yodogimi et les derniers partisans des Toyotomi s'étaient réfugiés pour défier les Tokugawa. Le château fut pris et brûlé, tandis que ses défenseurs se donnaient la mort.

Désormais, les Tokugawa restaient les seuls maîtres du Japon dont ils avaient achevé l'unité commencée un demi-siècle plus tôt. Le principe de la succession héréditaire dans la famille fut admis et, dès que la chute du château d'Osaka fut consommée, Ieyasu publia deux règlements destinés à conforter son pouvoir. Le premier portait sur la Maison impériale et la noblesse de cour, dont la seule fonction était limitée à l'étude de la philosophie confucéenne et à la poésie. L'empereur perdait ainsi tout rôle politique et toute fonction religieuse, puisque le règlement supprimait de ses attributions les rapports avec les temples bouddhiques. Le deuxième édit visait les guerriers, mais il était en fait destiné à limiter l'autorité des daimyo. Il prévoyait que désormais la justice du shogun l'emportait sur celle des seigneurs, et il imposait la destruction des châteaux, à l'exception d'une seule résidence par principauté. En redéfinissant la répartition des pouvoirs en faveur du nouveau shogunat d'Edo, ces deux règlements donnaient une base juridique à ce qu'il faut bien appeler un coup d'État. L'autorité impériale, déjà fortement amputée, était totalement marginalisée. Elle le resta jusqu'à l'ère Meiji et le renversement du shogunat en 1868. Le centre de gravité du Japon se déplaça également vers le nord et l'est en passant de Kyoto à Edo (Tokyo).

En matière de relations extérieures, la marge d'autonomie du Japon était limitée. En 1401, il était entré dans le système tributaire de la Chine des Ming qui avait attribué au shogun le titre de « roi du Japon ». Pour souligner cette dépendance, la chancellerie japonaise avait adopté le système de datation chinois dans le courrier diplomatique. Cette dépendance se manifestait également dans le rituel des ambassades tributaires, mais, en retour, le Japon pouvait bénéficier du commerce des étiquettes. Le déclin progressif de la Chine au XVIe siècle et les guerres civiles qui troublèrent le Japon dans la première moitié de ce siècle remirent en cause les relations entre la Chine et le Japon. Comme aucun pouvoir central n'était plus en mesure de les contrôler, les ambassades tributaires japonaises furent l'occasion de débordements et de déprédations de la part des guerriers des différents clans qui s'en disputaient le profit commercial. Le gouvernement chinois se décida à en limiter les effets, abaissant continuellement le nombre des Japonais autorisés à y participer. Devant cette situation, le shogun Ashikaga Yoshitero dénonça le système tributaire chinois et le commerce des étiquettes en 1549, et la chute du shogunat de Muromachi en 1573 mit fin officiellement aux relations diplomatiques entre la Chine et le Japon.

Jusqu'au milieu du XVIe siècle, le commerce des étiquettes avec la Chine était monopolisé par la famille Ouchi, possessionnée au sud-ouest de Honshu et au nord-est de Kyushu, mais la chute de la famille en 1557 aboutit à une redistribution des cartes commencée quelques années plus tôt par la dénonciation des relations tributaires par le shogun. Dans ces années-là, la politique étrangère du Japon, encore embryonnaire, était dictée par deux nécessités commerciales : l'ouverture du marché chinois très rémunérateur aux marchands japonais, l'ouverture du marché japonais aux Occidentaux. La première d'entre elles était de loin la plus importante. Le commerce des étiquettes n'était pas suffisant pour la satisfaire. C'est pourquoi se développait depuis la fin du XVe siècle un intense commerce de contrebande avec les ports de la Chine du

Sud. À cause de sa position géographique, c'est évidemment l'île méridionale de Kyushu qui était principalement intéressée à ce commerce interlope. Chacune des principautés qui se partageaient l'île possédait un port à partir duquel opéraient les pirates *wako,* selon la terminologie chinoise. Les Ouchi avaient Hakata sur la côte septentrionale, Hirado, située un peu plus au sud sur une petite île, était du ressort des Kateda, vassaux du clan des Matsuura, les Omura tenaient Yokuse-Ura sur la côte occidentale, les Shimazu le port de Kagoshima au sud, et les Otomo le port de Funai à l'est.

Les marchands occidentaux vinrent s'insérer dans ce commerce et contribuèrent à l'amplifier. Les premiers Européens à avoir mis le pied au Japon furent des aventuriers portugais, embarqués sur une jonque chinoise qui vint s'échouer en 1543 sur l'île de Tanegashima au sud de Kyushu. L'histoire a gardé de ce premier contact le souvenir du cadeau que firent ces pirates portugais aux Shimazu, seigneurs de la province de Satsuma dont dépendait l'île de Tanegashima : des mousquets, qui changèrent la face des guerres civiles. La concession en 1557 par les Chinois du port de Macao aux Portugais contre l'assurance que ces derniers les aideraient à lutter contre la piraterie donna une légalité à la présence des Occidentaux en mer de Chine. Les Portugais venaient de Goa avec de l'argent et des cotonnades, les échangeaient en Chine contre de la soie tissée ou grège et des porcelaines, qu'ils portaient ensuite au Japon où ils les vendaient contre de l'argent. Les grands daimyo de Kyushu se disputèrent l'avantage de recevoir le « bateau de Chine » dans leur port, mais ce furent les Omura qui emportèrent la mise en concédant aux jésuites portugais en 1570 les ports de Nagasaki et de Mogi. L'installation des Espagnols aux Philippines aurait pu changer la donne commerciale, si les Espagnols s'étaient intéressés au commerce japonais. Mais pour eux le commerce avec la Chine était plus rémunérateur. Ils concentrèrent leur activité sur les laques, les soieries et les objets en ivoire qu'ils achetaient à la Chine avec l'argent du Mexique et du Potosí et qu'ils expédiaient en Nouvelle-Espagne. Les seuls bateaux espagnols qui abordèrent au Japon étaient des galions de Manille en route vers Acapulco et qui étaient déviés vers un port japonais par la tempête ou une avarie.

C'est sous le principat de Hideyoshi que le Japon commença à élaborer une politique extérieure active et cohérente. Le but visé était la conquête de la Chine des Ming, comme le reconnut lui-même Hideyoshi devant le père Gaspar de Coelho, un jésuite portugais, lors d'une entrevue qu'il lui accorda au château d'Osaka le 4 mai 1586. Ce projet d'expédition fit naître un espoir fou du côté des Portugais qui imaginaient pouvoir en tirer profit pour une éventuelle évangélisation de l'empire du Milieu. Cette conquête devait s'opérer à partir de la Corée. Mais il est plus probable de penser que la motivation de Hideyoshi était interne. Il espérait de cette façon canaliser vers l'extérieur les pulsions agressives de la classe des guerriers, désœuvrés depuis la fin des guerres civiles. Le corps expéditionnaire japonais était fort de 150 000 hommes, puissamment armés d'artillerie. L'armée japonaise s'empara de Pusan, puis marcha sur la capitale Séoul. L'armée coréenne, prise de court, fut battue à Ch'ungju et la capitale fut occupée en juin 1592. Le roi de Corée, Sonjo, se replia sur Pyongyang. La marine coréenne résista vaillamment sous le commandement de l'amiral Yi Sun-sin, qui inventa le bateau-tortue, un cuirassé équipé de canons et dont le pont était protégé par des plaques d'acier. En juillet 1592, il défit la flotte japonaise devant les îles Hansan. Désormais, les bateaux japonais ne s'aventurèrent plus en mer Jaune. Sonjo se réfugia en Chine, dans la province frontalière de Liao-tung et demanda l'assistance de l'armée chinoise. Les Japonais parvinrent à s'emparer de Pyongyang le 21 juillet 1592, mais les Coréens déclenchèrent une guérilla acharnée contre la présence japonaise au sud. Les pertes furent considérables de part et d'autre. La prise de la ville de Chinju coûta 60 000 hommes, entre soldats et civils. Finalement, Chinois et Japonais conclurent un accord qui accordait au Japon le sud de la péninsule de Corée et reconnaissait à Hideyoshi le titre de roi du Japon. Mais le résultat de cette opération fut jugé insuffisant par Hideyoshi qui reprit l'initiative des combats en 1597. Un nouveau corps expéditionnaire de 140 000 hommes commandé par les mêmes généraux, Konishi Yukinaga et Kato Kiyomasa, fut débarqué à Pusan, mais les combats, violents, se limitèrent au sud. En 1599, après la mort de Hideyoshi, les Japonais se retirèrent de Corée.

Ces deux expéditions coréennes eurent des conséquences importantes pour ce qui touche à la répartition des forces dans la région. La Corée en sortait détruite ; la Chine voyait ses finances ruinées, ce qui l'affaiblissait au moment où les Mandchous se faisaient menaçants sur la frontière du Nord. Les relations diplomatiques entre la Chine et le Japon étaient définitivement rompues. Malgré un échec apparent, le Japon avait repris pied sur la scène internationale. Quant aux Occidentaux, les Espagnols surtout, ils considéraient le Japon comme l'allié indispensable pour réaliser le rêve fou, qu'ils caressaient eux aussi, de conquérir la Chine. L'expédition de Corée représentait un élément d'une politique étrangère ébauchée par Oda Nobunaga, reprise par Toyotomi Hideyoshi et poursuivie par Tokugawa Ieyasu qui la mena à son terme. Elle tenait en trois volets : le premier consistait à dégager le Japon du système de dépendance chinois et à créer un réseau d'États tributaires sur le modèle chinois ; le second visait à instaurer un système de monopole des échanges avec les pays étrangers afin de développer le commerce maritime au profit exclusif de l'État japonais ; le troisième point avait pour but d'éliminer l'influence occidentale au Japon, nous le développerons plus tard.

La rupture avec la Chine avait été entamée par Nobunaga lorsqu'il mit fin en 1573 au shogunat de Muromachi. Nobunaga profita de la rupture officielle des relations diplomatiques pour abandonner le système de datation chinois au profit du système japonais. Les guerres de Corée ne purent qu'envenimer les rapports entre la Chine et le Japon. Après 1599, aucun traité de paix ne put être conclu, la Chine exigeant comme préalable la reprise des ambassades tributaires jugées humiliantes par Ieyasu. Hideyoshi mit au point un système d'autorisations de commercer sur le modèle des étiquettes chinoises, des licences dotées d'un cachet rouge, accordées à des marchands japonais et étrangers. À terme, il s'agissait de supprimer le commerce de contrebande – la piraterie *wako* – en le plaçant sous le contrôle de l'État. Ieyasu renforça cette mesure par un contingentement des importations de soie grège de Chine afin de favoriser une politique de bas prix, et il créa, en 1604, une compagnie de commerce à cette fin, sur le modèle des compagnies de commerce occidentales. Les effets de ces dispositions sur le commerce japonais furent immédiats. Dans le premier tiers du XVIIe siècle, les bateaux japonais sillonnèrent les mers du Sud-Est asiatique. Ils fréquentèrent les Philippines, Taïwan, l'Indochine, la Malaisie. Des colonies de commerçants japonais expatriés, de samouraïs en rupture de ban après la restauration de l'État central, de chrétiens convertis expulsés, établirent des comptoirs dans toute la région. Dans l'île de Luçon aux Philippines, la colonie japonaise était particulièrement florissante, atteignant trois mille individus, mais il y en avait d'autres au Siam ou en Cochinchine.

Ieyasu ébaucha la constitution d'un réseau d'États tributaires, sur le modèle chinois et aux dépens du propre réseau de la Chine. Le premier État visé fut la Corée, qui était l'un des principaux tributaires des Ming. Les guerres de Corée visaient justement à la détacher de la sphère d'influence chinoise pour la rattacher à celle du Japon. Ce fut un échec, mais, après la fin des hostilités, Ieyasu reprit l'initiative sur le terrain diplomatique. La famille So, qui détenait en fief l'île de Tsushima, située en mer du Japon à égale distance entre Honshu et la péninsule de Corée, travailla à ce rapprochement. En 1607, une impressionnante ambassade coréenne de quatre cent soixante membres se rendit à Edo pour conclure la paix. Dans le système de pensée qui prévalait alors, les Tokugawa estimèrent que la dynastie des Choson reconnaissait leur légitimité et se déclarait tributaire du Japon. En fait, la Corée fit partie d'un double système d'obédience, à la fois chinois et japonais. Plusieurs autres États périphériques furent sollicités – le plus souvent par la force – pour entrer dans l'aire de domination japonaise. Ce fut le cas des Aïnous, une population aborigène d'origine sibérienne qui peuplait l'île septentrionale de Hokkaido. Les Aïnous, qui étaient organisés en chefferies indépendantes, vivaient des produits de la pêche et de la chasse qu'ils échangeaient avec les Japonais de Honshu. Dès le XVᵉ siècle, une famille de daimyo du nord de Honshu, les Kakizaki, avait pris pied sur Hokkaido. En 1590, Kakizaki Yoshituro fut reçu par Hideyoshi à Kyoto avec le titre de « maître des Aïnous ». Après avoir changé son nom pour celui de Matsumae en 1599, cette famille obtenait en 1604 le monopole du commerce avec les Aïnous et la juridiction sur les Japonais vivant sur Hokkaido.

Au sud de l'archipel nippon, les îles Ryukyu, dont la capitale était Okinawa, relevaient tout comme la Corée du système tributaire de la Chine. Ieyasu ne procéda pas personnellement mais il intervint une nouvelle fois par l'intermédiaire d'une famille de daimyo. Les Shimazu de la province de Satsuma jouèrent donc à l'égard des Ryukyu un rôle comparable à celui des So pour la Corée ou des Matsumae pour les Aïnous. Les Shimazu exerçaient un monopole commercial sur l'archipel des Ryukyu. Sous prétexte que le roi d'Okinawa avait omis de payer le tribut en 1606 et en 1608, Ieyasu donna l'ordre aux Shimazu d'intervenir et d'occuper l'archipel sans effusion de sang. L'expédition se déroula en avril 1609. Okinawa fut enva-hie et le roi capturé. L'année suivante, celui-ci se rendait à Edo pour prêter hommage à Ieyasu et à son fils Hidetada. Le statut des îles Ryukyu fut plus strict que celui d'un État tributaire. L'archipel devint un fief des Shimazu qui impo-sèrent un arpentage des terres. Mais le royaume gardait son identité avec son roi qui prêtait hommage à chaque chan-gement de shogun et qui versait le tribut. Plus au sud, les visées du Japon se portèrent sur Taïwan, les îles Peghu (les Pescadores) et les Philippines. La situation juridique de ces îles était différente, puisque aucune d'elles ne faisait partie du système tributaire de la Chine. Taïwan – baptisée For-mose, « la Belle », par les Portugais – était peuplée d'indi-gènes d'origine polynésienne et malaise et de pirates chi-nois, et les îles Peghu, pratiquement inhabitables, servaient de refuge aux pirates chinois qui y attendaient les navires de passage, principalement les galions espagnols en par-tance pour la Chine. Elles se situaient trop loin du Japon pour que les ambitions de ce dernier pussent y être efficaces. Ieyasu confia à un daimyo chrétien, Arima Jarunobu, la mission de les reconnaître mais son expédition échoua (1609).

Les Philippines appartenaient à l'Espagne depuis l'expé-dition de Legazpi-Urdaneta de 1565, mais les Espagnols y étaient encore peu nombreux face à des colonies chinoise et japonaise importantes qui n'hésitaient pas à se révolter. En 1591, Hideyoshi écrivit au gouverneur de Manille pour le sommer de payer le tribut, mais cette initiative demeura sans effet. Les rapports avec le gouvernement des Philip-pines se tendirent un peu plus avec l'incident du *San Felipe,* un galion espagnol retournant à Acapulco et qui, à la suite d'avaries occasionnées par une tempête, trouva refuge dans le port japonais d'Urado sur la côte de Shikoku. La cargaison fut confisquée et Hideyoshi vint lui-même

inspecter le navire. Son armement le convainquit des
intentions hostiles de l'Espagne à l'égard du Japon. Les
jésuites portugais lui révélèrent que Philippe II avait un
plan d'invasion du Japon. La réaction de Hideyoshi fut
brutale et se traduisit par le martyre des missionnaires franciscains à Nagasaki en janvier 1597. À Manille, les Espagnols craignirent une attaque japonaise et le gouverneur
envoya à Hideyoshi une ambassade avec de somptueux
cadeaux dont un éléphant. L'affaire s'apaisa, Hideyoshi
estimant que le gouverneur espagnol avait reconnu de la
sorte qu'il était tributaire du Japon. L'attitude de Ieyasu à
l'égard des Espagnols fut plus conciliante. En 1600, un
galion de Manille, l'*Espiritu Santo,* dut se réfugier sur les
côtes de Shikoku, un mât brisé par la tempête. Pour éviter
d'être saisi comme le *San Felipe,* les marins espagnols
n'hésitèrent pas à faire feu sur les garde-côtes japonais et
parvinrent à s'enfuir. Ieyasu décida de ne pas envenimer
l'affaire et envoya une lettre conciliante à Manille.

Le shogun désirait nouer des relations commerciales
avec les Philippines et la Nouvelle-Espagne et insérer
davantage l'économie japonaise dans le commerce trans-
pacifique pour contrebalancer ainsi le monopole commercial des Portugais en Asie. Pendant plusieurs années, des
échanges diplomatiques plus ou moins formels se développèrent entre Japonais et Espagnols. En 1610, un négociant
de Kyoto, Tanaka Shosuke, fut envoyé au Mexique pour
négocier avec le vice-roi l'instauration de relations suivies
entre le Japon et la Nouvelle-Espagne. Cette même année,
Date Masamune, le puissant seigneur de Tohoku, qui désirait attirer dans son port de Sendai les navires espagnols,
envoya un ambassadeur en Europe, son vassal Hasekura
Tsunenaga, accompagné d'un franciscain espagnol, le père
Luis Sotelo. L'ambassade passa par Acapulco, Mexico,
Séville, fut reçue par Philippe III à Madrid où Tsunenaga
se convertit au catholicisme et fut baptisé, et poursuivit
vers Rome non sans faire escale en France, à Saint-Tropez,

à cause du mauvais temps. Au même moment, en 1609, un fonctionnaire espagnol en fonction à Manille, Rodrigo de Vivero, échouait au Japon. Il bénéficia d'une totale liberté de circulation et en profita pour visiter le pays. De retour en Nouvelle-Espagne, il rédigea une *Relation du Japon,* la première du genre, dans laquelle il soulignait l'intérêt pour la Monarchie catholique de nouer des contacts étroits avec l'Empire nippon. Mais toutes ces tentatives restèrent sans lendemain. Pour des raisons de politique intérieure, Ieyasu entraîna le Japon dans le repli sur soi, tandis que les Espagnols, qui en étaient revenus de leurs rêves de conquête du monde, étaient désormais convertis au pragmatisme. Seul le commerce avec la Chine les intéressait. L'industrie japonaise ne leur offrait pas ces produits raffinés qui étaient tant prisés en Occident et dont la forte valeur ajoutée pouvait supporter les énormes frais de transport.

3. Les Occidentaux en Extrême-Orient entre commerce et évangélisation

La présence des Occidentaux en Orient a été l'objet de multiples malentendus, malentendus qui se sont manifestés dès les premiers contacts, malentendus qui se sont poursuivis par la suite dans la façon dont cette histoire a été analysée. Pour apprécier l'impact de l'Occident sur les sociétés orientales du XVIe siècle, et, à tout bien considérer, son échec, il convient de se faire une idée précise des enjeux et des rapports de force géostratégiques. Les sociétés orientales étaient nombreuses, densément peuplées, technologiquement avancées et dotées d'appareils d'État suffisamment structurés et stables pour résister à une agression extérieure. En revanche, les Occidentaux, Portugais et Espagnols d'abord, Hollandais et Anglais ensuite, s'y trouvaient loin de leurs bases et donc confrontés à des problèmes logis-

tiques insurmontables, d'autant que ces États étaient des
nains démographiques en comparaison de l'Inde, de la
Chine ou même du Japon. Cette situation, déjà difficile, se
compliquait du fait des options stratégiques initiales des
nations ibériques. On se souvient du mot de Vasco de
Gama lorsqu'il aborda à Calicut. Il venait chercher en Inde
« des chrétiens et des épices ». Les Portugais et les Espagnols ne dissocièrent jamais ces deux aspects de ce qu'ils
considéraient comme une mission providentielle : la
conquête des marchés mondiaux et la conquête des âmes
par l'évangélisation, à la fois préalable à leur domination
politique et son aboutissement. La propagation du catholicisme affirmée avec des intonations messianiques par la
monarchie portugaise – le roi Sébastien ne se considérait-il
pas comme le « capitaine de Dieu » ? –, plus encore par la
Monarchie catholique sous Philippe II et ses successeurs,
constituait la raison d'être de la politique étrangère des
États ibériques, les principaux protagonistes de cette histoire. La tâche des Européens fut comparativement plus
aisée en Amérique où la conquête militaire fut facilitée par
les disparités technologiques entre les deux civilisations et
par la disparition des populations indigènes frappées par
les épidémies. Mais ce ne fut pas le cas en Asie. Une
conquête militaire de grande ampleur n'y était pas envisa-
geable. D'ailleurs, Portugais et Espagnols ne s'y taillèrent
que des positions marginales et s'y retrouvèrent toujours
en situation d'infériorité numérique.

À défaut de la force, le christianisme ne pouvait compter
que sur la persuasion. Or, plusieurs grandes religions se
partageaient les immenses masses humaines de l'Orient et
de l'Extrême-Orient, et le christianisme ne pouvait guère
escompter prendre leur place, malgré l'enthousiasme sans
limite des premiers missionnaires. Si le bouddhisme avait
quasiment disparu de l'Inde, où il était né, l'islam et l'hindouisme y tenaient des positions inexpugnables. L'islam
progressait dans la plaine indo-gangétique, sur les pourtours

du Deccan, dans l'archipel indonésien, même si l'hindouisme parvenait à garder ses bastions. Dans le monde chinois et indochinois, la situation religieuse était plus compliquée, compte tenu de la coexistence de plusieurs religions au sein des mêmes populations. Les cultes animistes s'y maintenaient, comme le taoïsme en Chine, le shintoïsme au Japon, le chamanisme en Corée, et ne faisaient guère ombrage à d'autres religions à vocation plus universelle. La Chine était ainsi devenue le bastion du bouddhisme, qui était aussi répandu au Japon et dans la majeure partie de l'Indochine, sans oublier cette philosophie morale qu'était le confucianisme.

Cette immense région du monde qui s'étendait de l'Indus au Pacifique offrait la palette la plus complète des cultes possibles : monothéisme, polythéisme, religion de salut, animisme, le tout vivant dans un climat de large tolérance, voire de syncrétisme. La notion même de « guerre de religion », qui enflammait alors l'Europe, était incompréhensible en Orient et en Extrême-Orient, du moins pas sous la forme qu'elle prit en Europe. En Inde, l'islam, ailleurs exclusif, avait dû composer avec le brahmanisme. Au Japon, Nobunaga et Hideyoshi mirent au pas les sectes bouddhiques pour briser leur pouvoir militaire et politique, mais non dans un but antireligieux. Si les petites communautés chrétiennes nestoriennes en Inde ou en Chine vivotaient au début du XVIe siècle quand les Occidentaux les découvrirent, elles ne devaient cette situation qu'au fait qu'elles avaient été incapables de s'adapter. C'est pourquoi, lorsque l'Orient vit arriver les missionnaires catholiques portugais, ce n'était après tout qu'une nouvelle religion parmi d'autres. Il comprit le danger que le christianisme représentait pour les sociétés locales quand les chrétiens occidentaux tentèrent d'imposer le catholicisme comme la seule véritable religion de salut. Ce fut là son erreur. Compte tenu de leur tradition d'intolérance, les catholiques ne pouvaient procéder différemment, mais allier commerce et évangélisation conduisait fatalement la politique d'expansion des États ibériques dans une voie sans issue. Tel fut le malentendu qui naquit de ce premier contact entre l'Orient et l'Occident. Il se double d'un malentendu historiographique. La tradition historique européenne qui n'a perçu ces événements qu'au travers du prisme déformant de l'évangélisation manquée n'a pas su en donner une image correcte. Mais plaçons-nous un instant dans la situation des populations asiatiques qui virent s'installer chez elles ces étrangers désireux d'imposer leur religion, et il sera facile de comprendre la réaction de rejet qu'ils ont suscitée.

L'histoire de l'évangélisation de l'Inde, de la Chine et du Japon au XVIᵉ siècle est donc celle d'un échec inéluctable. En Inde, le catholicisme ne put survivre qu'en renonçant, bien malgré lui, au prosélytisme. Il ne s'imposa que là où les Portugais créèrent un État qu'ils détenaient en pleine souveraineté, soit à Goa. Au total, il n'y eut guère plus de cent à cent cinquante mille hindous convertis au début du XVIIᵉ siècle, en général originaires des basses castes de la société, ce qui limitait singulièrement les capacités d'expansion du catholicisme. Une goutte d'eau dans un océan. Hors de Goa, seules les Moluques furent totalement converties au catholicisme. En Chine, le malentendu apparut d'entrée de jeu, dès les premiers contacts, pour des raisons davantage culturelles que religieuses. Après avoir conquis Malacca – un État tributaire de la Chine – en 1511 et abordé aux Moluques en 1512, les premiers Portugais prirent pied en Chine du Sud en 1514. Or, la façon dont la Chine des Ming se représentait le monde offrait peu de références pour comprendre l'intrusion de ces étrangers inconnus d'eux. N'entrant pas dans le système tributaire par lequel les Chinois organisaient le monde qui gravitait autour d'eux, les Portugais appartenaient au monde indifférencié des Barbares. Par la suite, les Chinois les dénommèrent *Fo-lang-chi,* un mot dérivé de l'indien *Ferengi,* lui-même emprunté à un mot arabe désignant les Francs. De leur côté, les Portugais abordaient dans un pays disposant d'un État rigoureusement organisé, dont ils ignoraient les subtilités d'un rituel compliqué, et d'une bureaucratie lente et susceptible. Habitués à se faire craindre partout où ils arrivaient, ils ne comprenaient pas qu'on puisse les faire attendre pour leur accorder les autorisations de commercer ou pour leur donner accès à la cour impériale. Ils recoururent donc, comme ils le faisaient souvent dans ces cas-là, à la politique de la canonnière, ce qui indisposa les autorités chinoises.

Les Portugais pénétrèrent en Chine par la voie du commerce de contrebande, à titre individuel et sur des jonques chinoises. C'est en août 1517 qu'eut lieu le premier contact officiel entre Portugais et Chinois quand une armada de huit vaisseaux portugais commandée par Fernão de Andrade remonta l'estuaire de la rivière des Perles pour venir jeter l'ancre devant Canton. À son bord se trouvait Tomé Pires, un apothicaire de Lisbonne dont le roi Manuel Ier avait fait son ambassadeur auprès de l'empereur de Chine. Il était assisté de Giovanni da Empoli, un facteur italien parfaitement au courant des possibilités du marché chinois. Lorsque la flotte parvint en vue de Canton, elle tira une salve à blanc en signe de bienvenue pour saluer la population. Ces coups de feu eurent un effet contraire sur les habitants, qui prirent peur. Le malentendu fut vite dissipé, les nouveaux venus furent accueillis avec courtoisie et les affaires allèrent bon train. Mais quand Tomé Pires déposa auprès des autorités de Nankin une requête d'entrevue avec l'empereur, elle lui fut refusée. Le Bureau des cérémonies en outre lui reprocha amèrement la prise de Malacca par les troupes portugaises six ans auparavant et les officiers civils de Canton demandèrent aux Portugais de quitter la ville, ce qu'ils firent à l'exception de Pires qui resta en Chine. Pendant que l'ambassadeur portugais formulait ces démarches infructueuses, une deuxième flotte portugaise commandée par Simão de Andrade, frère de

Fernão, s'installa à T'un-men, une île réservée au commerce avec les étrangers. Il s'y comporta en pays conquis, s'empara de l'île, y construisit un fort et maltraita un officier chinois venu lui rappeler l'autorité de l'empereur. Pendant ce temps, grâce à des intermédiaires, Tomé Pires avait obtenu du Bureau des cérémonies de Pékin une audience à la cour impériale. Mais on le fit attendre près de deux ans sans jamais le recevoir et, lorsque Cheng-te mourut le 19 avril 1521, l'ambassade fut chassée de Pékin. Elle s'en repartit pour Canton où elle arriva en septembre 1521 au moment où l'armée chinoise tentait de réduire par la force les positions portugaises de T'un-men.

Ignorant de l'hostilité chinoise suscitée par le comportement de ses compatriotes, un nouvel envoyé officiel du roi de Portugal, Martim Affonso de Mello Coutinho, se présenta à T'un-men en août 1522 avec trois bateaux et une garnison avec l'intention de demander au gouvernement impérial l'autorisation de s'y installer. Dans les combats, deux bateaux furent coulés et les prisonniers exécutés. Tous les Portugais présents en Chine furent emprisonnés et Tomé Pires mourut en 1524 sans avoir jamais pu mener à bien sa mission. Les Portugais étaient exclus de Chine pour une génération. Ils ne purent s'y maintenir que par le commerce de contrebande, en s'associant avec des pirates *wako* japonais ou chinois, à partir de l'île de Shuang-yü sur les côtes de la province du Fou Kien. Les relations officielles entre la Chine et le Portugal reprirent autour de 1550 à Macao, sur la rive méridionale de l'estuaire de la rivière des Perles, où les Portugais avaient fini par s'installer. En 1557, le comptoir fut concédé mais avec des conditions très strictes. Un gouverneur chinois résidait dans la place et la présence européenne fut sévèrement réglementée. Les Chinois craignaient une invasion de la Chine à partir de Macao et, à plusieurs reprises, ils tentèrent d'expulser les Portugais vers des positions moins sensibles. En 1621, ils obligèrent les jésuites à démolir l'église de Saint-Paul qu'ils venaient d'édifier et qui était trop fortifiée à leur goût. Les Portugais devaient se méfier aussi des Japonais qui, en 1608, débarquèrent en force et ne furent repoussés qu'au prix de lourdes pertes.

Le christianisme occidental pénétra en Chine avec le jésuite François Xavier en 1549. Il venait de Goa, avait fait escale à Malacca, s'arrêta près de Macao, mais il s'embarqua pour le Japon où il resta près de deux ans. En 1551, il repartit pour Goa et revint en Chine l'année suivante, mais il mourut de maladie dans l'île de Shangchuan au sud de Canton. François Xavier avait l'intention de se consacrer à l'évangélisation de la Chine après avoir implanté la première église chrétienne du Japon. Mais l'entreprise d'évangélisation de la Chine ne commença qu'à la fin des années 1570. Elle fut l'œuvre des jésuites, essentiellement italiens, sur fond de rivalités entre Portugais et Espagnols et entre ordres religieux. Longtemps les Chinois résistèrent. En 1574, des franciscains et des dominicains espagnols profitèrent d'une ambassade pour tenter de prendre pied en Chine mais ils furent expulsés, d'autres cherchèrent à s'infiltrer à partir de Manille, mais ils furent aussi expulsés. Il fallut le doigté des jésuites Michele Ruggieri en 1580-1581 et Matteo Ricci en 1582 pour que les Chinois admissent la présence des missionnaires étrangers sur leur sol. Mais les résultats furent décevants : quelques missions à Macao, Canton, Nankin, au Chan Toung et à Pékin, quelques conversions de lettrés prestigieux comme le mathématicien Xu Guangqui, le géographe Li Zhizao ou le philosophe Yang Tingyun et beaucoup d'oppositions.

Le catholicisme occidental heurtait profondément la culture chinoise. Les lettrés accusaient les chrétiens de corrompre les mœurs en interdisant le culte des ancêtres, leur reprochaient de détruire les statues et les sanctuaires, d'adorer un supplicié, de comploter avec les Japonais et les pirates, de se réunir en assemblées secrètes, de se livrer à des pratiques magiques. Pour les lettrés chinois, le christianisme n'était qu'une version abâtardie du bouddhisme mâtinée d'islam. L'opposition la plus virulente vint de Shen Ch'üeh, vice-président du Bureau des cérémonies de Nankin, qui estimait que les missionnaires constituaient des sectes secrètes sur le modèle de la secte du Lotus blanc. Il souleva la population contre eux et parvint à les faire expulser de Nankin en 1619. On comprend mieux l'écart qui existait entre les Chinois et les Occidentaux lors de la réception de Matteo Ricci à la cour impériale de Pékin en 1598. Il s'y présenta avec des cadeaux et le gouvernement chinois considéra cette audience comme une ambassade tributaire. Hormis un succès d'estime dû aux connaissances scientifiques des jésuites italiens, les résultats de l'évangélisation en Chine furent dérisoires en comparaison des espoirs initialement affichés.

C'est incontestablement au Japon que les succès de la christianisation furent les plus spectaculaires. Contrairement à l'Inde ou à la Chine, aucun Occidental jusqu'en 1543, aucun missionnaire chrétien jusqu'en 1549 n'avait jamais mis les pieds au Japon. Mais vers le milieu du XVIᵉ siècle, le Japon était plus ouvert aux influences étrangères et plus tolérant sur le plan religieux que ne l'était alors la Chine. Aussi, lorsqu'ils accostèrent à Kagoshima sur l'île de Kyushu en 1549, François Xavier et ses deux compagnons furent-ils bien accueillis par le daimyo local, Shimazu Takahisa, seigneur de Satsuma. Mais les premières communautés chrétiennes qui se constituèrent au nord de l'île autour de Hirado furent très instables. Les conversions étaient superficielles et les seigneurs en espéraient surtout des retombées économiques en attirant vers leur port le « bateau de Chine » portugais. Mais dès que les jésuites repartaient, les communautés se dissolvaient. Pourtant, à partir des années 1560, les jésuites obtinrent des succès notables auprès de certains daimyo de Kyushu, les Otomo, les Arima et surtout auprès d'Omura Sumitada et de ses fils, qui se convertirent et qui concédèrent en 1583 aux jésuites le port de Nagasaki. Désormais, les missionnaires portugais disposaient d'une solide implantation territoriale au Japon méridional à partir de laquelle ils purent bâtir l'Église chrétienne du Japon. Sur l'île de Honshu et principalement dans la région de Kyoto, les progrès du christianisme furent plus limités. En 1559, les jésuites obtinrent bien l'autorisation du shogun d'ouvrir une église à Kyoto mais la communauté végéta. Par contre, la conversion du daimyo Takayama Hidanokami et de son fils Takayama Ukon, deux proches de Nobunaga et de Hideyoshi, ouvrit aux chrétiens les allées du pouvoir.

On peut estimer le nombre des chrétiens japonais à 150 000 environ au début des années 1580. Ils avaient des paroisses à Kyushu et dans la région de Kyoto, les jésuites avaient ouvert un collège à Funai, un séminaire à Arima dans un monastère bouddhique mis à leur disposition, un noviciat à Uzuki et des petites écoles dans lesquelles ils attiraient les enfants de l'aristocratie. Des lettrés les aidaient à apprendre le japonais et à traduire les principaux textes de la doctrine chrétienne. En 1582, quatre jeunes étudiants japonais furent envoyés à Rome où Grégoire XIII les reçut. Cela dit, même si les chrétiens du Japon furent mieux insérés dans leur société que les chrétiens de Chine, le même malentendu entre la culture japonaise et les valeurs fondamentales du christianisme se reproduisit. Sur le plan politique, le christianisme bénéficia de la fluidité de la situation créée par les guerres civiles. Oda Nobunaga entretenait de bonnes relations avec les missionnaires et leurs prosélytes japonais. Il voyait dans le christianisme un moyen de faire pièce aux sectes bouddhiques. Hideyoshi fut davantage réservé à cause du danger de collusion entre les chrétiens et les Portugais. Mais c'est sur le plan religieux et moral que l'écart était pour ainsi dire insurmontable. Adhérer au christianisme aurait représenté pour les Japonais une révolution éthique : l'abandon de la polygamie et de l'homosexualité, du suicide rituel et de l'infan-

ticide, un respect plus important de la vie humaine. Deux
anecdotes feront comprendre mieux que tout autre développement les difficultés d'adaptation du christianisme à la
culture japonaise. L'un des tout premiers établissements
que les jésuites fondèrent à Kyushu fut une léproserie, ce
qui les déconsidéra aux yeux d'une population méprisant
les activités charitables. L'autre exemple est une boutade
attribuée à Hideyoshi qui, s'adressant à un père jésuite, lui
dit en souriant qu'il serait prêt à se convertir si le christianisme admettait la polygamie.

Après des débuts prometteurs, le principat de Hideyoshi
semble marquer un palier dans l'évangélisation au Japon.
Lors de la fameuse entrevue d'Osaka en mai 1586, évo-
quée ci-dessus, Hideyoshi fit assaut de courtoisie à l'égard
du père Gaspar de Coelho et manifesta aux jésuites portugais son intention de conquérir la Corée et la Chine. Le
jésuite commit alors une bévue en se vantant de faire pression sur les daimyo chrétiens de Kyushu pour lui assurer
leur soutien et d'intervenir auprès des autorités portugaises
de Goa dans le but d'établir une alliance entre le Japon et
la Monarchie catholique pour envahir la Chine. En
juillet 1587, le même Gaspar de Coelho vint rendre visite à
Hideyoshi dans son camp de Hakata. Il naviguait sur une
fuste de deux cents à trois cents tonneaux puissamment
armée de canons. Le jésuite invita Hideyoshi à monter à
bord du navire, ce qui lui permit d'apprécier la force militaire des Occidentaux. Ces deux entrevues marquèrent un
tournant dans les relations entre le pouvoir japonais et la
jeune Église chrétienne. Hideyoshi venait de se rendre
compte que le christianisme japonais constituait un ferment
de désunion, alors que lui-même œuvrait à la réunification
du Japon. Lors de l'expédition de Kyushu qu'il entreprit en
1587 contre la famille des Shimazu qui cherchait depuis
quelques années à contrôler l'île méridionale et qui refusait
de reconnaître son autorité, il rétablit les daimyo chrétiens
dans leurs domaines, mais il prit les premières mesures de

coercition à l'égard du christianisme. Il confisqua le port de Nagasaki, propriété des jésuites, et le rattacha à son domaine propre, puis il décréta l'expulsion des missionnaires étrangers et interdit aux daimyo de se convertir au christianisme sans son autorisation. Ces dernières mesures ne furent pas appliquées mais elles manifestaient un changement total dans l'attitude du pouvoir à l'égard de la nouvelle religion. En fait, Hideyoshi se comportait comme les princes occidentaux, pour lesquels la religion ne servait qu'à renforcer la structure de l'État, dont l'intérêt était primordial. Pour lui, les relations avec l'Occident devaient se limiter exclusivement aux questions commerciales.

Jusque dans les années 1590, les jésuites détenaient un véritable monopole de l'évangélisation au Japon, au nom du roi de Portugal et de son vice-roi de Goa. En 1590, le père Alessandro Valignano, dont le premier séjour en 1579 avait permis l'organisation des provinces jésuites du Japon, obtenait l'autorisation de revenir à Nagasaki. L'année suivante, le 3 mars 1591, il était reçu par Hideyoshi dans son château d'Osaka comme ambassadeur du vice-roi de Goa et cette visite fut elle aussi considérée comme une ambassade tributaire. Mais un nouveau protagoniste faisait son apparition. Cette même année, le dominicain espagnol Juan Cobo fut envoyé au Japon par le gouverneur des Philippines. Il obtint une audience de la part de Hideyoshi dans le camp qu'il avait établi au nord de Kyushu et à partir duquel il organisait l'expédition en Corée. En 1593, un autre ambassadeur espagnol, le franciscain Pedro Bautista, fut reçu au Japon. Immédiatement, cette intrusion des moines mendiants espagnols fut mal perçue par les jésuites portugais qui en prirent ombrage. Pour sa part, Hideyoshi vit l'intérêt de jouer cette carte espagnole pour contrecarrer le monopole portugais en matière de commerce et de religion. Depuis que Philippe II s'était emparé de la couronne du Portugal en 1581, il affrontait l'opposition d'une partie des élites portugaises restées fidèles à la dynastie des Aviz.

Cette confrontation fut particulièrement intense dans les possessions outre-mer et l'incident du *San Felipe* en révéla la férocité. L'échouage du galion espagnol de Manille en novembre 1596 aurait pu n'être qu'une fortune de mer comme il y en eut tant d'autres si Hideyoshi, probablement conseillé par le jésuite portugais Pedro Martins qui venait d'arriver au Japon en tant que premier évêque du Japon et ambassadeur du vice-roi de Goa, n'en avait pas profité pour freiner l'influence chrétienne. Les sentiments anti-espagnols de Pedro Martins et son hostilité aux missions franciscaines de Nagasaki, Kyoto et Osaka étaient de notoriété publique. Le nouvel évêque fut reçu par Hideyoshi quelques jours après le naufrage du *San Felipe* et il eut un long entretien avec lui. En décembre 1596, Hideyoshi fit arrêter les « moines des Philippines » espagnols de Kyoto et d'Osaka, ainsi que plusieurs de leurs fidèles. En janvier 1597, vingt-six d'entre eux – six franciscains espagnols, trois convers japonais et dix-sept fidèles japonais – furent condamnés à mort. Ils furent crucifiés à Nagasaki à quelques pas de la résidence de Pedro Martins, qui assista à l'exécution.

La mort de Hideyoshi et l'arrivée au pouvoir de Ieyasu allégèrent la pression sur les chrétiens, et le premier quart du xviie siècle fut un âge d'or pour le christianisme japonais. On estime qu'en 1605 il y avait de 700 à 750 000 chrétiens et le catholicisme avait quitté ses bastions de Kyushu pour convertir de nombreux prosélytes dans le centre et le nord du pays. Mais si Luis Cerqueira, le nouvel évêque du Japon, fut encore reçu par Ieyasu en 1606, le shogun s'inquiéta des progrès du christianisme et de ses effets déstabilisateurs. La troisième partie du projet de Hideyoshi – l'élimination des éléments étrangers – fut donc progressivement mise en application sous le gouvernement de Ieyasu et de ses successeurs. On a souvent vu, dans le processus de fermeture du Japon à l'Occident, la main des puissances maritimes protestantes désireuses d'évincer les puissances catholiques des marchés asiatiques. Leur rôle fut réel mais non déterminant, puisque ce processus s'inscrivait dans une politique longuement établie. Il est vrai que les Hollandais et les Anglais ont contribué à inciter le shogun à se méfier des catholiques. En 1600, un bateau hollandais, le *De Liefde,* faisait naufrage devant le port d'Uzuki dans l'île de Kyushu. Vingt-quatre marins survécurent dont le Hollandais Jan Joosten et le pilote anglais William Adams, qui avait servi dans la marine anglaise lors de la campagne contre l'Invincible Armada. Ces deux hommes entrèrent comme conseillers dans l'entourage de Ieyasu et informèrent le gouvernement nippon sur les rivalités qui divisaient les puissances européennes et sur les projets de conquête mondiale prêtés à la Monarchie catholique. En 1609, le shogun autorisa l'ouverture d'un comptoir de la Compagnie hollandaise des Indes orientales à Hirado, puis en 1611 il accorda le même privilège à la compagnie anglaise. Il introduisit ainsi une concurrence commerciale entre les puissances européennes qui dériva en une concurrence politique et religieuse.

Mais les positions des Portugais et des Espagnols restaient très fortes dans la mesure où les missionnaires catholiques étaient liés aux grands négociants japonais, ce qui empêcha Ieyasu d'appliquer les mesures de proscription décrétées par Hideyoshi. Mais le climat évolua sensiblement quand, en 1608, le shogun prit à son service comme principal conseiller dans les affaires diplomatiques le moine zen Konchi.in Suden, un idéologue de la raison d'État, néo-confucéen et foncièrement hostile aux influences étrangères. Il se dégrada définitivement au début des années 1610, au moment où s'amorça la lutte finale entre le clan Tokugawa et ce qui restait du clan Toyotomi. En 1612, à la suite d'une affaire de corruption dans laquelle étaient impliqués des daimyo chrétiens et qui fut habilement montée pour conditionner l'opinion, Ieyasu proscrivit le christianisme sur ses terres, mesure qu'il élargit à l'ensemble du Japon l'année suivante. Le principal daimyo chrétien, Takayama Ukon, qui refusa de renier sa foi, fut contraint à l'exil et il mourut à Manille en 1615. Il n'empêche que, lors du siège du château d'Osaka où s'étaient réfugiés les Toyotomi en 1614-1615, Ieyasu put apercevoir de nombreux rônins arborer des bannières ornées de motifs chrétiens, ce qui le rendit malade, paraît-il. La répression contre le christianisme commença immédiatement après la chute des Toyotomi et l'Église japonaise se transforma peu à peu en Église des catacombes. Des bâtiments de culte furent rasés à Kyoto et à Nagasaki et des vagues d'exécution frappèrent les milieux catholiques : en 1622, cinquante-cinq chrétiens furent brûlés vifs à Nagasaki et une cinquantaine d'autres l'année suivante à Edo. En 1624, interdiction fut faite aux navires espagnols d'accoster au Japon. Cette vague de répression fut accompagnée par une grande campagne orchestrée par le chef de la police, Inoue Chikugo, qui préférait faire apostasier les chrétiens plutôt que de les exécuter, pour les retourner contre leurs condisciples et les déconsidérer aux yeux de l'opinion.

Deux chrétiens apostats jouèrent un rôle de premier plan dans cette attaque en règle contre le christianisme. Fabian Fucan était un moine zen qui s'était converti au christianisme. En 1605, il avait publié un ouvrage destiné à exalter la foi chrétienne et à dénoncer les erreurs du bouddhisme. Mais il fut victime de la politique restrictive des jésuites en matière d'ordination des autochtones. Pendant longtemps, ces derniers n'admirent les novices japonais au sein de la Compagnie qu'aux postes de coadjuteurs et ils refusèrent de les ordonner. Aigri de n'avoir pu accéder à la prêtrise, Fabian Fucan abandonna le christianisme, retourna au bouddhisme et, surtout, écrivit un ouvrage d'une extrême violence contre le christianisme – le *Ha Daiusu,* ou la *Destruction de Dieu* (1620) –, dans lequel les ennemis de la foi chrétienne trouvèrent l'argumentaire susceptible d'alimenter leurs convictions. Quant au père Cristovão Ferreira, c'était un jésuite portugais, qui était resté clandestinement au Japon après les mesures de proscription de 1614. En 1633, il fut capturé et, soumis à la torture, il préféra renier sa foi. Il écrivit le *Kengiroku* ou l'*Illusion dévoilée* qui fut publié en 1636. Tous les moyens étaient bons pour discréditer les chrétiens, même ceux qui aujourd'hui relèveraient du racisme le plus rudimentaire. Dans un ouvrage polémique anonyme – le *Kirishitan monogatari,* ou le *Conte chrétien* (1639) –, les Européens étaient décrits sous des traits monstrueux. Ils avaient un long nez rouge en forme de coquillage, une petite tête et de grands yeux, des dents plus grandes que celles d'un cheval, des cheveux couleur gris souris et ils parlaient un langage incompréhensible. C'est justement dans ces années trente que le régime de fermeture du Japon – ou *sakoku* – fut mis en place. En 1634, des mesures de restriction furent imposées aux Japonais désireux de se rendre à l'étranger. L'année suivante, il leur fut interdit de quitter le Japon sous peine de mort, les licences de commerce furent supprimées et les Japonais de l'étranger qui voulaient revenir au pays furent définitivement bannis, là aussi sous peine de mort. En 1636, tous les Portugais furent expulsés, sauf les marchands dont l'activité était confinée à l'îlot artificiel de Dejima construit en baie de Nagasaki, afin qu'il n'y eût plus aucun contact entre les Japonais et les Occidentaux. En 1639 d'ailleurs, les Portugais abandonnèrent la place aux Hollandais qui, entre-temps, en avaient évincé les Anglais. C'est ainsi que prit fin le « siècle chrétien » (1549-1639) du Japon.

L'expulsion des chrétiens du Japon sanctionna la fermeture définitive de l'Orient aux influences occidentales, mais elle doit être mise en perspective avec les échecs que ces mêmes Occidentaux subirent en Inde et en Chine. En Inde, la présence européenne resta limitée aux marges du sous-continent, tandis qu'en Chine elle fut confinée au seul

comptoir de Macao. À la fin de la première moitié du
XVIIIe siècle, le pape Benoît XIV mit fin à la première
expérience d'évangélisation de la Chine – la fameuse question de la Querelle des Rites –, la communauté chrétienne
locale n'ayant cessé de vivoter sans aucun espoir d'expansion. S'il existe aujourd'hui une Église chinoise, elle date
du XIXe siècle et survit dans des conditions hostiles. Quant
au christianisme japonais, il parvint à se maintenir dans la
clandestinité, nourrissant une forme d'opposition intellectuelle et anticonformiste. Les puissances maritimes protestantes pensèrent tirer profit de l'échec du Portugal et de
l'Espagne, en renonçant à envisager un quelconque prosélytisme religieux, mais elles n'eurent guère plus de succès.
Elles se virent elles aussi confinées aux marges du monde
asiatique, sur des positions généralement gagnées sur les
Portugais, à Ceylan, dans les îles de la Sonde, aux Célèbes,
à Taïwan.

Conclusion

Le temps du bilan est donc arrivé. Il s'agit maintenant d'évaluer les transformations d'un monde qui en connut tant pendant ce siècle, ce qui revient à déterminer les vainqueurs et les vaincus de l'Histoire. Le premier point sur lequel nous pouvons nous arrêter, parce qu'il se manifeste de manière incontestable à la simple lecture d'un planisphère, c'est l'emprise imposée par l'Europe sur une bonne partie du monde utile. On a pu parler à cet égard d'une « économie-monde », construite sur un ensemble de routes commerciales, de zones de production hiérarchisées selon un partage des tâches qui se met en place progressivement, mais dont les centres de décision se trouvent quelque part du côté de Séville, Lisbonne, Anvers, Londres ou Amsterdam. En effet, au début du XVIIᵉ siècle, les marins et les marchands européens sont présents partout où il y a des trafics rémunérateurs à réaliser. Ils ouvrent la voie aux soldats, parfois aux missionnaires, dans le cadre d'âpres rivalités entre les États, au risque de compromettre leurs propres intérêts. Mais si l'Europe eut le mérite de mettre en relation la plus grande partie des terres et des populations de la planète, il convient de ne pas surestimer ses succès. Apparemment, ils ne font aucun doute en Amérique où les Espagnols sont parvenus à s'emparer avec des moyens limités d'espaces considérables, dans les Antilles, en Amérique centrale et dans les Andes. Mais, au début du XVIIᵉ siècle, ces immenses territoires sont vides d'hommes, alors qu'ils comptaient un siècle plus tôt l'une des humanités les plus denses. L'Amérique espagnole n'existe plus ; elle se reconstruit lentement sur des bases entièrement nouvelles : elle est majoritairement européenne, assimile les dernières bribes des cultures amérindiennes désarticulées et s'enrichit de nouveaux traits culturels apportés par les populations africaines déportées, le tout s'opérant dans un intense métissage biologique. Ailleurs, la présence européenne se limite encore à des comptoirs ou à de petits États côtiers voués au commerce ou au contrôle des voies maritimes. La première expansion européenne, née des grandes découvertes, est terminée. On assiste même sur certains terrains à un début de repli, comme en Extrême-Orient. Il faut attendre le XIXᵉ siècle et le second choc colonial pour que s'ouvre une nouvelle phase d'expansion.

Deuxième point : l'islam poursuit sa progression et, tout bien considéré, c'est un événement aussi important que la conquête des Nouveaux Mondes par les puissances ibériques. Cette progression a un aspect moins spectaculaire que les conquêtes engendrées par les Grandes Découvertes. Mais si elle s'opère selon des voies plus traditionnelles, elle n'en est pas moins efficace. L'islam s'étend sur l'Ancien Monde, en Europe, en Asie, en Afrique, obligeant le christianisme à chercher ses nouvelles terres de conquête en Amérique. Au début du XVIIᵉ siècle, l'islam peut se prévaloir d'un bilan très positif. Au registre de ses pertes, le royaume de Grenade, dont la disparition définitive est sanctionnée par l'expulsion des populations morisques inassimilables dans les premières années du XVIIᵉ siècle, et la Sibérie, pour ainsi dire vide d'habitants et vaste terrain de parcours pour les éleveurs nomades. Mais, du Maroc au golfe du Bengale, l'islam a globalement renforcé ses positions. Le Maghreb, autrefois si perméable aux influences chrétiennes, leur est désormais interdit après la défaite subie en 1578 par le roi Sébastien de Portugal. Les quelques présides chrétiens qui s'y maintiennent encore sont totalement isolés de leur arrière-pays et ne survivent que grâce à l'aide apportée par bateau d'Espagne ou du Portugal. L'Empire ottoman est fermement installé dans les Balkans, où des populations slaves islamisées (Bosniaques, Albanais) font régner son ordre. Le plateau iranien est unifié, tandis que l'Hindoustan, un moment menacé, est reconstitué et que l'islam mord sur le Deccan hindouiste et dans les archipels indonésiens, sans oublier sa progression silencieuse mais inéluctable en Afrique sahélienne. L'islam a donc été le grand vainqueur de la confrontation mondiale du XVIe siècle. Mais, derrière ce dynamisme d'ensemble, il présente un visage très diversifié.

Plusieurs traits caractérisent le monde musulman du XVIe siècle. Il est tout d'abord représenté politiquement par trois immenses empires, l'Empire ottoman, l'Empire safavide, l'Empire moghol, les autres États musulmans ne jouant qu'un rôle de comparses, comme le royaume chérifien du Maroc, l'Empire ouzbek, les sultanats du Deccan, les émirats malais pour citer les plus visibles. Ces empires sont dotés d'une solide armature étatique qui leur a permis de durer, mais ils entrent aussi en concurrence entre eux. Rappelons les rivalités sanglantes en Anatolie et en Azerbaïdjan entre l'Empire ottoman et l'Empire safavide, mais aussi, dans une moindre mesure, les conflits de frontière entre l'Empire safavide et l'Empire moghol pour le contrôle de l'Afghanistan. D'autre part, ce monde musulman est profondément divisé sur le plan religieux même. Pour la première fois, les chiites, jusque-là méprisés et réprimés par les sunnites, se sont rendus maîtres d'un État puissant capable de contrebalancer l'Empire ottoman par une pression sur son flanc oriental. Enfin, un troisième trait doit être souligné, tant il est partagé par ces trois États : l'attirance exercée par ces empires sur les populations non musulmanes. Les Moghols surent rallier les élites brahma-

nistes, les Safavides prirent soin de protéger les minorités
chrétienne et juive, les Ottomans purent s'appuyer sur la
loyauté des populations grecques orthodoxes contre les
Latins et, surtout, attirèrent sur leur sol des dizaines de
milliers d'aventuriers chrétiens qui n'hésitèrent pas à
renier leur foi pour se mettre au service des Turcs.

Cette ouverture de l'islam aux populations non musulmanes a incité beaucoup d'historiens à souligner l'esprit
traditionnel de tolérance de l'islam, que l'on oppose volontiers à l'intolérance religieuse des chrétiens. Il est vrai que,
dans le droit musulman, les religions du Livre bénéficient
d'un statut de minorité protégée (les *dhimmis*). Il est ten-
tant de mettre en regard de cette situation bienveillante ce
qui se passe au même moment en Europe quand catholiques et protestants s'habituent péniblement au nouveau
système des « paix de religion », que les juifs subissent des
pogroms et que les morisques, convertis de force au christianisme, sont finalement expulsés d'Espagne. L'accueil
réservé par les autorités de l'Empire ottoman aux juifs
séfarades chassés d'Espagne en 1492 constitue une autre
illustration de cette opposition entre chrétienté et islam. Il
ne faudrait cependant pas tomber dans l'angélisme. Les
guerres entre Ottomans et Kizilbach dans l'est de l'Anatolie furent bel et bien des guerres de religion entre sunnites
et chiites et elles furent impitoyables, bien autant que les
guerres de religion européennes. L'avantage de l'islam
réside dans sa grande souplesse et dans sa capacité d'adaptation aux circonstances, ce dont le christianisme est bien
souvent incapable. C'est ainsi que l'attitude de l'islam face
aux autres religions varie en fonction du rapport de forces.
S'il lui est défavorable, il saura se faire oublier ; s'il lui est
favorable, il se comportera de manière exclusive comme
les autres religions monothéistes. En Hindoustan où il est
encore minoritaire, l'islam doit tenir compte du brahmanisme, au point qu'un empereur comme Akbar peut sembler suivre une politique syncrétiste. En Iran, le pouvoir

safavide doit aussi composer avec les minorités tant qu'il doit faire face à l'hostilité affichée et menaçante des Ottomans. Plus symptomatique encore de cette souplesse d'adaptation, le cas des petits États côtiers de Malabar ou des archipels indonésiens. Tant que l'islam reste cantonné aux communautés de marchands immigrés, il ne pose guère de problème. Puis il s'étend, moins par prosélytisme que par mariage des musulmans avec des femmes autochtones dont les enfants sont convertis à l'islam. Quand les communautés deviennent prépondérantes, elles s'emparent du pouvoir et imposent la loi musulmane. C'est ainsi que l'Indonésie a été progressivement gagnée par l'islam à partir du sultanat d'Atjeh, au nord de Sumatra.

Des grands États musulmans, l'Empire ottoman est celui qui a atteint le stade de la maturité, ce qui l'autorise maintenant à parler au nom de l'islam tout entier. La conquête de l'Égypte en 1517 et, par là même, le contrôle des Lieux saints d'Arabie et de Jérusalem lui ont donné une position dominatrice dans le monde musulman, avec des devoirs comme celui de défendre et de répandre la foi musulmane. L'image d'un islam tolérant a été complaisamment véhiculée par l'École orientaliste du XIXe siècle, mais elle ne correspond pas à la réalité du XVIe siècle. Si le statut de *dhimmis* garantit aux juifs et aux chrétiens un minimum de vie communautaire et de tolérance cultuelle, il est aussi vexatoire et considéré comme transitoire dans l'attente d'une conversion future. Il s'accompagne du versement d'une taxe spéciale et du port de signes vestimentaires distinctifs. N'oublions pas que le statut à peu près équivalent sous lequel vivaient les communautés juives ashkénazes en Europe centrale et orientale est jugé aujourd'hui comme attentatoire à la dignité humaine. Dans l'optique ottomane du XVIe siècle, le meilleur chrétien reste celui qui se convertit à l'islam, soit volontairement comme le « renégat », soit de force comme le jeune garçon de la *devchirmé*. L'horreur que le christianisme a pu inspirer aux

sujets du sultan s'exprime par quelques attitudes caracté-
ristiques. Il n'est d'abord pas question pour la Porte de
négocier sur un pied d'égalité avec une puissance chrétienne. Il faut attendre 1606 pour que le sultan Ahmed Ier
consente pour la première fois à signer avec l'empereur
Rodolphe II une paix, aux termes de laquelle Istanbul
renonce à exiger le paiement du tribut pour la Hongrie
royale et accepte l'établissement de relations diplomatiques normales avec Vienne. D'autre part, il n'existe
aucun exemple de Turc qui soit venu volontairement en
Occident et qui s'y soit converti au christianisme. Seuls les
prisonniers de guerre subissent l'épreuve de la transplantation en milieu chrétien et ils l'ont toujours vécue de
manière traumatisante. Une seule exception : les opérations militaires conjointes entre la France et la Régence
d'Alger sous François Ier et Henri II et l'hivernage de la
flotte ottomane à Hyères en 1543. Mais la Régence d'Alger n'est pas tout à fait l'Empire ottoman. Elle est peuplée
de très nombreux « renégats » de fraîche date, et les pays
du Maghreb ont une longue tradition de relations diplomatiques et militaires avec les États chrétiens du nord de la
Méditerranée. Et n'oublions pas que la presqu'île d'Hyères
a été vidée de ses habitants chrétiens pour laisser la place
aux Algérois.

   Le troisième point qu'il convient de relever concerne
l'Extrême-Orient et sa capacité à absorber les chocs
culturels tout en se protégeant. Le monde chinois n'a rien à
attendre de l'Europe, ni sur le plan technologique ni sur le
plan religieux et culturel. Il forme un monde en soi, non
pas qu'il ait coupé tout rapport avec l'extérieur, mais il ne
prend de l'extérieur que ce dont il estime avoir besoin. Il
faut bien se souvenir du traumatisme causé en Chine par
les invasions mongoles, pour comprendre la raison pour
laquelle la dynastie des Ming s'est organisée de telle façon
qu'une semblable catastrophe ne puisse se renouveler.
D'où l'extrême circonspection avec laquelle elle réagit à

l'intrusion des Européens dans son aire de domination. Mais si on veut bien examiner les événements avec davantage de recul, la Chine a su se montrer largement ouverte au monde extérieur dans plus d'une circonstance : elle a, par exemple, accueilli avec ferveur le bouddhisme dont elle constitue un solide bastion à l'époque moderne. Plus curieux encore, l'archipel nippon dont les Européens n'ont gardé que l'image d'un monde hermétiquement clos. Bien que la géographie ne les ait guère prédisposés à s'ouvrir aux échanges avec l'extérieur, les Japonais ont su eux aussi se montrer réceptifs aux influences étrangères : ils adoptent la civilisation chinoise et, entre 1550 et 1630 environ, le christianisme y accomplit des progrès considérables. Ces phases successives d'ouverture et de fermeture du monde chinois et des territoires qui lui sont associés ont souvent dérouté les Occidentaux. Elles s'expliquent par le sentiment de supériorité culturelle systématiquement rappelé par les intellectuels et les gouvernants chinois et elles reposent sur un rapport particulier à l'histoire, sur l'idée que la Chine, en tant que la civilisation la plus ancienne au monde, n'a de conseil à recevoir de personne.

Reste l'Afrique noire, dont nous avions remarqué qu'elle se trouvait à la fin du XVe siècle en dehors du monde connu. Un siècle plus tard, elle n'a guère progressé. Elle demeure un continent impénétrable à cause de sa densité continentale, de l'hostilité de sa géographie, de son climat et de ses populations. Les Européens et les Arabes ne se sont risqués que sur ses franges. Il faut dire aussi que sur le plan économique les avantages de l'Afrique sont limités : ses épices sont moins prisées que celles de l'Orient, l'exploitation de l'or de Guinée et du Zambèze est déjà en déclin au début du XVIIe siècle. L'Afrique ne possède qu'une ressource en abondance, sa main-d'œuvre. Se pose alors le problème de la traite négrière sur lequel il convient de faire le point, compte tenu du fait qu'elle est devenue aujourd'hui l'objet d'un contentieux politique entre

l'Afrique et le monde occidental. Il faut distinguer tout
d'abord la traite interne et la déportation de la main-
d'œuvre africaine en dehors du continent. La traite interne
fut la conséquence de la diffusion de l'islam dans
l'Afrique sahélienne. C'est en son nom que des empires
nomades islamisés du Sahel ont pratiqué la chasse aux
populations noires, sédentaires et animistes de la zone tropicale. Beaucoup de ces esclaves africains finissaient sur
les marchés maghrébins et proche-orientaux. Il existait
aussi un intense trafic organisé par les marchands arabes
et swahilis entre l'Afrique de l'Est, le Moyen-Orient et
l'Inde, un marché dans lequel les Portugais s'immiscèrent
quand ils arrivèrent dans la zone au début du XVIᵉ siècle.
Historiquement donc, l'Europe chrétienne n'a pas inventé
l'esclavage africain, pas plus que la déportation de la
main-d'œuvre africaine hors du continent. Elle s'est
contentée de s'insérer dans des pratiques qui préexistaient
à l'arrivée des Occidentaux en Afrique et qui avaient été
introduites par l'islam lorsqu'il avait pénétré dans ces
régions. Il est certain cependant que la demande européenne a donné une ampleur nouvelle à ce trafic.

Dans les premières années du XVIIᵉ siècle, les Portugais
sont en train de perdre le monopole qu'ils avaient conquis
au milieu du XVᵉ siècle. Français, Hollandais, Anglais
commencent à venir s'approvisionner directement sur les
côtes du golfe de Guinée pour alimenter en main-d'œuvre
servile leurs possessions américaines. Mais jamais les
Européens n'ont chassé l'esclave en Afrique, si ce n'est de
manière marginale. Ils se sont limités à acheter, à partir de
leurs comptoirs côtiers, les captifs que les chefs de guerre
et les marchands africains venaient leur proposer. Sans
relais indigènes, la traite négrière n'aurait pas été envisa-
geable. Par ailleurs, aucune voix ne s'est jamais élevée
contre la traite et l'esclavage des Africains. Un Bartolomé
de Las Casas ne préconisait-il pas la déportation massive
des Africains pour protéger les Amérindiens de la rapacité

des Espagnols ? Les deux grandes religions universalistes, l'islam et le christianisme, ont justifié l'esclavage. Par contre, c'est en Europe pendant le siècle des Lumières que l'idée qu'un homme pût être réduit en esclavage par un autre homme a été considérée comme moralement inacceptable. Faut-il rappeler, en ces temps de polémique, que la France révolutionnaire fut la première nation à proscrire – temporairement, il est vrai – l'esclavage, que l'Angleterre mit fin à la traite négrière en 1810 et que ce sont les colonisateurs européens qui interdirent l'esclavage interne en Afrique ? Ce qui n'empêche pas qu'il soit encore pratiqué au Soudan aujourd'hui.

Ces considérations m'ont entraîné loin de mon point de départ. En apparence seulement. Elles contribuent à donner à cette histoire un peu lointaine des couleurs contemporaines. À condition de ne pas considérer l'histoire des relations internationales comme une simple histoire diplomatique vue d'Europe, mais comme une histoire des rapports de forces géopolitiques et géostratégiques, ce qui s'est passé au XVIe siècle nous permet de comprendre bien des événements actuels.

Post-scriptum

Les pages qui précèdent furent écrites avant les attentats du 11 septembre 2001. J'ignorais alors l'existence du livre de Samuel Huntington, *The Clash of Civilizations (Le Choc des civilisations),* que ces événements tragiques contribuèrent à populariser. Dans ce livre, l'auteur analyse les trois défis auxquels le monde sera confronté dans les années qui viennent : l'arrogance de l'Occident, le fanatisme de l'islam et l'émergence de l'Asie. La comparaison avec le XVIe siècle est surprenante car ces trois éléments relevés par S. Huntington sont déjà présents, mais avec des valeurs différentes. Au début de son processus d'expansion, l'Occident fait preuve de cette arrogance qui le caractérise au cours de son histoire récente, mais il ne possède pas encore tous les moyens de sa puissance, moyens qu'il n'a été capable de déployer qu'à partir du XIXe siècle. Au XVIe siècle, l'islam constitue le principal danger de l'Occident et son ennemi le plus redoutable. Les États qui se réclament de la religion musulmane ont connu une sévère éclipse à partir du XVIIIe siècle, mais la création de l'État d'Israël, que les pays arabo-musulmans considèrent comme une simple entreprise coloniale de l'Occident, et le dynamisme démographique de l'islam ont contribué au réveil du monde musulman depuis un demi-siècle. L'affrontement sanglant auquel nous assistons aujourd'hui n'est qu'un retour à une situation qui prévalait encore au XVIe siècle. Notons cependant une différence capitale : la présence de fortes communautés arabo-musulmanes au sein même des sociétés occidentales qui, conjuguée à l'affaissement du christianisme en Europe, pourrait préluder à l'islamisation à plus ou moins long terme du continent européen. Reste le problème de la prétendue émergence de l'Asie. Tout dépend des termes de la comparaison. Il est évident que les sociétés asiatiques pèsent plus lourd aujourd'hui qu'au XIXe siècle, mais elles n'ont pas encore retrouvé leur niveau du XVIe siècle, époque à laquelle elles dominaient les échanges mondiaux et étaient capables de résister aux offensives européennes.

Chronologie

1450 CHINE : siège de Pékin par les Mongols.

1451 INDE : fondation du sultanat Lodi.

1453 EMPIRE OTTOMAN : prise de Constantinople par Mehmet II.

1456 EUROPE : siège de Belgrade par les Turcs.

1467-1477 JAPON : guerres d'Onin.

1473 EMPIRE OTTOMAN : victoire de Mehmet II sur les Turcomans à Bashkent.

1475 EMPIRE OTTOMAN : les Tatars de Crimée se placent sous la protection des Turcs.

1477 EUROPE : défaite et mort de Charles le Téméraire devant Nancy.

1479-1480 EUROPE : traité d'Alcaçovas-Toledo entre la Castille et le Portugal.

1482 AFRIQUE : construction du comptoir portugais de Saint-Georges-de-la-Mine.

1488 *(17 août)* EMPIRE OTTOMAN : défaite ottomane devant les Mamelouks d'Égypte à Agatcharï.

1492 *(1er janvier)* EUROPE : capitulation de Grenade.
AFRIQUE : mort de Sonni Ali Ber, chef de l'Empire songhaï.
(12 octobre) AMÉRIQUE : expédition de Christophe Colomb aux Antilles.

1494 EUROPE : expédition du roi de France, Charles VIII, à Naples. Début des guerres d'Italie.

1494 EUROPE : traité de Tordesillas entre la Castille et le Portugal.

1498 *(20 mai)* INDE : arrivée de Vasco de Gama à Calicut.

1500 AMÉRIQUE : découverte du Brésil par Pedro Álvares Cabral.

1503 EMPIRE OTTOMAN : victoire des Turcs contre Venise.

1509 INDE : victoire portugaise à Diu contre la flotte ottomane.

1510 INDE : prise de Goa par les Portugais.

1511 OCÉAN INDIEN : prise de Malacca par les Portugais.

1512 EUROPE : bataille de Ravenne. Perte du Milanais par la France.

1513 AMÉRIQUE : découverte du Pacifique par Vasco Nuñez de Balboa.

1514 *(23 août)* EMPIRE OTTOMAN : défaite des troupes iraniennes à Tchaldiran.

1515 CHINE : expédition chinoise au Tibet.
OCÉAN INDIEN : prise d'Ormuz par les Portugais.
(14-15 septembre) EUROPE : victoire du roi de France, François Iᵉʳ, sur l'armée suisse à Marignan.

1516 EUROPE : Charles de Bourgogne devient roi de Castille et d'Aragon.
EMPIRE OTTOMAN : victoire sur l'armée mamelouke à Mardj Dabik.

1517 EMPIRE OTTOMAN : conquête de l'Égypte par Sélim II.
CHINE : arrivée de l'ambassadeur portugais Tomé Pires à Canton.
(octobre) EUROPE : publication des 95 thèses par Martin Luther.

1519 *(juin)* EUROPE : Charles Iᵉʳ d'Espagne élu empereur sous le nom de Charles Quint.
(8 novembre) AMÉRIQUE : Hernán Cortés entre à Tenochtitlán-Mexico.
ASIE : défaite de l'insurrection du prince de Ning, dans la région de Nankin.

1519-1522 EUROPE : premier tour du monde par l'expédition Magellan-Elcano.

1520 AMÉRIQUE : les Espagnols sont chassés de Tenochtitlán (la « Noche triste », 30 juin).

1520-1526 AFRIQUE : ambassade portugaise en Éthiopie.

1520-1522 EUROPE : révolte des *Comunidades* de Castille et des *Germanias* de Valence.

1521 EUROPE : diète de Worms et condamnation de Luther.
EUROPE : prise de Belgrade par les Ottomans.

AMÉRIQUE : prise de Tenochtitlán par Hernán Cortés. Conquête du Mexique.
1522 EMPIRE OTTOMAN : prise de Rhodes par les Ottomans.
1525 *(24 février)* EUROPE : le roi de France, François Ier, est capturé à Pavie.
1526 *(14 janvier)* EUROPE : traité de Madrid entre François Ier et Charles Quint.
(avril) INDE : victoire de Babur sur les Lodi à Panipat.
(29 août) EUROPE : victoire des Ottomans sur les troupes hongroises à Mohács.
1527 *(5 mai)* EUROPE : prise de Rome par les troupes impériales du Connétable de Bourbon.
INDE : victoire de Babur sur les Rajput à Kanua.
1528 *(24 septembre)* IRAN : victoire de chah Tahmasp sur les Ouzbeks à Jam.
1529 *(3 août)* EUROPE : traité de Cambrai (« paix des Dames ») entre la France et l'Empire.
(septembre) EUROPE : premier siège de Vienne par les Ottomans.
EUROPE : traité de Saragosse entre l'Espagne et le Portugal.
1530 *(24 février)* EUROPE : couronnement impérial de Charles Quint à Bologne.
EUROPE : reconnaissance de la confession luthérienne à la diète d'Augsbourg.
1531 *(février)* EUROPE : création de la ligue protestante de Smalkalde en Allemagne.
1532 AMÉRIQUE : capture de l'Inca Atahualpa par Francisco Pizarro à Cajamarca.
1534 EUROPE : Henri VIII chef de l'Église anglaise (Acte de suprématie).
1534-1543 AMÉRIQUE : reconnaissance du fleuve Saint-Laurent par Jacques Cartier.
1535 AFRIQUE : siège et prise de Tunis par Charles Quint.
1536 *(janvier)* EUROPE : signature des capitulations entre la France et l'Empire ottoman.
1538 *(25 septembre)* EUROPE : défaite navale chrétienne à Préveza devant la flotte ottomane.

1539 *(juin)* INDE : défaite d'Humayun à Chunar devant les troupes afghanes.

1540 *(mai)* INDE : nouvelle défaite d'Humayun à Kanauj.

1541 *(octobre)* AFRIQUE : échec du siège d'Alger par Charles Quint.

1541-1543 CHINE : invasion du nord-est de la Chine par les Mongols.

1543 JAPON : les premiers Portugais accostent au Japon.

1544 *(18 septembre)* EUROPE : traité de Crépy-en-Laonnois entre la France et l'Empire.

1545 AMÉRIQUE : découverte et mise en exploitation du Cerro argentifère de Potosí.
EUROPE : ouverture du concile de Trente.

1546 AMÉRIQUE : exécution du vice-roi Blasco Nuñez de Vela par les colons révoltés du Pérou.

1547 *(24 avril)* EUROPE : défaite des protestants allemands à Mühlberg.
EUROPE : révolte de Naples contre les Espagnols.

1548 *(avril)* AMÉRIQUE : défaite des insurgés du Pérou à Xaquixaguana.

1549 JAPON : arrivée de François Xavier à Kagoshima.

1550 CHINE : siège de Pékin par les Mongols.

1552 *(avril)* EUROPE : « voyage d'Allemagne » du roi de France Henri II.

1552 EUROPE : annexion du khanat mongol de Kazan par la Russie.

1553 AMÉRIQUE : défaite espagnole à Tucapel au Chili devant les Indiens Mapuche.

1554 EUROPE : annexion du khanat mongol d'Astrakhan par la Russie.

1555 *(29 mai)* EMPIRE OTTOMAN : paix d'Amasya avec l'Iran.
(25 septembre) EUROPE : paix d'Augsbourg entre les catholiques et les luthériens.
INDE : retour d'Humayun à Delhi.

1556-1557 EUROPE : abdication de Charles Quint.

1557 ASIE : fondation du comptoir portugais de Macao.
(10 août) EUROPE : victoire espagnole de Saint-Quentin.

1558 *(janvier)* EUROPE : conquête française de Calais sur les Anglais.

1559 *(3 avril)* EUROPE : traité du Cateau-Cambrésis entre la France et l'Espagne.

1560 AFRIQUE : défaite espagnole de Djerba face à une flotte ottomane.

1562 EUROPE : début des guerres de Religion en France.

1563 *(décembre)* EUROPE : clôture du concile de Trente.

1564 ASIE : expédition de Miguel López de Legazpi vers les Philippines.

1565 *(23 janvier)* INDE : chute de l'empire de Vijayanagar à la bataille de Talikota.
EUROPE : siège de Malte par la flotte ottomane.

1566 *(juin)* INDE : victoire d'Akbar à Manikpur contre les Ouzbeks.

1569 EUROPE : Union de Lublin entre la Pologne et la Lituanie.

1569-1572 INDE : conquête du Rajasthan par Akbar.

1571 *(7 octobre)* EUROPE : victoire de la flotte chrétienne contre les Ottomans à Lépante.

1572 *(1ᵉʳ avril)* EUROPE : débarquement des « gueux de la mer » en Zélande.
(23-24 août) EUROPE : massacre des protestants français durant la nuit de la Saint-Barthélemy.
AMÉRIQUE : capture et exécution de Titu Cusi, le dernier Inca du Pérou.

1572-1573 INDE : conquête du Gujarat par Akbar.

1573 JAPON : chute du shogunat de Muromachi.

1576 INDE : conquête du Bengale par Akbar.
EMPIRE OTTOMAN : début de la guerre Turquie-Iran.

1579 *(janvier)* EUROPE : proclamation de l'Union d'Arras et de l'Union d'Utrecht aux Pays-Bas.

1581 EUROPE : le roi d'Espagne, Philippe II, devient roi de Portugal.
EUROPE : proclamation de la déchéance de Philippe II par les Provinces-Unies.

1582 JAPON : envoi de quatre étudiants japonais à Rome.

1582-1583 CHINE : invasion du Yun-nan par les Burma.

1583 JAPON : concession du port de Nagasaki aux jésuites par les Omura.
(juillet) EUROPE : assassinat de Guillaume le Taciturne aux Provinces-Unies.

AFRIQUE : prise de Masangano en Angola par les Portugais.

1586 INDE : conquête du Sind par Akbar.

1587 CHINE : révolte paysanne du Lotus blanc.

(avril) EUROPE : attaque du corsaire anglais Francis Drake sur Cadix.

JAPON : confiscation de Nagasaki aux jésuites par Hideyoshi.

1588 *(7-12 août)* EUROPE : destruction de l'Invincible Armada espagnole dans la Manche.

1589 EUROPE : assassinat du roi de France Henri III.

EUROPE : Moscou érigé en patriarcat indépendant de Constantinople.

1590 EMPIRE OTTOMAN : paix d'Istanbul entre la Turquie et l'Iran.

1591 AFRIQUE : conquête de la boucle du Niger par le Maroc (bataille de Tondibi).

1592 CHINE : mutinerie de la garnison frontalière de Ning Sia.

JAPON : première expédition japonaise en Corée.

1593 AFRIQUE : construction par les Portugais du Fort-Jésus à Mombasa.

1594 EUROPE : entrée du roi de France, Henri IV, à Paris.

1596 AFRIQUE : érection de San Salvador, capitale du Congo, comme siège épiscopal.

(novembre) JAPON : arraisonnement du galion espagnol *San Felipe*.

1597 *(janvier)* JAPON : exécution de chrétiens à Nagasaki.

JAPON : deuxième expédition japonaise en Corée.

1598 EUROPE : traité de Vervins entre la France et l'Espagne.

EUROPE : paix de religion en France (édit de Nantes).

EUROPE : échec de la conquête de la Suède par le roi de Pologne Sigismond III Vasa.

1600 CHINE : répression de l'insurrection des Miao dans le Se Tchouan et le Kouei Tcheou.

1601 *(janvier)* EUROPE : traité de Lyon entre la France et le duché de Savoie.

1602 EUROPE : création de la Compagnie hollandaise des Indes orientales (VOC).

1603 JAPON : fondation du shogunat d'Edo.
1604 EUROPE : traité de Londres entre l'Angleterre et l'Espagne.
EUROPE : séparation des deux couronnes de Pologne et de Suède (acte de succession de Norrköping).
1605 EUROPE : début du « Temps des troubles » en Russie.
1606 *(11 novembre)* EUROPE : paix de Szitvatorok entre l'Empire ottoman et l'empereur Rodolphe II.
1607 JAPON : grande ambassade coréenne à Edo.
1608 AMÉRIQUE : fondation de Québec par Champlain.
AFRIQUE : première ambassade congolaise à Rome.
1609 EUROPE : trêve de Douze Ans entre l'Espagne et les Provinces-Unies.
(avril) JAPON : conquête de l'archipel d'Okinawa par le Japon.
1609-1614 EUROPE : expulsion des morisques d'Espagne.
1610 EUROPE : assassinat du roi de France Henri IV.
JAPON : ambassade du marchand Tanaka Shosuke en Amérique et en Europe.
1612 EMPIRE OTTOMAN : paix d'Istanbul entre la Turquie et l'Iran.
1613 EUROPE : fin du « Temps des troubles » en Russie et nouvelle dynastie des Romanov.
1615 JAPON : élimination des Toyotomi par les Tokugawa.
1616 CHINE : nouvelle révolte paysanne du Lotus blanc.
1617 AFRIQUE : fondation de Benguela en Angola par les Portugais.
1619 CHINE : défaite des Chinois devant les Mandchous dans le Liao Ning.
OCÉAN INDIEN : fondation de Batavia (Djakarta) par les Hollandais.
1622 INDE : conquête d'Ormuz sur les Portugais par l'Iran.
1624 JAPON : fermeture du Japon aux Espagnols.
1636 JAPON : expulsion des Portugais.

Bibliographie

Généralités

BRAUDEL (F.), *Civilisation matérielle, Économie et Capitalisme (XVᵉ-XVIIIᵉ siècles)*, t. 1, *Les Structures du quotidien ;* t. 2, *Les Jeux de l'échange ;* t. 3, *Le Temps du monde,* Paris, Armand Colin, 1967.

BLACK (J.), *War and the World. Military Power and the Fate of Continents, 1450-2000,* New Haven, 1998.

CROUZET (M.), sous la direction de, *Histoire générale des civilisations,* vol. IV : *Les XVIᵉ et XVIIᵉ siècles,* par Mousnier (R.), Paris, PUF, 1965.

KENNEDY (P.), *Naissance et Déclin des grandes puissances. Transformations économiques et conflits militaires entre 1500 et 2000,* Paris, Payot, 1989.

LÉON (P.), sous la direction de, *Histoire économique et sociale du monde,* vol. 1, *L'Ouverture du monde,* sous la direction de BENNASSAR (B.) et CHAUNU (P.), Paris, Armand Colin, 1977 ; vol. 2, *Les Hésitations de la croissance, 1580-1740,* sous la direction de DEYON (P.) et JACQUART (J.), Paris, Armand Colin, 1978.

WALLERSTEIN (I.), *The Modern World-System,* vol. 1, *Capitalist Agriculture and the Origins of the European World-Economy in the Sixteenth Century,* New York,

1974 ; vol. 2, *Mercantilism and the Consolidation of the European World-Economy, 1600-1750*, New York, 1980.

Europe

ALLEN (P. C.), *Philip III and the Pax Hispanica, 1598-1621. The Failure of Grand Strategy*, New Haven-Londres, 2000.

ANDERSSON (I.), *Histoire de la Suède des origines à nos jours*, Roanne, Horvath, 1973.

BÉRENGER (J.), *Histoire de l'empire des Habsbourg, 1273-1918*, Paris, Fayard, 1990.

BRAUDEL (F.), *La Méditerranée et le Monde méditerranéen à l'époque de Philippe II*, 5ᵉ éd., 2 vol., Paris, Armand Colin, 1989.

BRAUDEL (F.), *Autour de la Méditerranée*, Paris, De Fallois, 1996.

CHRISTIN (O.), *La Paix de religion. L'autonomisation de la raison politique au XVIᵉ siècle*, Paris, Éd. du Seuil, 1997.

ELLIOTT (J. H.), *Imperial Spain, 1469-1716*, 4ᵉ éd., Londres, 1981.

Governare il mondo. L'impero spagnolo dal XV al XIX secolo, a cura di Ganci (M.) e Romano (R.), Palermo, 1991.

ISRAEL (J.), *The Dutch Republic. Its Rise, Greatness and Fall, 1477-1806*, Oxford, 1995.

KAMEN (H.), *Felipe de España*, Madrid, 1997.

KIRBY (D.), *Northern Europe in the Early Modern Period. The Baltic World, 1492-1772*, New York, 1990.

KOENIGSBERGER (H. G.), *La Practica del Imperio*, Madrid, 1989.

LANE (F. C.), *Venise, une république maritime*, Paris, 1985.

LAPEYRE (H.), *Les Monarchies européennes du XVIᵉ siècle. Les relations internationales*, Paris, PUF, 1973.

LYNCH (J.), *Spain 1516-1598. From Nation to World Empire,* Cambridge, 1991.

MUSI (A.), sous la direction de, *Nel sistema imperiale, l'Italia spagnola,* Naples, 1994.

The New Cambridge History of Europe, vol. 1, *The Renaissance, 1493-1520,* POTTER (G. R.) (ed.), Cambridge, 1957 ; vol. 2, *The Reformation, 1520-1559,* ELTON (G. R.) (ed.), 2d ed., Cambridge, 1990 ; vol. 3, *The Counter-Reformation and the Price Revolution, 1559-1610,* Wernham (L. B.) (ed.), Cambridge, 1968.

PARKER (G.), *Felipe II,* Madrid, 1984.

PARKER (G.), *La Gran Estrategia de Felipe II,* Madrid, 1998.

PRODI (P.), *Il Sovrano Pontefice. Un corpo e due anime : la monarchia papale nella prima età moderna,* Bologne, 1982.

RADY (M.), *The Emperor Charles V,* Londres, 1988.

RIASANOVSKY (N. V.), *Histoire de la Russie des origines à 1984,* Paris, Robert Laffont, 1987.

ROBERTS (M.), *The Swedish Imperial Experience, 1560-1718,* Cambridge, 1979.

RODRIGUEZ-SALGADO (M. J.), *Metamorfosi di un impero. La politica absburgica da Carlo V a Filippo II (1551-1559),* Milan, 1994.

SALLMANN (J.-M.), *Charles Quint. L'empire éphémère,* Paris, Payot, 2000.

Islam

BENNASSAR (B.), BENNASSAR (L.), *Les Chrétiens d'Allah. L'histoire extraordinaire des renégats, XVIe-XVIIe siècle,* Paris, Perrin, 1989.

BERTHIER (P.), *La Bataille de l'oued el-Makhazen dite bataille des Trois Rois (4 août 1578),* Paris, Éd. du CNRS, 1984.

BONO (S.), *Corsari nel Mediterraneo. Cristiani e musulmani fra guerra, schiavitù e commercio,* Milan, 1993.

BRUMMETT (P.), *Ottoman Seapower and Levantine Diplomacy in the Age of Discovery,* New York, 1994.

The Cambridge History of Iran, vol. 6, *The Timurid and Safavid Periods,* JACKSON (P.) et LOCKHART (L.) (ed.), Cambridge, 1986.

KABLY (M.), *Société, Pouvoir et Religion au Maroc à la fin du Moyen Âge,* Paris, Maisonneuve et Larose, 1986.

LEWIS (B.), *Comment l'islam a découvert l'Europe,* Paris, Gallimard, 1984.

MANTRAN (R.), sous la direction de, *Histoire de l'Empire ottoman,* Paris, Fayard, 1989.

MELVILLE (C.), sous la direction de, *Safavid Persia. The History and Politics of an Islamic Society,* Londres, 1996.

SCARAFFIA (L.), *Rinnegati. Per una storia dell'identità occidentale,* Bari, 1993.

Guerre, paix, diplomatie

BAUMANN (R.), *Landknechte. Ihre Geschichte und Kultur vom späten Mittelalter bis zum Dreissigjährigen Krieg,* Munich, 1994.

BÉLY (L.), sous la direction de, *L'Invention de la diplomatie. Moyen Âge-Temps modernes,* Paris, PUF, 1998.

Guerre et Paix dans la pensée d'Érasme. Introduction, choix de textes, commentaires et notes par Margolin (J.-C.), Paris, Aubier-Montaigne, 1973.

HALE (J. R.), *War and Society in Renaissance Europe (1450-1620),* Londres, 1985.

HALL (B. S.), *Weapons and Warfare in Renaissance Europe. Gunpowder, Technology and Tactics,* Chicago, 1997.

HASSIG (R.), *Mexico and the Spanish Conquest,* Londres-New York, 1994.

JEDRUCH (J.), *Constitutions, Elections and Legislatures of Poland, 1493-1993. A Guide to their History,* New York, 1998.

LADERO QUESADA (M. A.), *Castilla y la Conquista del Reino de Granada,* Valladolid, 1967.

LOCKHART (J.), *The Men of Cajamarca. A Social and Biographical Study of the First Conquerors of Peru,* Austin, 1972.

MATTINGLY (G.), *Renaissance Diplomacy,* Londres, 1955.

PARKER (G.), *El Ejército de Flandes y el Camino Español, 1567-1659,* Madrid, 2000 (1re éd. 1972).

PARKER (G.), *Military Innovation and the Rise of the West, 1500-1800. The Military Revolution,* Cambridge, 1988.

PÉREZ TURRADO (Gaspar), *Las Armadas españolas de Indias,* Madrid, 1991.

PIERI (P.), *Il Rinascimento e la Crisi militare italiana,* Turin, 1952.

QUATREFAGES (R.), *Los Tercios españoles,* Madrid, 1983.

ROBERTS (M.), *The Military Revolution,* Belfast, 1956.

STRADLING (R. A.), *The Armada of Flanders. Spanish Maritime Policy and European War, 1568-1668,* Cambridge, 1992.

THOMPSON (I. A. A.), *War and Society in Habsburg Spain,* Adelshot, 1992.

Amérique

BERNAND (C.), GRUZINSKI (S.), *Histoire du Nouveau Monde,* vol. 1, *De la découverte à la conquête, 1492-1550,* Paris, Fayard, 1991 ; vol. 2, *Les Métissages, 1550-1640,* Paris, Fayard, 1993.

BRAUDEL (F.), MOLLAT DU JOURDIN (M.), *Le Monde de Jacques Cartier : l'aventure au XVIe siècle,* Montréal-Paris, Berger-Levrault, 1984.

The Cambridge History of Latin America, vol. 1-2, *Colonial Latin America,* BETHELL (L.) (ed.), Cambridge, 1984.

CHAUNU (P.), *Conquête et Exploitation des nouveaux mondes,* Paris, PUF, 1969.

COOK (N. D.), *Born to Die. Disease and New World Conquest, 1492-1650,* Cambridge, 1998.

Handbuch der Geschichte Lateinamerikas, vol. 1, *Mittel-, Südamerika und die Karibik bis 1760,* herausgegeben von PIETSCHMANN (H.), Stuttgart, 1994.

JULIEN (C.-A.), *Les Voyages de découverte et les Premiers Établissements français (XVᵉ-XVIᵉ siècle),* Paris, PUF, 1948.

Récits aztèques de la Conquête. Textes choisis et présentés par Baudot (G.) et Todorov (T.), Paris, Éd. du Seuil, 1983.

Afrique

BALANDIER (G.), *La Vie quotidienne au royaume de Kongo du XVIᵉ au XVIIIᵉ siècle,* Paris, Hachette, 1192.

The Cambridge History of Africa, vol. 3, *From c. 1050 to c. 1600,* PLIVER (R.) (ed.), Cambridge, 1977.

DESCHAMPS (H.), sous la direction de, *Histoire générale de l'Afrique noire, de Madagascar et des Archipels,* t. 1, *Des origines à 1800,* Paris, PUF, 1970.

Histoire générale de l'Afrique, vol. 4, *L'Afrique du XIIᵉ au XVIᵉ siècle,* sous la direction de NIANE (D. T.), Paris, UNESCO, 1985.

MEILLASSOUX (C.), *Anthropologie de l'esclavage : le ventre de fer et d'argent,* Paris, PUF, 1986.

Asie

BOURDON (L.), *La Compagnie de Jésus et le Japon, 1547-1570,* Lisbonne-Paris, Fondation Calouste-Gubelkian, 1993.

BOXER (G. R.), *The Christian Century in Japan, 1549-1650,* Manchester, 1993 (1re éd., 1951).

The Cambridge History of China, The Ming Dinasty, 1368-1644, MOTE (F. W.) et TWITCHETT (D.) (ed.), Cambridge, 2 vol., 1988-1998.

The New Cambridge History of India, vol. I-1, *The Portuguese in India,* PEARSON (M. N.) (ed.), Cambridge, 1987; vol. I-2, *Vijayanagar,* STEIN (B.) (ed.), 1989; vol. I-5, *The Mughal Empire,* 1993.

The Cambridge History of Japan, vol. 3, *Medieval Japan,* YAMAMURA (K.) (ed.), Cambridge, 1990; vol. 4, *Early Modern Japan,* HALL (J. W.) (ed.), Cambridge, 1991.

The Cambridge History of Southeast Asia, vol. 1, *From Early Times to c. 1800,* TARLING (N.) (ed.), Cambridge, 1992.

ELISON (G.), *Deus Destroyed. The Image of Christianity in Early Modern Japan,* Harvard, 1988.

GERNET (J.), *Le Monde chinois,* Paris, 3e éd., Armand Colin, 1990.

GIL (J.), *Hidalgos y Samurais. España y Japon en los siglos XVI y XVII,* Madrid, 1991.

HANNA (W.), *Indonesian Banda,* Philadelphie, 1978.

HÉRAIL (F.), sous la direction de, *Histoire du Japon,* Roanne, Horvath, 1990.

HUANG (R.), *1587 : le Déclin de la dynastie des Ming,* Paris, PUF, 1985.

KNAUTH (L.), *Confrontación transpacifica. El Japon y el nuevo mundo hispanico, 1542-1639,* Mexico, 1972.

MARKOVITS (C.), sous la direction de, *Histoire de l'Inde moderne, 1480-1950,* Paris, Fayard, 1994.

SANSOM (G.), *Histoire du Japon. Des origines au début du Japon moderne,* Paris, Fayard, 1988 (1re éd. angl. 1974).

SOUYRI (P. F.), *Histoire du Japon. Le Monde à l'envers. La dynamique de la société médiévale,* Paris, Maisonneuve et Larose, 1998.

SUBRAHMANYAM (S.), *L'Empire portugais d'Asie, 1500-1700. Histoire politique et économique,* Paris, Maisonneuve et Larose, 1999.

Index des noms de personnes

A

Abbas, chah d'Iran, 94, 124, 130, 131-134, 138, 141, 202
Abdullah Khan, 114, 115
Abou Bakr, 133
Abul Fazl, 112, 116
Achyuta Deva Raja, 100
Adams (William), 345
Adham Khan, 108
Adil (dynastie), 115
Affono Ier, roi du Congo, 162
Ahmed al-Mançour, 135
Ahmed ibn-Ibrahim al Ghazi, 167
Ahmed Ier, sultan ottoman, 95
Ahmed, prince ottoman, 76, 79, 123
Ahmed Pacha, 82, 86
Ailly (Pierre d'), 50
Aïnous (peuple), 330
Akamatsu (famille), 19
Akan (peuple), 45

Akbar, empereur moghol, 99, 102-116, 133, 136, 175, 352
Akeshi Mitsuhide, 320
Alaouites (dynastie), 135
Albe (duc d'), 236, 243-246
Albert (infant, archiduc), 254, 257
Albert de Brandebourg-Ansbach, 266
Albuquerque (Afonso de), 171, 172, 195
Alexandre VI (Rodrigo Borgia), pape, 50, 58, 70, 158, 173, 213, 214, 216
Ali, prince safavide, 120
Ali Quli Khan, 131
Ali Shah, 115
Alkass Mirza, 87, 125, 127
Allahvardi Khan, 131
Almagro (Diego de), 191, 192, 194
Almagro (Diego de, el Mozo), 193
Almeida (Francisco de), 171, 180

Alphonse V le Magnanime, roi d'Aragon, de Naples et de Sicile, 46, 57, 58, 213

Alphonse V, roi de Portugal, 55, 154

Alphonse X le Sage, roi de Castille, 148

Altan, 302, 303

Alvand, 121

Alvarado (Pedro de), 194

Alvares (Francisco), 167

Alvaro Iᵉʳ, roi du Congo, 163

Alvaro II, roi du Congo, 163

Amako (famille), 315

Amir Husain, 174

Anastasia Romanova, tsarine de Russie, 270, 271

Andrade (Fernão de), 337

Andrade (Simão de), 337

Ango (Jean), 198

Anjou (maison d'), 57-59, 61, 212

Anne d'Autriche, reine de France, 259

Anne Jagellon, 225

Antonio, prieur de Crato, 246

Aq Qyunlu (Moutons Blancs) (tribu), 39, 71, 74, 120

Araucan (peuple), cf. Mapuche

Arima (famille), 340

Arima Jarunobu, 331

Arminius (Jakob Harmensen), 258

Asaï (famille), 319

Asakura (famille), 319

Ashikaga (famille), 19, 309, 319

Ashikaga Yoshiaki, 318, 321

Ashikaga Yoshimitsu, 18

Ashikaga Yoshinori, 19

Ashikaga Yoshitero, 318, 325

Askari, 104

Askia Mohammed, 44, 161

Atahualpa, empereur inca, 191, 192

Aurangzeb, empereur moghol, 134, 136

Aviz (dynastie), 55, 145, 148, 246, 343

Aztèques, 184, 198

B

Babur, empereur moghol, 29, 102-104, 269

Bahadur, sultan du Gujarat, 175, 179

Bahram Mirza, 127

Bairan Khan, 107, 108

Bajazet Iᵉʳ, sultan ottoman, 31

Bajazet II, sultan ottoman, 69-71, 73, 75, 76, 79, 120, 122, 123

Bajazet, prince ottoman, 88

Barberousse (Arudj), 81

Barberousse (Khayr al-Din, dit), 81, 87-90, 230

Basile III, prince de
   Moscovie, 269
Basmanov (Théodore), 275
Batü Möngke, 302
Bautista (Pedro), 343
Baz Bahadur, 108
Beni Saad (confrérie), 135
Benoît XIV, pape, 348
Boabdil, 42
Bocskai (Étienne), voïvode
   de Transylvanie, 95
Bodin (Jean), 211
Boris Godounov, tsar de
   Russie, 273-75
Bourbon (Charles de),
   connétable de France, 221,
   224
Bousbecq (Guislain de), 137
Bulgares (peuple), 30
Burma (peuple), 299, 300

C

Cabot (John), 201
Cabral (Pedro Álvares), 169,
   172, 181
Caghatay (tribu), 102
Calvin (Jean), 200
Campanella (Tommaso),
   239
Cañari (peuple), 186
Cão (Diogo), 155
Cartier (Jacques), 199
Casimir IV, roi de Pologne,
   61, 62

Catherine d'Aragon, reine
   d'Angleterre, 240
Catherine de Médicis, reine
   de France, 237, 245
Catherine Jagellon, reine de
   Pologne, 264
Cerqueira (Luis de), 344
Chak (dynastie), 115
Champa (peuple), 21
Champlain (Samuel de), 201
Chancellor (Richard), 202
Chang Chü-cheng, 295,
   296
Charles IX, roi de Suède,
   264, 265
Charles le Téméraire, duc de
   Bourgogne, 53, 54, 218
Charles IV de Luxembourg,
   empereur, 52
Charles V (Charles Quint),
   empereur, 78, 85, 88-90,
   141, 146, 190, 191, 193-
   197, 211, 217-226, 228-
   235, 237, 240-242, 245
Charles VII, roi de France,
   53
Charles VIII, roi de France,
   54, 58, 70, 212-214, 237
Charles IX, roi de France,
   137, 200, 250
Charles X (cardinal de
   Bourbon), roi de France
   illégitime, 253
Charles-Emmanuel, duc de
   Savoie, 252, 256
Ch'en Ning, 293

Cheng-te (Chu Hou-chao), empereur de Chine, 289, 292, 293, 338

Chia-Ching (Chu Han-t'sung), empereur de Chine, 293, 294, 300

Chibcha (peuple), 183

Chien-chou (tribu), cf. Mandchous

Chosogabe Motochika, 320

Choson (dynastie), 20, 298, 330

Chouïski (André), 269

Christian II, roi de Danemark, 261, 262

Christian III, roi de Danemark, 262

Chu Ch'en-hao, 293

Chu Chih-fan, 292

Chu Wan, 307

Clément VII, pape, 221-224

Clément VIII, pape, 138, 141, 254, 255

Cobo (Juan), 343

Coelho (Gaspar de), 327, 342

Coligny (Gaspard de), 200, 239, 245

Colomb (Bartolomé), 156

Colomb (Christophe), 7, 12, 56, 60, 156, 158, 159, 181

Conti (Niccolò de'), 23

Cornaro (Catherine), 34

Cortés (Hernán), 187-190, 192, 195, 199

Costa (Soeiro da), 151

Covilha (Pero da), 155, 166

Cuauhtémoc, empereur aztèque, 189, 190

D

Daniyal, 116

Darayisun, 303

Date Masamune, 332

Daud Karrani, 110

David, prince géorgien, 126

Devlet-Giray, khan tatar, 272

Dhammaceti, 28

Dias (Bartolomeu), 44, 155

Dias (Dinis), 150

Dimitri (Félon de Touchino), 275-277

Dimitri d'Ouglitch, 273, 274

Dimitri Donskoï, prince de Moscovie, 63

Dimitri, fils d'Ivan IV, 271

Diogo Ier, roi du Congo, 162

Djem, prince ottoman, 69, 70, 73, 83

Djihangir, empereur moghol, 116

Djihangir, prince ottoman, 88

Doria (Andrea), 89, 221, 231

Dragut, 89, 90, 234

Drake (Francis), 202, 245, 249, 250

Dudley (Robert), 248, 249

E

Eanes (Gil), 150
Édouard VI, roi
    d'Angleterre, 240
Egmont (Lamoral, comte d'),
    243
Elcano (Juan Sebastián),
    195
Éléonore de Habsbourg,
    reine de France, 222
Élisabeth de Valois, reine
    d'Espagne, 237, 253
Élisabeth Ire, reine
    d'Angleterre, 203, 241,
    245, 248-251, 257, 283
Emmanuel-Philibert, duc de
    Savoie, 236, 237
Empoli (Giovanni da), 337
Enghien (duc d'), 231
Erik XIV, roi de Suède, 263
Escobar (Pero), 151
Espinoza (Gaspar de), 191
Étienne Báthory, voïvode de
    Transylvanie et roi de
    Pologne, 268

F

Faizi, 112
Falashas (peuple), 46
Fanti (peuple), 161
Farnèse (Alexandre), duc de
    Parme, 204, 247-254
Farruqi (dynastie), 115

Fedor Ier, tsar de Russie,
    273-275
Fedor II, tsar de Russie, 275
Feng-Pao, 296
Ferdinand Ier de Habsbourg,
    empereur, 78, 85, 86, 90,
    91, 225, 228, 229, 234, 235
Ferdinand le Catholique, roi
    d'Aragon, 56, 58, 154,
    158, 190, 214-217
Ferrante, roi de Naples, 58
Ferreira (Cristovão), jésuite,
    347
Fleury (Jean), 198
Francesco Sforza, duc de
    Milan, 230
François de Guise, 244
François Ier, roi de France,
    78, 88, 137, 199, 217-220,
    222, 224, 226, 229-232,
    354
François Xavier, 180, 339,
    340
François, duc d'Alençon
    (puis d'Anjou), 247, 248,
    251
Frédéric Ier, roi de
    Danemark, 262
Frédéric Ier, roi de Naples,
    215
Frédéric II de Hohenstaufen,
    empereur, 51
Frédéric III de Habsbourg,
    empereur, 51, 53, 222
Frédéric III le Sage, Électeur
    de Saxe, 228

Frobisher (Martin), 202
Fründsberg (Georg von), 221
Fucan (Fabian), 346
Fugger (famille), 205

G

Gama (Vasco de), 11, 12, 156, 169, 170, 172, 334
Gaston de Foix, 217
Gelawdewos, empereur d'Éthiopie, 167
Gengis Khan, 29, 30, 63, 102
Gennadios, 39
Gerson (Jean), 50
Gilbert (Humphrey), 203
Giovanni da Montecorvino, 22
Gomar (François), 259
Gomes (Fernão), 151
Gond (tribu), 100
Gonzalve de Cordoue, 111, 215
Gourgues (Dominique de), 201
Govinda, 102
Goyosei, empereur du Japon, 321, 323
Granvelle (Antoine Perrenot de), 242, 243
Grégoire XIII, pape, 341
Guacanagari, 158
Guanches (peuple), 149
Guillaume d'Ockham, 49

Guillaume de Juliers, duc de Clèves, 231
Guillaume Iᵉʳ de Nassau, le Taciturne, 243-245, 247-249, 252
Guillaume-Louis de Nassau, 239
Gujapati (dynastie), 27, 100, 102
Gustave Iᵉʳ Vasa, roi de Suède, 262-264
Gustave II Adolphe, roi de Suède, 111, 277

H

Habsbourg (dynastie), 52, 78, 85, 92, 95, 136-138, 203, 211, 218, 225, 227, 228, 233, 235, 237
Hadim Ali Pacha, 76
Hafsides (dynastie), 41
Haidar, père de chah Ismaïl, 119, 120
Haidar, prince safavide, 129
Hamida Begam, 108
Hamza Mirza, 130, 131
Han (peuple), 290
Hanse, 52, 263
Hasekura Tsunenaga, 332
Hatakeyama (famille), 318
Hawkins (John), 202, 250
Henri II, roi de France, 137, 199, 200, 233, 236, 237, 354

Henri III (Henri d'Anjou),
   roi de France, 247, 249-
   251, 253, 255, 268
Henri IV (Henri de Navarre),
   roi de France, 137, 201,
   239, 248, 251-256, 259
Henri II de Trastamare, roi
   de Castille, 145
Henri IV, roi de Castille, 55
Henri le Cardinal, roi de
   Portugal, 246
Henri le Navigateur (don
   Henrique), 150, 151
Henri VII, roi d'Angleterre,
   55, 202
Henri VIII, roi d'Angleterre,
   217, 240, 241
Henrique, prince congolais,
   162
Herbenstein (Sigismond
   von), 269
Hiei (secte du Mt), 318, 319
Hindal, 104
Hojo (famille), 315, 321
Horde d'Or, 30, 63, 64, 137
Hornes (Philippe, comte de),
   243
Hosokawa (famille), 19, 306
Hsia Yen, 295, 300
Huáscar, Inca, 191, 192
Huayna Cápac, Inca, 185,
   191
Hudson (Henry), 206
Humayun, empereur
   moghol, 103-107, 111, 114,
   175

Hurrem (Roxane), 87, 88
Hutten (Ulrich von), 227
Huygen Van Linschoten
   (Jan), 205

I

Ibn Majid, 172
Ibrahim Lodi, 103
Ibrahim Pacha, 82, 85-87,
   127
Ikko (secte), 318, 320
Imad (dynastie), 115
Imagawa (famille), 316, 322
Imagawa Yoshimoto, 318
Immadi Narasimha, 99
Inoue Chikugo, 346
Isabelle la Catholique, reine
   de Castille, 42, 55, 56,
   154, 157-159, 218
Isabelle de Bourbon, 259
Isabelle-Claire-Eugénie,
   infante d'Espagne, 253,
   254, 256
Ishaq II, empereur songhaï,
   161
Ishida Mitsunari, 323
Isidore, 64
Islam Shah, 106
Ismaïl Ier, chah d'Iran, 74,
   75, 80, 118-124, 130, 133
Ismaïl II, chah d'Iran, 103,
   128-130
Ivan III, prince de Moscovie,
   63, 64, 136, 261, 269

Ivan IV le Terrible, tsar de Russie, 207, 208, 269-273, 281

J

Jacques Ier Stuart, roi d'Angleterre, 257, 258
Jaga (peuple), 163
Jagellon, grand-duc de Lituanie, 60, 265
Jagellon (dynastie), 62, 225, 261, 264-268
Jani Bek, 115
Jean Hunyadi, roi de Hongrie, 61
Jean II, roi d'Aragon, 56
Jean II le Bon, roi de France, 220
Jean Ier, roi de Danemark, 260, 261
Jean Ier, roi de Portugal, 150
Jean II le Parfait, roi de Portugal, 151, 154, 155, 157, 158, 166, 170
Jean III, roi de Portugal, 167, 182
Jean III, roi de Suède, 263, 264
Jean le Constant, 228
Jean Szapolyai, voïvode de Transylvanie, 85, 86, 89, 225
Jean Sigismond Szapolyai, voïvode de Transylvanie, 90, 91
Jean-Albert, roi de Pologne, 62, 72
Jean-Frédéric le Magnanime, Électeur de Saxe, 232
Jeanne la Beltraneja, infante de Castille, 154
Jeanne la Folle, reine de Castille et d'Aragon, 218
João Ier, roi du Congo, 162
Job, patriarche de Moscou, 273
Joosten (Jan), 345
Juan d'Autriche (don), 93, 244, 247
Jules II, pape, 216, 217
Junair, 119
Jürchen (peuple), cf. Mandchous

K

Kakizaki (famille), cf. Matsumae
Kakizaki Yoshituro, 330
Kamran, 104-106
Karamani Mehmet Pacha, 68, 69
Karkiya Mirza Ali, 119
Karruk-Yasar, 121
Kateda (famille), 326
Kato Kiyomasa, 328
Kettler (Gotthard), 271

Kinoshita Tokichiro,
cf. Toyotomi Hideyoshi
Kizilbach (armée safavide),
75, 119, 121-131, 352
Knox (John), 241
Konchi.in Suden, 345
Konishi Yukinaga, 328
Korkud, 76
Kourbski (André), 272
Krishna Deva Raja, 99, 100
Kyonyo, 320

L

L'Hospital (Michel de), 245
La Gasca (Pedro de), 183
Ladislas II, roi de Pologne,
61
Ladislas III, roi de Pologne,
61
Ladislas II, roi de Bohême et
de Hongrie, 61, 62, 72,
225
Ladislas Vasa, fils de
Sigismond III de Pologne,
276, 277
Lancastre (dynastie), 55
Las Casas (Bartolomé de),
356
Laudonnière (Goulaine de),
200
Laurent de Médicis (le
Magnifique), 57, 59
Lautrec (Odet de Foix,
vicomte de), 221, 222

Léon X, pape, 226
Lê Thanh Tong, roi du Dai
Viêt, 21
Lerma (duc de), 256, 258
Li (peuple), 290
Li Ju-sung, 303
Li Zhizao, 339
Li Zicheng, 290
Lima (Rodrigo de), 166
Liu Chin, 292
Loaisa (Jofre de), 196
Lodi (dynastie), 26, 103, 104
López de Legazpi (Miguel),
197, 331
Lopez de Villalobos (Ruy),
197
Louis II, roi de Bohême et
de Hongrie, 84, 85, 225
Louis IX, roi de France, 40
Louis XI, roi de France, 54,
56, 58
Louis XII, roi de France, 54,
214-217
Louis XIII, roi de France,
259
Louise de Savoie, 222
Ludovic Sforza le More, duc
de Milan, 58, 213, 214
Lung-Ch'ing (Chu Tsai-
hou), empereur de Chine,
295
Luque (Hernando de), 191
Lusignan (dynastie), 34
Luther (Martin), 225-229,
232

M

Macaire, 270
Machiavel (Nicolas), 211
Maeda Toshiie, 323
Magellan (Fernand de), 195, 196
Magyars (peuple), 61, 225
Mahfuz, 166
Mahmoud Shah, 105
Malik Ayaz, 174
Malintzin, 187
Malocello (Lancellotto), 149
Mamelouks (dynastie), 40, 41, 70, 72, 121, 173
Manco Cápac, Inca, 192, 193
Mandchous (peuple), 8, 290, 296, 297, 300, 303, 328
Manuel Iᵉʳ le Fortuné, roi de Portugal, 155, 160, 167, 169, 170, 338
Manuel, roi du Soyo, 162
Mapuche (peuple), 186, 194
Marguerite d'Autriche, 222
Marguerite de Flandre, 53
Marguerite de France, duchesse de Savoie, 237
Marguerite de Parme, 243
Marie de Habsbourg, reine de Hongrie, 225
Marie Stuart, reine d'Écosse, 240, 241, 245
Marie Tudor, reine d'Angleterre, 234

Martins (Pedro), 344
Martinuzzi (Georges Utjesenovich, dit), cardinal, 91
Mathias Corvin, roi de Hongrie, 61, 71, 72
Mathias, archiduc, 247
Matsudaira (famille), 322
Matsumae (famille), 330
Matsuura (famille), 326
Maurice de Nassau, 249, 252, 254, 257
Maurice de Saxe, 232, 233
Maximilien Iᵉʳ de Habsbourg, empereur, 214, 215, 218, 219, 222, 226
Maximilien II de Habsbourg, empereur, 91, 92, 234
Mayas (peuple), 184, 186
Mayenne (Charles de Lorraine, duc de), 251
Médicis (dynastie), 58, 213
Médicis (Alexandre de), archevêque de Florence, 255
Medina Sidonia, duc, 249
Mehmet II, sultan ottoman, 31, 34, 39, 48, 61, 68-70, 72, 83, 118, 280
Mehmet III, sultan ottoman, 91, 94, 95
Melanchthon (Philipp), 229, 232
Mello Coutinho (Martim Affonso de), 338
Mendoza (Antonio de), 190

Mercœur (Philippe Emmanuel de Lorraine, duc de), 252

Mercurino da Gattinara, 219

Mérinides (dynastie), 41, 135

Miao (peuple), 290

Michel Romanov, tsar de Russie, 277

Ming (dynastie), 8, 15, 17, 22, 287, 289, 292, 296, 298, 300, 304, 305, 322, 327, 336, 354

Minine (Kouzma), 277

Mirza Muhammad Hakim, 109, 114

Mirza Suleiman, 104

Mixtèques (peuple), 184

Miyoshi (famille), 318

Mniszech (Marina), 275, 277

Moctezuma II, empereur aztèque, 184, 188

Moghols (dynastie), 102, 127, 141, 174, 280, 351

Mongols (peuple), 15, 17, 30, 40, 41, 62, 287, 292-295, 298, 300, 302, 303

Monluc (Blaise de), 234

Monserrate (Antonio), 112

Montmorency (Anne de), 236

Mori (famille), 315, 320

Mori Terumoto, 323

Moskvitianine (Ivan), 208

Mourad II, sultan ottoman, 30

Mourad III, sultan ottoman, 91, 94, 129

Mourad, prince ottoman, 76, 123

Mourad, prince moghol, 112, 116

Mourad, khan des Moutons Noirs, 121

Moutons Blancs, cf. Aq Qyunlu

Moutons Noirs, cf. Qara Qyunlu

Muhammad Khudabanda, chah d'Iran, 129, 130

Muhammad Sultan Mirza, 109

Muromachi (shogunat), 309, 325, 329

Murshid Quli Khan, 131

Mustafa, prince ottoman, 88

Muza al Kazim, septiène imam, 118, 119

Muzaffar III, sultan du Gujarat, 110

N

Narasa Nayaka, 99

Nasrides (dynastie), 41

Nayaks (caste), 100, 172, 173

Nicolas V, pape, 151

Nilsson (Svante), 260

Nizam (dynastie), 115, 116

Noronha (Garcia de), 167

Nour ibn Moudjahid, 167
Nuñez de Balboa (Vasco),
    183
Nuñez de Vela (Blasco),
    193
Nurhaci, khan des
    Mandchous, 303-305

O

Oda (famille), 315, 322
Oda Nobunaga, 281, 308,
    309, 314, 315, 318-323,
    328, 335, 341
Ogimachi, empereur du
    Japon, 319
Oïrats (tribu), 303
Oldenbarnevelt (Jan Van
    Barnevelt, dit), 259
Olid (Cristóbal de), 190
Omar, 133
Omura (famille), 326
Omura Sumitada, 340
Ordo (tribu mongole), 302
Ordre des chevaliers de
    Saint-Jean-de-Jérusalem
    (puis de Malte), 34, 70, 83,
    84, 89, 90, 92, 200
Ordre des chevaliers Porte-
    Glaive, 261, 266, 271
Ordre des chevaliers
    Teutoniques, 60, 261, 266
Orléans (maison d'), 54
Osmanli (tribu), 30, 37
Othman, 133

Otomi (peuple), 184
Otomo (famille), 329, 340
Otrepiev (Grégoire), le Faux
    Dimitri, 274
Ottomans (dynastie), 9, 30,
    34, 35, 38, 41, 48, 71, 72,
    75, 84, 90, 92, 117, 124,
    125, 129, 132, 135, 173,
    352, 353
Ouchi (famille), 306, 315,
    316, 325, 326
Ouïgours (peuple), 299
Ouzbeks (peuple), 114, 120,
    122, 124-127, 129, 132
Ovando (Nicolas de), 159

P

Padilla (Martin de), 250
Paez (Pero), 167
Parmentier (frères), 198
Paul III, pape, 230, 232
Paul IV, pape, 236
Petru Rares, voïvode de
    Moldavie, 90
Philarète, patriarche de
    Moscou, 277
Philippe II, roi d'Espagne,
    88, 92, 93, 142, 195, 200,
    232, 234, 236, 237, 239-
    257, 283, 332, 334, 335,
    343
Philippe III, roi d'Espagne,
    138, 141, 239, 256-258,
    283

Philippe IV, roi d'Espagne, 259

Philippe le Hardi, duc de Bourgogne, 53

Philippe le Magnanime, 228

Philippe, métropolite de Moscou, 272

Piast (dynastie), 265

Pie II, pape, 49

Pie V, pape, 92, 245

Pierre Ier le Cruel, roi de Castille, 145

Pierre le Grand, tsar de Russie, 278

Pinzón (Martín Alonso), 158

Pires (Tomé), 338

Piri Mehmet Pacha, 82

Piri Reis, 90, 174

Pizarro (Francisco), 191-194

Pizarro (Gonzalo), 193, 194

Q

Qansouh al-Gourî, sultan d'Égypte, 41, 80

Qara Qyunlu (Moutons Noirs) (tribu), 39, 117, 120, 121

Qaytbay, sultan d'Égypte, 41, 121

Quli, 123

Qutb (dynastie), 115

R

Raja Man Singh, 110

Rajput (peuple), 25, 27, 97, 99, 102, 104, 109, 113

Raleigh (Walter), 203

Rama Raja, 100

Rana Sanga, 104

René d'Anjou, roi de Naples, 57, 212, 213

Requesens (Luis de), 244

Ribault (Jean), 200

Ricci (Matteo), 339, 340

Richelieu, cardinal, 201

Roberval (Jean-François de La Roque de), 199

Rodolphe II de Habsbourg, empereur, 94, 137, 354

Rodriguez de Fonseca (Juan), 159

Rombulo (Pietro), 46

Ruggieri (Michele), 339

Rustem Pacha, 87

S

Safavides (dynastie), 9, 39, 74, 75, 77, 79, 103, 114, 115, 117-125, 127, 132, 135, 139

Safi al-Din Ishaq, 117-119

Saito Dosan, 315

Salim Chishti, 114

Sam Mirza, 125

Santa Cruz (marquis de), 246, 249

Santal (tribu), 100

Santarem (João da), 151

Satsuma (famille), 326

Savonarole (Jérôme), 213

Sayyid Fayyaz, 122

Sébastien, roi de Portugal, 135, 200, 246, 334, 350

Sélim Ier, sultan ottoman, 75, 76, 79, 80-83, 94, 122, 168

Sélim II, sultan ottoman, 91, 92

Sforza (dynastie), 58, 214, 217

Shaikh Mubarak, 112

Shakespeare (William), 92

Shamlu (tribu), 131

Sharley (Robert et Anthony), 132, 202

Shen Ch'üeh, 340

Sher Shah Sur, 105

Shiba (famille), 315

Shibata (famille), 320

Shibata Katsuie, 320

Shimazu (famille), 330, 331, 342

Shimazu Takahisa, 340

Shingon (secte), 318, 320

Sickingen (Franz von), 227

Sigismond Ier, roi de Pologne, 266

Sigismond II, roi de Pologne, 264, 267

Sigismond III Vasa, roi de Pologne, 264, 265, 268, 276

Sikandar Shah Sur, 106

Silva y Figueroa (Garcia da), 141

Simon Ier, roi de Géorgie, 126

Sixte Quint, pape, 253

So (famille), 330

Sokollu Mehmet Pacha, 92, 94

Soliman le Magnifique, sultan ottoman, 76, 78, 82-89, 92, 125, 127, 128, 137, 138, 174, 224, 225, 269

Sonjo, roi de Corée, 327

Sonni Ali Ber, empereur songhaï, 44

Sotelo (Luis), 332

Soto (Hernando de), 194

Sousa (Tomé da), 182

Sousneyos, empereur d'Éthiopie, 167

Souza (Gonsalves da), 162

Souza (Tomé da), 164

Stéphane le Grand, voïvode de Valachie et de Moldavie, 72

Stroganov (famille), 207

Sture (Sten), 260, 261

Sun Sui, 293

T

Tahmasp, chah d'Iran, 86, 87, 94, 105, 106, 124-128, 131
Takayama Hidanokami, 341
Takayama Ukon, 341, 346
Takeda (famille), 319, 322
Takeda Shingen, 319
Tamerlan, 25, 29, 31, 63, 102, 109, 117, 138
Tanaka Shosuke, 331
Tarasques (peuple), 184
Tatars (peuple), 30, 76, 209, 272, 283
Terre Pure (Véritable Secte de la), 317, 319
Timayya, 172
Timourides (dynastie), 39
Titu Cusi, Inca, 195
Tokugawa (famille), 309, 324
Tokugawa Hidetada, 323, 331
Tokugawa Ieyasu, 288, 308, 309, 314, 318-324, 328-333, 344, 345
Toledo (Francisco de), 195
Totonaques (peuple), 184, 187, 188
Toyotomi Hideyori, 322-324
Toyotomi Hideyoshi, 288, 296, 308, 309, 312, 314, 318-323, 327-332, 341-344
Toyotomi Yodogimi, 324

Tra Toan, roi du Champa, 21
Trastamare (dynastie), 145
Tristão (Nuño), 150
Trolle (Gustav), 262
Ts'u-sheng, 296
Tudor (dynastie), 55
Túpac Yupanqui, Inca, 185
Turgut (tribu), 71, 75

U

Ubaid-Allah Shah, 125
Udai Singh, 109
Urdaneta (Andrès de), 197, 331
Ustajlu (tribu), 131
Uzun Hasan, 117, 118, 121, 124

V

Valdivia (Pedro de), 194
Valignano (Alessandro), 343
Valois (dynastie), 53, 54, 237
Varsak (tribu), 71, 75
Vasa (dynastie), 268
Vassili Chouïski, tsar de Russie, 275, 276
Velázquez (Diego), 186, 188
Verrazzano (Giovanni da), 199
Villegaignon (Nicolas Durand, chevalier de), 200

Vira Narasimha, 99
Visconti (dynastie), 214
Vivero (Rodrigo de), 333
Vladimir de Staritsa, 271, 272
Vytautas, grand-duc de Lituanie, 60, 61

W

Wan-li (Chu I-chün), empereur de Chine, 289, 295-297, 305
Wang Chih, 307
Wang Shou-jen, 293
Wattassides (dynastie), 135

X

Xu Guangqui, 339

Y

Yakub, prince chak, 115
Yakub, khan des Moutons Blancs, 74, 118, 121

Yamana (famille), 19
Yang Hao, 305
Yang T'ing-ho, 293
Yang Tingyun, 339
Yao (peuple), 290
Yen Sung, 294, 295
Yermak, 208
Yeshaq, empereur d'Éthiopie, 46
Yi (dynastie), cf. Choson
Yi Sun-sin, 327
Ying tsung, empereur de Chine, 17, 293
Yonsanogun, roi de Corée, 20
York (dynastie), 55
Yusufzai (tribu), 114

Z

Zang Xianzhong, 290
Zhong He, 17, 18, 287, 299
Zhu Yuanzhang, empereur de Chine, 15
Zoé Paléologue, 64
Zu'l-Faqar, 125
Zwingli (Ulrich), 227

Index des noms géographiques

A

Abruzzes, 215
Abyssinie, 11
Acadie, 201
Acapulco, 197, 308, 327, 331, 332
Accra, 161
Açores, 59, 149, 150, 158, 246
Adana, 71, 72
Aden, 171, 174
Adriatique (mer), 74, 89
Afghanistan, 29, 102, 104-106, 114, 115, 117, 128, 133, 136
Agatchaï, 72
Agnadello, 216
Agra, 103, 105-107, 115, 116
Ahmadabad, 26, 110
Ahmadnagar, 115, 116
Aigues-Mortes, 230
Ain-Djahut, 40
Aix-la-Chapelle, 219, 224, 226.

Akkerman (aujourd'hui Bielgorod Dniestrovski), 71
Aksoum, 167
Alaska, 208
Albanie, 37, 72, 73
Alcacer-Seguer, 135, 151
Alcaçovas, 154
Alentejo, 145
Alep, 41, 80, 81, 86, 88
Alexandrie, 45, 84, 175
Algarve, 145, 150, 154
Alger, 42, 88, 93, 96, 230, 231, 354
Algérie, 81
Allemagne, 47, 50, 52, 146, 204, 218, 223, 225-228, 233, 261
Alsace, 218
Amasya, 76, 88, 123, 128
Amboine, 206
Amecameca, 188
Amida, cf. Diyarbakir
Amiens, 255
Amsterdam, 261, 349

Géopolitique du XVIᵉ siècle

Anaquito, 193
Anatolie, 30, 31, 36, 39, 68-
    72, 74-76, 78-82, 83, 85-
    88, 94, 117-119, 121-123,
    127-129, 225, 351, 352
Anatsa, 167
Andalousie, 145
Andes, 184, 194
Andrinople (aujourd'hui
    Edirne), 76, 92
Anegawa, 319
Angleterre, 47, 50, 52-55,
    56, 137, 141, 146, 157,
    201, 203, 216, 234, 236,
    240, 241, 243, 245, 247-
    250, 254, 255, 257, 258,
    283, 285
Angola, 161, 162, 164, 168
An-hua, 292
Ankara, 31
Annam, 299, 300
Ano Bom, 151
Antalya, 76, 123
Antilles, 147, 156, 158, 159,
    161
Anvers, 59, 198, 203, 204,
    244, 248, 252, 258, 259,
    349
Apennins, 221
Arabie, 25, 99, 353
Aragon, 55-57, 64, 141, 144,
    145, 154, 213, 223, 234,
    250
Araxe, 121
Ardébil, 117, 118, 128, 132
Ardres, 254

Arguin, 44, 150, 151, 154,
    155, 160, 161
Arima, 341
Arkhangelsk, 202
Arles, 51
Arménie, 128, 133
Arques, 251
Arras, 247, 253
Artois, 53, 54, 218, 220,
    222, 247
Arzila, 42, 135, 151
Arzinjan, 123, 124
Asrarabad, 133
Assam, 26
Asti, 216
Astrakhan, 30, 63, 207, 209,
    270-272
Atella, 214
Atjeh, 98, 176, 353
Atlantique (océan), 12, 17,
    41, 64, 143, 144, 147, 148,
    154, 155, 157, 158, 223,
    238, 245
Augsbourg, 146, 228, 232,
    234, 235
Autriche, 51, 91, 95, 216,
    218, 223
Avignon, 49
Axim, 160
Azemmour, 135
Azerbaïdjan, 39, 74, 75, 79,
    80, 86, 87, 94, 117-119,
    123, 125, 128-130, 132-
    134, 351
Azuchi, 320

B

Badajoz, 196
Badakhchan, 104
Bagdad, 30, 40, 75, 86, 121, 125-128, 132, 133, 174
Bahamas (îles), 158
Bahreïn, 133, 138, 141, 202
Bakou, 128
Baléares, 56, 144
Balkans, 47, 48, 64, 71, 74, 77, 82, 90, 225, 279
Balkh, 134
Baltique (mer), 9, 50, 52, 60, 65, 204, 207, 260, 261, 265, 271
Banda (archipel de), 24, 206
Bantam (aujourd'hui Banten), 206
Barcelone, 144
Bardes, 179
Bashkent, 117
Basilicate, 214
Basse-Californie, 197
Bassein, 171
Bassora, 95, 174
Batavia (aujourd'hui Djakarta), 206
Bavière, 51, 228
Bayona, 158
Belgrade, 48, 61, 83-85, 224
Bengale, 25-27, 99, 100, 103, 105, 106, 110, 116, 117, 141, 172, 178, 350
Benguela, 163
Bénin, 45

Bérar, 26, 108, 115, 116
Berbérie, 43
Bergslagen, 262
Béring (détroit de), 208
Berre, 255
Bessarabie, 60
Bidar, 26
Biélorussie, 60, 64, 261, 266, 276, 277
Bihar, 104-107, 109, 110
Bijapur, 26, 115-117, 171, 172, 177
Birmanie, 23, 24, 26, 28
Blanc (cap), 150
Blanche (mer), 203
Blavet, 252, 255
Bodrum, 70, 83
Bohême, 50-52, 61, 62, 72, 235, 266
Bojador (cap), 150
Bolivie, 194
Bologne, 223, 228
Bonne-Espérance (cap de), 44, 155
Bornéo, 16, 24
Bosnie, 31, 37, 72
Bosphore, 31
Boukhara, 114, 121
Bourges, 53
Bourgogne, 51, 54, 217, 219, 221, 222, 234, 251, 254
Brabant, 218, 248, 249, 252, 254
Brandebourg, 51, 52
Bratislava, cf. Presbourg
Breda, 252, 254

Brésil, 155, 161, 169, 181, 198, 199
Bresse, 256
Bretagne, 54, 251, 252
Brie, 251
Brielle, 243
Bristol, 201
Brömsebrö, 262
Bruges, 59
Bruxelles, 233, 234, 243, 248, 252, 253
Buda, 84, 85, 90
Bugey, 256
Bulgarie, 36
Burgos, 193
Bursa, 30, 70, 79, 83
Byzance, 49, 64, 68

C

Cachemire, 27, 115
Cadix, 146, 147, 195, 204, 249, 250
Caffa, 76
Caire, Le, 40, 41, 70, 71, 80, 81
Cajamarca, 191
Calais, 54, 217, 236, 250, 254, 255
Calicut (aujourd'hui Kozhikode), 12, 26, 100, 155, 156, 169, 170, 172, 334
Cambay (golfe de), 171, 174, 175, 178

Cambodge, 21
Cambrai, 216, 219, 222, 254, 255
Canada, 199
Canaries, 59, 149, 151, 154, 155, 158, 161, 257
Cannanore, 26, 28, 100, 170, 171, 173
Cantabrique, 147
Canton, 18, 299, 307, 337-340
Cap-Vert (îles du), 45, 155, 158, 159, 161
Carinthie, 73
Caroline, 203
Caroline du Sud, 199
Caserte, 222
Caspienne (mer), 74, 94, 117, 125, 127, 128, 132
Castille, 12, 42, 50, 55, 56, 60, 64, 141, 145, 148, 150, 154, 156-160, 182, 198, 204, 206, 208, 223, 234, 238
Cathay, 22
Caucase, 74, 95, 128
Caudebec, 253
Cebu (île), 195, 197
Célèbes (îles), 348
Cempoala, 184, 187
Céphalonie, 73
Ceresole d'Alba, 231
Cerignola, 215
Ceuta, 42, 150
Ceylan, 24, 27, 99, 171, 348
Chalco, 188

Chaldée, 180
Champa, 21, 299
Champagne, 220, 231
Champanir, 105
Chan Si, 292, 294, 302
Chan Toung, 296, 339
Chandiri, 104
Changhaï, 306
Charenton, 252
Charlesfort, 200
Charolais, 218
Chartres, 254
Chatt al-Arab, 95, 174
Chaul, 171, 174, 177
Chen Si, 294, 302
Chili, 160, 194
Chine, 8, 12, 13, 15, 17, 18, 21-24, 28-30, 143, 148, 157, 171, 172, 183, 197, 202, 207, 208, 239, 287-308, 312, 322, 325-329, 334-340, 342, 355
Chinju, 328
Chio, 84, 90
Chitor, 109
Chou-shan, 307
Chuan-chou, 299
Chunar, 105
Ch'ungju, 327
Chypre, 34, 74, 84, 90, 92, 93
Cilicie, 71, 72
Cipangu, 22
Clèves, 231, 259
Cochin, 26, 100, 170, 171, 173, 180

Cod (cap), 203
Cognac, 221
Colima, 197
Cologne, 52, 204, 235, 249
Colombie, 159, 160, 183
Colombo, 171
Colonnes d'Hercule, 144
Comores, 45
Comorin (cap), 178
Congo, 162, 163, 164
Constance, 49
Constantinople, 31, 34, 37, 38, 48, 49, 273, 279
Corbeil, 252
Cordoue, 55, 144
Corée, 13, 16, 20, 296, 298-300, 312, 322, 323, 327-330, 342
Corfou, 89
Corinthe, 73, 92
Coromandel (côte de), 172, 178, 180
Coron, 73
Corse, 138, 234
Côte d'Ivoire, 154
Côte-de-l'Or (aujourd'hui Ghana), 151, 154, 206
Courlande, 65, 261, 266, 271
Courtrai, 248, 251
Cracovie, 60, 265, 266
Crémone, 23
Crépy-en-Laonnois, 231
Crète (Candie), 74, 90, 93, 96
Crimée, 30, 31, 37, 63, 72, 76, 90, 96, 129, 209, 271, 272

Croatie, 85
Cuama (fleuve), 165
Cuba, 159, 182, 186, 195
Cuernavaca, 190
Cuzco, 185, 191-193, 195

D

Dabhol, 177
Daghestan, 132
Dai Viêt, 16, 21, 22, 299, 300
Dalmatie, 73
Daman, 171
Damas, 41, 45
Damiette, 40
Danemark, 52, 56, 204, 260-263
Dantzig, 265
Danube, 30, 31, 37, 38, 71, 78, 83, 84, 96, 225
Darfour, 43
Darién (golfe de), 159, 191
Deccan, 24-27, 97, 115-117, 134, 169, 178, 335
Dejima, 347
Delhi, 25, 26, 103, 105, 106
Déoulino, 277
Deventer, 252
Dieppe, 198
Dijon, 217
Diu, 171, 174, 175, 178
Diyarbakir, 80, 117, 124
Djenné, 43, 161
Djerba, 90, 242

Dniestr, 90
Dodécanèse, 83, 84
Don, 63, 274
Dordrecht, 259
Dorpat, cf. Tartu
Dreux, 244
Dunkerque, 249, 250, 257
Durazzo (aujourd'hui Durrës), 73
Dvina (fleuve), 202

E

Echizen, 319, 320
Écosse, 241, 250, 257, 258
Edo (Tokyo), 8, 309, 315, 321, 323, 324, 330, 331, 346
Égée (mer), 29, 31, 72, 83, 90, 96, 117, 132, 137, 146
Eger, 91, 95
Égypte, 36, 37, 41, 46, 59, 70-72, 78, 81-83, 95, 121, 173, 174, 225, 353
El Callao, 195
Emden, 204
Enckhuisen, 243
Enryahuji (temple), 319
Épire, 82, 89
Équateur, 191, 193
Escaut, 50
Espagne, 38, 41, 47, 67, 73, 87-89, 92, 137-142, 160, 190, 191, 196-198, 202, 203, 205, 216, 218, 220-

223, 226, 228, 236-255, 257-259, 265, 283, 285, 312, 331, 332, 348, 351
Estonie, 263, 264, 272, 273
Estrémadure, 145, 191
Esztergom, 91
Éthiopie, 45, 46, 95, 155, 166-168
Euphrate, 39, 78, 95

F

Famagouste, 92
Fatehpur Sikrï, 112, 114
Fernando Poo (aujourd'hui Bioko), 45, 151, 161
Ferrare, 59
Fès, 135
Finlande, 260-263, 277
Flandre, 53, 59, 218, 220, 222, 247-249, 256, 257
Flessingue, 243
Fleuve Bleu, cf. Yan Tsé Kiang
Fleuve Jaune, 15, 294, 302
Florence, 48, 57-59, 64, 213, 221, 255
Floride, 194, 200
Fontaine-Française, 254
Formose, cf. Taïwan
Fornoue, 214
Fort-Caroline, 200
Fort-Coligny, 200
Fort-Jésus, 164
Fort-Nassau, 206

Fou Kien, 299, 306, 307, 338
Fou-Choun, 297, 304
France, 47, 50, 51, 53-55, 57-59, 64, 70, 73, 78, 79, 87-89, 137, 141, 199, 201, 212-219, 224, 226, 230, 231, 233, 236, 240, 242-244, 250-252, 254-256, 268, 284, 332
Francfort, 235
Franche-Comté, 218, 242, 256
Franconie, 227
Frioul (îles), 256
Frise, 248, 252, 254
Funai, 326, 341

G

Gabon, 151, 161
Gaète, 214, 215
Galice, 158
Galicie, 267
Gambie, 135
Gand, 223, 244, 247, 248
Gange, 25, 26, 97, 102, 104-106, 108-110
Gao, 43, 161, 167, 326
Garigliano, 215
Gascogne (golfe de), 144, 242
Gaur (aujourd'hui Lakhnauti), 105
Gênes, 57-60, 92, 144-146,

213, 216, 221, 234, 236, 242

Géorgie, 88, 94, 117, 126, 127, 132, 133, 273

Gertruydenberg, 254

Gex, 256

Ghana, 44, 45, 151, 161

Ghujdwan, 122

Gibraltar, 144, 150

Gilan, 119, 120

Gingee, 100

Goa, 99, 141, 155, 164, 171-173, 177-180, 205, 336, 339, 342-344

Gobi, 17, 302

Golconde, 26, 100, 115-117

Gondar, 168

Gondwana, 109, 110

Gotha, 228

Gotland, 260

Grandson, 54

Gravelines, 236, 250

Graz, 85

Grèce, 31, 37, 73, 75

Greenwich, 254

Grenade, 41, 42, 47, 56, 156, 157, 215, 350

Grésin (pont de), 256

Groningue, 248, 252, 254

Grunwald, cf. Tannenberg

Guadalquivir, 146

Guam, 195

Guatémala, 184, 190

Gué (cap de), 135

Gueldre, 231, 248

Guinée, 44, 45, 135, 150, 151, 154, 156, 161, 168, 198, 206, 355, 356

Guinegatte, 217

Gujarat, 9, 24, 26, 28, 99, 102, 104, 105, 110, 141, 171, 172, 174, 175, 178, 179

Gwalior, 107

H

Haarlem, 244

Hainan, 290

Hainaut, 218, 247

Hakata, 306, 326, 342

Halicarnasse, cf. Bodrum

Hansan (îles), 327

Harar, 167

Hatteras (cap), 203

Herat, 122, 126, 127, 129-131, 133

Herzégovine, 71

Hesse, 228, 229, 232

Hindoustan, 102, 104-107, 110, 352

Hindu Kuch, 115

Hirado (île), 326, 345

Hispaniola (aujourd'hui Saint-Domingue), 158, 159, 182

Hokkaido, 19, 330

Hollande, 204, 205, 218, 243, 244, 247, 248, 259

Holstein, 56, 260

Honavar, 172

Honduras, 159, 184, 190
Honfleur, 198
Honganji (temple), 318, 319
Hongrie, 31, 61, 62, 71-74,
    78, 84, 85, 87, 90, 92, 94,
    95, 136, 225, 231, 240,
    266, 354
Honnuji (temple), 320
Honshu, 19, 314, 320, 321,
    325, 330, 341
Huamanga, 193
Huancavelica, 195
Hudson (baie d'), 202
Hulst, 252
Hyères, 354

I

Iga, 317
Ikkéri, 100
Ilhas, 179
Inde, 12, 16, 23-28, 45, 67,
    97, 99, 102, 103, 106, 141,
    143, 155, 160, 164-166,
    168-173, 176, 177, 179,
    181, 209, 280, 287, 288,
    334-336, 340
Indien (océan), 10, 11, 16,
    17, 23-25, 44, 45, 67, 134,
    141, 172, 174, 175, 178,
    197, 205, 281
Indochine, 13, 16, 329
Indonésie, 168, 171, 172,
    196, 239, 299, 312
Indus, 25, 26, 103, 106, 335

Innsbruck, 233
Insulinde, 16
Intérieure (mer), 314, 316
Irak, 78, 86, 87, 121, 124,
    174
Iran, 39, 67, 75, 76, 79-81,
    87, 103, 105, 111, 121,
    122, 124, 127, 132, 138,
    141, 202, 207, 352
Irlande, 249
Ishiyama, 318, 319
Islande, 201
Ispahan, 141
Istanbul, 34, 35, 38, 41, 68-
    71, 74, 76, 79-81, 84, 86-
    88, 93, 94, 96, 121, 127,
    128, 132, 133, 138, 230,
    354
Italie, 7, 9, 23, 24, 47, 50, 51,
    57, 58, 70, 144, 146, 204,
    215, 217, 218, 220-222,
    233, 236, 237, 244, 256
Ivry, 251
Iwashimizu Hachiman
    (sanctuaire), 317
Ixtaccíhuatl (volcan), 188

J

Jam, 125
Japon, 9, 12, 16-20, 22, 143,
    160, 168, 172, 178, 183,
    197, 281, 297-289, 299,
    300, 306-336, 339-344,
    346, 347

Japon (mer du), 315, 330
Jaunpur, 26, 107
Java, 16, 28
Jérusalem, 353
Jodhpur, 102
Joinville, 247, 251
Juliers, 259
Jura, 53
Jütland, 56

K

Kaboul, 29, 102-104, 109, 114, 115
Kagoshima, 326, 340
Kalmar, 56, 260, 268
Kama, 207
Kamakura, 19
Kanara, 178
Kanauj, 105
Kandahar, 103, 104, 115, 127
Kano, 43
Kanto, 19, 315, 318, 321
Kanua, 102, 104
Karabagh, 128, 132, 133
Karaman, 31, 68, 70-72, 76, 123
Karnataka, 100
Kashan, 122
Kattegat, 263
Kayseri, 76
Kazakhstan, 207
Kazan, 30, 63, 207, 209, 270
Kenya, 164

Kerbala, 133, 136
Khandesh, 26, 108, 115-117
Khorassan, 114, 122, 125, 126, 128-130, 132-134
Kiangsi, 293
Kiev, 48, 60, 62-64, 267
Kii, 318, 320
Kilia, 71, 164, 170
Kiloa, 45
Kinai, 314, 317, 318
Kinsale, 257
Kiso, 319
Kolyma, 207
Konkan, 177, 179
Konya, 68, 69
Kouang Si, 290
Koulikovo, 63
Koutchoun, 208
Kouzistan, 122
Krewo, 60
Krishna, 100
Ksar el-Kébir, 135, 246
Ku-pei, 302
Kuang Toung, 299, 306, 307
Kurdistan, 80, 129, 130, 132
Kyoto, 19, 20, 315, 318, 320, 323, 324, 330, 332, 341, 344, 346
Kyushu, 172, 307, 314, 320, 325, 326, 340-342, 344, 345

L

La Bicoque, 220
Labrador, 201, 202
La Corogne, 197
Lagny, 252
Lahore, 103, 105, 107, 114
La Mecque, 44, 77, 81, 95,
   108, 113, 135, 141, 175
Landriano, 222
Landstuhl, 227
Languedoc, 252
Laos, 21
La Rochelle, 204
Las Navas de Tolosa, 144,
   145
Las Palmas, 257
Le Cateau-Cambrésis, 236,
   237, 255
Le Havre, 245
León, 145
Lépante, 73, 92, 93, 244
Lhassa, 17, 300
Liao, 304
Liao-Ning, 297, 304, 305
Liao-tung, 327
Libye, 84
Lima, 192-194
Limpopo, 45, 165
Linköping, 265
Lisbonne, 59, 146, 147, 150,
   151, 156-158, 161, 162,
   168, 176, 195, 198, 204,
   238, 249, 349
Lituanie, 47, 60-65, 72, 261,
   266-269, 272, 274

Livonie, 261, 266, 269, 271-
   273, 276
Lodi, 57
Loire, 53, 252, 255
Lombardie, 57, 58, 213, 215,
   217, 219, 220, 222, 230,
   243
Londres, 202, 204, 258, 259,
   349
Lorraine, 53, 242
Los Charcas, 194
Lotharingie, 53, 64
Luanda, 45, 161, 163
Lübeck, 52, 261-263
Lublin, 267, 272
Lucques, 57, 58
Luristan, 132
Luxembourg, 218
Lyon, 59, 256

M

Maastricht, 248
Macao, 172, 178, 307, 308,
   326, 338, 339, 348
Macédoine, 36
Mactan (île), 195
Madère, 59, 149, 150, 161
Madrid, 93, 220, 230, 242,
   257, 332
Madurai, 100
Magdebourg, 233
Maghreb, 8, 29, 41, 42, 44,
   47, 81, 89, 93, 96, 135,

148, 155, 243, 260, 279, 282, 350, 354
Malabar (côte de), 24, 26, 28, 99, 169-172, 174, 178, 353
Malacca, 16, 171, 178, 299, 307, 336, 337, 339
Malaisie, 249
Maldives (îles), 28, 176
Mali, 44
Malindi, 45, 156, 164, 172
Malines, 244
Malte, 90, 92, 201
Malwa, 26, 105, 108-110
Manche (mer), 249
Mandchourie, 303
Mandovi (fleuve), 179
Manikpur, 109
Manille, 197, 239, 308, 327, 331, 332, 334, 339, 346
Manisa, 79
Mantoue, 59, 259
Maranhão, 182
Mardj Dabik, 81
Marignan, 218
Maroc, 42, 150, 151, 161, 246, 350
Marrakech, 135
Marseille, 88, 256
Marwar, 102, 104
Masangano, 163
Mascareignes (îles), 45
Mascate, 174
Massachusetts, 201
Massaoua, 167
Massapa, 166
Mauritanie, 160

Mayence, 52, 235
Meaux, 251
Meched, 126, 129-131, 133, 136, 141
Médine, 135
Méditerranée (mer), 11, 23, 24, 34, 41, 44, 47, 58, 59, 64, 65, 74, 81, 83, 87, 90, 92, 93, 96, 129, 134, 137, 143, 144, 149, 157, 169, 224, 231, 239, 242, 279, 281, 287, 354
Meliapur, 180
Melilla, 42
Merdin, 121
Merv (aujourd'hui Mary), 122, 126, 133
Mésopotamie, 121, 127, 132, 133
Metz, 231, 233, 234, 237
Meuse, 50
Mewar, 102, 109
Mexico, 160, 185, 188-190, 332
Mexique, 309, 327
Michoacán, 184
Middelburg, 204
Mikatagahara, 319
Mikawa, 322
Milan, 54, 57-59, 214-218, 220, 230, 232, 234, 236, 242
Mino, 315, 323
Modène, 59
Modon, 73
Mogadiscio, 164

Mogi, 326

Moguer, 156, 157

Mohács, 84, 225

Moldavie, 31, 60, 71, 72, 78, 90, 96, 136

Moluques (îles), 24, 172, 173, 175, 195-197, 336

Mombasa, 45, 164

Mongolie, 301

Monomotapa (aujourd'hui Zimbabwe), 25, 45, 161, 165, 166, 168

Mons, 243

Monténégro, 37

Montferrat, 259

Morat, 54

Morée, 73

Moscou, 60, 63, 64, 136, 138, 202, 208, 269, 270, 272, 273, 275-277

Moscovie, 202

Mozambique, 164, 172

Mühlberg, 232

Multan, 115

Murcie, 144, 145

Mysore, 100

N

Nagasaki, 326, 332, 341, 343, 344, 346, 347

Nagashima, 319

Nagashino, 319

Najaf, 134, 136

Namibie, 155

Namur, 218

Nan-ch'ang, 293

Nancy, 54

Nankin, 15, 290, 293, 295, 307, 337, 339, 340

Naples, 54, 56, 57, 70, 144, 213-215, 219, 221, 222, 234, 236, 237

Narva, 263

Natal, 155

Navarin, 73

Navarre, 55, 220, 234

Navidad, 197

Ndongo (royaume du), 163, 164

Negoro, 318, 320

Neufchâtel-en-Bray, 253

Neuss, 248

Neva, 261

New Jersey, 199

Nicaragua, 194

Nice, 231, 255

Nicopolis, 48

Niebla, 154

Nieszawa, 266

Nieuport, 249, 257

Niger, 43, 135, 161

Nijni Novgorod, 269, 277

Nimègue, 248, 252

Ning, 293

Ning Sia, 296, 303

Ningbo, 306, 307

Noire (mer), 30, 31, 40, 59, 60, 65, 71, 90, 96, 134, 146, 261

Nonsuch, 248

Nord (cap), 202
Nord (mer du), 52, 144, 204, 249, 250, 263
Normandie, 204
Norrköping, 265
Norvège, 56, 260
Nouvelle-Castille, 194
Nouvelle-Écosse, 201
Nouvelle-Espagne, 141, 161, 189-192, 196, 199, 327, 332
Nouvelle-France, 201
Nouvelle-Tolède, 194
Novare, 214, 217
Novgorod, 63, 272, 277
Noyon, 219
Nubie, 11, 46, 81, 95
Nuremberg, 146

O

Oaxaca, 184, 190
Odawara, 315, 321
Oder, 50
Oka, 269
Okehazama, 318, 322
Okhotsk (mer d'), 134
Okinawa, 330, 331
Omi, 319
Oran, 243
Orissa, 27, 97, 99-102, 110, 116
Ormuz (détroit d'), 133, 138, 141, 155, 171, 174, 177, 202

Osaka, 324, 327, 342-344, 346
Ostende, 248, 257, 258
Otrante, 34
Oural, 207
Oustioug, 207
Owari, 315, 318

P

Pacifique (océan), 10, 175, 183, 191, 192, 195, 196, 205, 208, 238, 239, 287
Palatinat, 51
Palestine, 40, 81-83
Palos, 156, 157
Pamir, 302
Panamá, 183, 190, 191, 194, 195
Panipat, 103
Pannonie, 29, 61
Pará, 182
Paris, 236, 251-255
Passau, 234
Pavie, 220, 248, 249, 251-253, 256-258, 261
Pays-Bas, 144, 146, 203, 204, 218, 220, 230, 231, 234, 236, 241-245, 247
Peghu, cf. Pescadores
Pegu, 24, 28, 178
Peïpous (lac), 271
Pékin, 15, 17, 289, 290, 292-295, 298, 300, 303, 307, 338-340

Péloponnèse, 73, 74
Pendjab, 103-107, 115
Perles (Rivière des), 337, 338
Pérou, 190-195, 223, 224
Perse, 25, 39, 82, 86, 87, 94, 99
Persique (golfe), 45, 77, 86, 95, 133, 134, 141, 164, 168, 171, 172, 174, 177, 202, 203
Pescadores (îles), 331
Peshawar, 115
Pest, 90
Philippines, 16, 195-197, 238, 239, 308, 326, 329, 331, 332, 343
Phnom Penh, 21
Picardie, 236, 254, 255
Piémont, 216, 231, 255
Pipli, 102
Pise, 58, 216
Pô, 213, 220
Pologne, 60-62, 65, 72, 204, 240, 260, 261, 263-268, 271-273, 275-277
Polotsk (aujourd'hui Polatsk), 271, 272
Popocatépetl, 188
Porto Belo, 195
Port-Royal, 201
Portugal, 42, 55, 67, 135, 141-142, 145, 148-150, 154, 156-158, 160-162, 166-169, 175, 176, 181, 196, 198, 200, 204-206, 208, 238, 246, 247, 285, 299, 331, 343, 348, 351
Potonchan, 187
Potosí, 194, 195, 327
Pouille, 89, 215, 221
Prague, 138
Presbourg (Bratislava), 85, 225
Préveza, 89
Provence, 220, 230, 252, 255, 258, 285
Provinces-Unies, 137, 141, 203, 205, 206, 239, 247-250, 252, 254, 255
Prusse, 261-266
Pskov, 269, 272
Puerto Rico, 182
Pusan, 327, 328
Pyongyang, 327

Q

Qazvin, 125, 126, 128, 130
Qom, 121, 136
Québec, 199, 201
Quelimane, 166
Quemoy (Kinmen), 307
Quilon, 26, 100
Quito, 192, 194

R

Radom, 61, 62, 266
Raguse (aujourd'hui Dubrovnik), 37
Rajasthan, 26, 104, 105, 109, 110
Rajmahal, 110
Ranthambor, 109
Ratisbonne, 228
Ravenne, 217
Recife, 206
Reval (aujourd'hui Tallinn), 263
Rhin, 52, 227, 248
Rhodes, 34, 70, 84, 89
Rhône, 50
Riazan, 269
Rio de Janeiro, 181, 200
Río de Oro, 135
Rodolphe (lac), 167
Rome, 48, 49, 51, 64, 70, 138, 163, 213, 221-224, 269, 341
Rose Island, 202
Rouen, 253
Rouge (mer), 41, 46, 77, 80, 81, 95, 170, 173-176, 178
Roumélie, 36, 68, 71, 74, 76, 78, 90
Roussillon, 56
Russie, 63-65, 202, 206, 261, 263, 267-279, 282-284
Ryukyu, 16, 197, 330, 331

S

Safi, 135
Sagres, 151
Sahara, 11, 43, 155
Saint-Dizier, 231
Saint-Domingue, 182, 195
Saint-Georges-de-la-Mine, 44, 154, 160, 161
Saint-Germain-en-Laye, 201
Saint-Jean-d'Acre, 40
Saint-Laurent, 199, 201
Saint-Maur, 252
Saint-Quentin, 236
Saint-Tropez, 332
Sainte-Maure (Leucade), 73
Sakai, 316, 318, 319
Salcette, 179
Saluces, 252, 255, 256
Salvador de Bahia, 182
Samarkand, 29, 103
San Agustín, 200, 201
San Juan de Ulloa, 187
San Salvador, 163
Santa Fe, 157, 159
Santa Fé de Bogotá, 194
Santiago (Cap-Vert), 160
Santiago du Chili, 194
São Sebastião, 200
São Tomé, cf. Meliapur
São Tomé et Príncipe, 45
Saône, 50
Sarai, 63
Sarajevo, 37

Sarangpur, 108
Sardaigne, 56, 57, 144, 234
Satsuma, 330, 340
Save, 83
Savoie, 58, 213, 216, 242, 252, 255, 259
Saxe, 52, 228, 229, 232, 233
Schleswig, 56, 260
Se Tchouan, 290, 296
Sehwan, 115
Seine, 253
Sekigahara, 323
Sena, 166
Sendai, 332
Sénégal, 44, 135, 147
Séoul, 20
Serbie, 31, 37, 49
Sesia, 220
Séville, 59, 146, 332, 349
Seychelles (îles), 45
Shama, 161
Shangchuan (île), 339
Sharrur, 121
Shikoku, 320, 331, 332
Shizugata, 320
Shuang-yü, 306, 307, 338
Siam, 299
Sibérie, 8, 29, 202, 207-209, 278, 349
Sibir, 207
Sicile, 56, 57, 90, 144, 215, 219, 234
Sienne, 58, 233, 236
Sind, 26, 105, 115, 117
Singhoua (Poutien), 307
Sirhind, 106

Sissek, 94
Sivas, 76, 123
Slovaquie, 85
Smalkalde, 229, 232-234
Smolensk, 60, 64, 269, 276, 277
Smyrne, 81
Socotora, 173
Sofala, 45, 164, 165
Sonde (îles), 348
Souabe, 227
Soudan, 11, 43, 44, 46, 150, 155, 161, 163, 168
Sous, 135
Soyo, 162
Spire, 228
Sporades (îles), 83
Srinagar, 115
Starodub, 269
Stettin, 263
Stockholm, 260, 262
Stolbovo, 277
Suède, 65, 204, 260-265, 268, 272, 273, 276, 277
Suisses (cantons), 51, 53, 213, 216, 217, 256
Sumadra-Pasaï, 299
Sumatra, 16, 24, 28, 171, 198, 299, 353
Sund (détroit du), 52, 204, 261
Sunpu, 316, 324
Syrie, 40, 71, 80-82
Syrte, 90
Szeged, 91
Székesfehérvár, 91

Szigetvár, 91
Szitvatorok, 95
Szolnok, 91

T

Ta-Toung, 302
Tabriz, 39, 75, 80, 87, 88,
    118, 123-128, 130
Tage, 144, 147
T'ai-ts'ang
Taïwan, 16, 197, 307, 329,
    331, 348
Talikota, 100
Tamil Nadu, 27
Tana (lac), 167
Tanegashima (île), 326
Tanger, 42, 150, 151
Tanjavur, 100
Tannenberg, 60
Tarse, 71
Tartu (Dorpat), 271
Tchad (lac), 43
Tchaldiran, 80, 123
Tche Kiang, 306, 307
Tchernigov-Seversk, 269
Tehuantepec, 184
Tekrour, 44
Temesvár (Timisoara), 91
Tenochtitlán (Mexico), 184,
    185, 187-189, 192
Ternate, 206
Terre-Neuve, 198, 199, 201
Tete, 166
Texcoco, 184, 185, 189

Thatta, 115
Thessalie, 36, 38
Thionville, 236
Thrace, 31, 36
Tibet, 17, 299, 300
Tidore, 206
Tiflis, 125
Tigré, 167
Timor, 24
Tioumen, 208
Titicaca (lac), 192
Tlacopan, 184, 188
Tlaxcala, 184, 187, 188
Tlemcen, 41, 42
Tobolsk, 208
Tohoku, 332
Tokai, 315, 319
Tombouctou, 43, 135, 161
Tondibi, 161
Tordesillas, 42, 158, 181,
    196, 198
Torgau, 228
Toscane, 57, 92, 236
Touchino, 275, 276
Toul, 233, 237
Toulon, 231
Tovar, 246
Transoxiane, 114, 121
Transylvanie, 78, 90, 91, 95,
    96, 136, 225, 268
Trébizonde, 75, 79, 122
Trente, 93, 232, 241
Trêves, 52, 235
Tripoli, 84, 89, 93, 96, 234
Trois-Pointes (cap des),
    151

Tsushima, 330
Tucapel, 194
Tumbes, 191
Tung-chou, 303
Tungabhadra, 100
Tunis, 89, 93, 96, 230, 244
Tunisie, 41, 42, 89, 93
T'un-men, 338
Turquie, 94-96
Tver, 64
Tyrol, 256
Tyrrhénienne (mer), 88

U

Udaipur, 102
Ukraine, 60, 64, 261, 266
Uppsala, 262, 264
Urado, 331
Utrecht, 231, 247
Uzuki, 341, 345

V

Valachie, 31, 60, 72, 78, 96, 136
Valence, 193
Valladolid, 138
Valromey, 256
Valserine, 256
Van, 80, 88, 117, 127
Varna, 48
Varsovie, 267
Västeras, 262, 263

Vaucelles, 234
Velikiye Luki, 272
Venezuela, 160, 182
Venise, 34, 57-59, 70, 72-75, 89, 90, 92, 93, 96, 137, 145, 173-176, 213-216, 221
Venlo, 231
Veracruz, 187-189, 202
Verceil, 214
Verdun, 233, 237
Vervins, 255, 259
Veszprém, 91
Vetluga, 269
Vienne, 85, 87, 96, 354
Vijayanagar, 25, 26, 97, 100, 102, 117, 171, 172, 177
Vilcabamba, 192, 195
Villegaignon (île), 200
Vilnius, 60
Virginie, 203
Visegrad, 91
Vistule, 265
Vitry-en-Perthois, 231
Volga, 30, 63, 269, 270
Volynie, 267

W

Wayna Daga, 167
Wenden, 273
Wola, 267
Worms, 226, 228, 229

X

Xaquixaguana, 193
Xiang, 290

Y

Yamaguchi, 315
Yamashiro, 317
Yamazaki, 320
Yan Tsé Kiang, 15
Yémen, 95
Yénitchéri, 70, 79
Yokuse-Ura, 326
Yucatán, 183, 184, 186, 187
Yun-nan, 299, 300

Z

Zambèze, 156, 161, 164-166, 355
Zanzibar, 45, 164
Zélande, 204, 218, 243, 247
Zeyla, 46, 166, 167
Zimbabwe, 165
Zimbaoé, 165
Zuari (fleuve), 179
Zulkadr, 71, 80
Zutphen, 231, 244, 248, 252
Zuyderzee, 53

Table

Introduction 7

CHAPITRE 1
Le monde à la fin du XVe siècle 11
  1. L'Extrême-Orient chinois 12
  2. L'Inde et l'Insulinde 23
  3. Les États musulmans du Moyen-Orient
     et du Maghreb 29
  4. L'Afrique noire 42
  5. L'Europe 46

CHAPITRE 2
Les progrès de l'islam 67
  1. L'Empire ottoman 68
  2. L'Empire ottoman au sommet de sa puissance . 77
  3. La naissance de l'Empire moghol 97
  4. L'Empire safavide 117
  5. Islam et Occident 134

CHAPITRE 3
L'expansion européenne 141
  1. L'ère des découvertes (XIV-XVe siècle) 143
  2. L'Empire portugais 160
  3. L'Empire castillan 182
  4. Les autres puissances européennes 198

CHAPITRE 4

L'impossible unification de l'Europe 211

1. La rivalité entre la maison de Valois
   et la maison de Habsbourg 212
2. La Monarchie catholique et la montée
   des puissances maritimes 237
3. Au Nord et à l'Est, du nouveau 260
4. Bilan : l'Europe et les moyens de sa puissance 278

CHAPITRE 5

La résistance de l'Orient 287

1. Le déclin de la dynastie des Ming 289
2. Le Japon des seigneurs de la guerre 308
3. Les Occidentaux en Extrême-Orient
   entre commerce et évangélisation 333

Conclusion 349

Chronologie 359

Bibliographie 367

Index des noms de personnes 375

Index des noms géographiques 391

SOURCES DES CARTES

Pages 32-33 : L'Iran au XVIe siècle, d'après *Atlas historique*, sous la direction de Georges Duby, Librairie Larousse, 1987 (réalisée par Légendes Cartographie).

Page 101 : L'Inde vers 1500. Source : Michel Chandeigne (dir), *Goa 1510-1685, l'Inde portugaise, apostolique et commerciale*, Paris, Autrement, 1996.

Pages 152-153 : L'Afrique à la fin du XVe siècle et les voyages d'exploration des Portugais. Source : Robert Cornevin, *Histoire de l'Afrique*, t. I, Paris, Payot, 1967.

Page 291 : La Chine des Ming. Source : *Atlas historique*, sous la direction de Georges Duby, Librairie Larousse, 1987 (réalisée par Légendes Cartographie).

Pages 310-311 : Le Japon du XVIe siècle divisé en provinces. Source : *Atlas historique*, sous la direction de Georges Duby, Librairie Larousse, 1987 (réalisée par Légendes Cartographie).

Page 313 : Les pricipaux clans de daimyo au XVIe siècle. Source : *Atlas historique*, sous la direction de Georges Duby, Librairie Larousse, 1987 (réalisée par Légendes Cartographie).

RÉALISATION : PAO ÉDITIONS DU SEUIL
IMPRESSION : MAURY-EUROLIVRES - 45300 MANCHECOURT
DÉPÔT LÉGAL : FÉVRIER 2003 - N° (06/02/119389)